SETH COLTON
LE FLEUVE
DES ABYSSES

Dans la même série

Seth Colton
Le Troisième Fléau
Plon, 2003

LE FLEUVE DES ABYSSES

Plon

ISBN : 2-259-19674-8

1

QUELQUE CHOSE AU FOND

Secteur militaire Lisa 8, Pacifique Sud.
23 h 00 GMT.

Agé de cinquante-trois ans, le capitaine Dick O'Malley possédait un visage fin et longiligne, qui s'accordait parfaitement au reste de sa morphologie. De petite taille, ses yeux verts toujours en mouvement semblaient scruter l'activité de chacun des membres d'équipage, sans jamais prendre le moindre instant de repos. Le capitaine de l'USS *Ohio*, un sous-marin balistique de 170 mètres capable d'emporter avec lui 24 missiles nucléaires Trident, savait que la moindre erreur se payait au prix fort, lorsque l'on évoluait par 700 mètres de profondeur, en plein milieu du Pacifique Sud...

La salle de commande mesurait environ 100 mètres carrés : elle se trouvait à l'étage supérieur du sous-marin, qui en comptait trois. Des officiers, des navigateurs et quelques spécialistes de l'écoute s'activaient sur des représentations informatiques de cartes marines et sur des alignements de chiffres réactualisés en permanence. Les paramètres de déplacement étaient décortiqués par plusieurs analystes dont la seule mission consistait à détecter une anomalie ou une panne éventuelle, avant que celle-ci n'entraîne des répercussions incontrôlables. L'USS *Ohio* était bien plus qu'une masse métallique projetée à grande vitesse dans l'obscurité absolue, au milieu d'un environnement hostile : c'était une mécanique de précision parfaitement rodée, dans laquelle les membres d'équipage mesuraient soigneusement leurs gestes et leurs décisions les plus anodines. Comme le répétait souvent O'Malley : « Ici, ce n'est pas l'armée de l'air : dans un avion de chasse, lorsque vous êtes touchés, vous pouvez sauter en parachute ou tenter l'atterrissage. Dans un sous-marin, on ne peut pas sortir, et on ne peut pas se laisser couler vers le fond... »

O'Malley fronça légèrement les sourcils en observant un léger mouvement sur un de ses écrans sonars. Il pivota sur son fauteuil en direction d'un navigateur :

— Sergent ? 45 nord-nord-ouest. Identifiez, s'il vous plaît, lança-t-il d'une voix monocorde à l'attention du jeune homme...

Agé de vingt-six ans, Jeffrey Budmeyer travaillait pour la Navy depuis l'âge de dix-huit ans. Après un cursus de formation au repérage radar subventionné par l'armée, il avait été incorporé à l'équipage de l'*Ohio*, quatre ans auparavant...

Quelques instants plus tard, il se tourna vers O'Malley.

— Projections sismiques, mon capitaine.

Ce dernier fronça les sourcils, affichant une mine peu convaincue.

— Quelle est la profondeur ?

— 7 852 mètres.

— Impossible qu'il s'agisse d'une éruption. Le signal s'amplifie..., répliqua le commandant en pianotant sur le clavier de son fauteuil, afin de visualiser le contrôle radar.

Il observa l'écran quelques instants. A chaque nouveau bip, une sorte de cercle imparfait se dessinait autour d'un épicentre situé 6 500 mètres plus bas. En effet, cela pouvait s'apparenter à une explosion, mais quelque chose clochait.

Au lieu de perdre de sa puissance en remontant vers la surface, l'onde de choc s'amplifiait. L'écho-sonar dévoilait une masse dense et gigantesque, qui grossissait à chaque seconde, en remontant vers la surface, vers le sous-marin...

D'après une transcription rapide, O'Malley estima la taille de cette... chose à plus d'un kilomètre de diamètre.

— Calculez-nous une procédure de dégagement...

Ce que le capitaine voulait savoir, même si son instinct lui fournissait déjà une réponse, c'était si la trajectoire de cette masse croiserait celle de l'*Ohio*. Quelques instants plus tard, un des navigateurs s'écria :

— Si on ne modifie pas nos coordonnées, on entre dans la perturbation d'ici deux minutes... A notre profondeur, la masse d'eau devrait avoir un diamètre de 7 kilom...

— Ce n'est pas de l'eau, capitaine ! hurla Jeffrey depuis son écho-sonar. D'après nos logiciels d'identification, il ne s'agit pas d'une lame de fond, mais d'une nappe de méthane...

L'œil du capitaine, qui balayait la salle de commande, s'immobilisa instantanément, figé dans une expression de terreur. L'hydrate de méthane est le cauchemar de tous les marins. Ce produit composé d'un mélange de méthane et d'eau se libère parfois des entrailles de la terre et crée des perturbations si violentes qu'aucun bâtiment ne peut y résister. Depuis quelques années, la découverte d'un énorme gisement dans le triangle des Bermudes a permis d'expliquer les disparitions autrefois mystérieuses de navires et même d'avions, dont les moteurs explosaient au contact de ce gaz hautement inflammable libéré par l'océan...

— Navigateur ! Donnez-moi un cap ! ordonna O'Malley.

— On est dedans de toute façon ! hurla Jeffrey... Deux minutes vingt avant le contact ! L'épicentre est devant nous...

— Machine arrière toute. Barre à zéro. Videz les ballasts. Si on peut remonter un peu, on gagnera du temps ! A quelle vitesse remonte le méthane ?

— 103 km/heure. Accélération à 14,4.

La nappe de gaz arrivait de plus en plus vite vers la surface, au fur et à mesure que la pression des grandes profondeurs faiblissait...

— Ballast à 90 %. Vitesse 45 nœuds. 1 minute 54 secondes avant le contact.

— Fermez toutes les écoutilles. Alerte de niveau 4. Je veux tout le jus pour les moteurs ! hurla le capitaine en décrochant un micro pour contacter la salle des machines...

— Passez les systèmes électriques auxiliaires sur les batteries de secours et maintenez en arrière toute.

— Les machines arrivent en cote d'alerte 1 dans huit secondes, mon capitaine... cria une voie anonyme dans le combiné, noyée par le brouhaha des moteurs...

— Continuez ! dit-il en raccrochant avant d'observer la progression du nuage gazeux qui encerclait totalement le sous-marin, 2 500 mètres plus bas.

S'ils ne parvenaient pas à reculer, à éviter les perturbations du méthane, il ne leur resterait qu'à prier...

— Capitaine : vitesse 0 nœud, ballast à 10 %, on remonte et on gagne du temps. L'ordinateur me suggère un 14° nord-nord-est, avant toute sur 2 000 mètres ! hurla un des navigateurs...

— Nom de Dieu ! rugit O'Malley... Votre ordinateur calcule un cap d'évacuation comme si on dégageait d'une position militaire : il suit le courant ! Le méthane aussi, suit le courant ! Vous voulez vraiment faire entrer un sous-marin nucléaire dans une nappe d'explosif concentré ? gronda-t-il à l'attention du navigateur qui baissa immédiatement les yeux. Maintenez barre à 0 arrière toute. Calculez-moi un temps de dégagement ! En intégrant la vitesse de remontée et la propagation du méthane ! ordonna-t-il en se tournant vers son second :

— Lieutenant ? Est-ce que toutes les écoutilles sont fermées ?

— Oui, capitaine... répondit l'officier d'une quarantaine d'années qui transpirait maintenant à grosses gouttes... Tout est paré, nous...

— Salle de commande ! hurla un des machinistes dans le micro, deux étages plus bas.

Le capitaine s'empara du combiné pour répondre.

— Capitaine ! On arrive en alerte 3 du réacteur. Si c'est une manœuvre, il vaut mieux...

— Ce n'est pas une manœuvre, répliqua O'Malley d'une voix qui s'efforçait de demeurer calme.

Il y eut un court silence à l'autre bout de la ligne, puis l'homme reprit.

— Très bien, capitaine. A vos ordres. On continue en arrière toute...

Le plus gros sous-marin de l'US Navy, fleuron de technologie ultramoderne dont le coût avoisinait les 4 milliards de dollars, commençait à reculer...

— Temps de dégagement ! Qu'est-ce que vous foutez, nom de Dieu ! hurla O'Malley à l'attention des postes de navigation. Combien de temps avant le contact ?

— Cinquante secondes... Le nuage est maintenant à...

— Merde ! On est foutus ! s'écria Jeffrey.

— Fermez-la ! siffla le capitaine d'une voix exaspérée.

— Notre temps de dégagement est de 1 minute 30 ! reprit le jeune homme. L'ordinateur est formel ! On ne l'évitera pas !

O'Malley ferma les yeux un bref instant pour réfléchir, puis il se rassit au fond de son fauteuil et déclara d'une voix plus posée, plus grave...

— Messieurs, vous venez de l'entendre, on va devoir passer au travers du nuage de gaz...

— Impact dans 26 secondes !

— Je le sais ! trancha le capitaine avant de reprendre : Tout le monde s'attache. A mon ordre, je veux que vous exécutiez les manœuvres suivantes : fermeture des ballasts, machines à zéro...

— Si les ballasts sont fermés à vide alors que les moteurs ne marchent plus, on va être aspiré vers le haut par le méthane, et on restera dans la nappe gazeuse encore plus longtemps, déclara un des analystes en quittant ses écrans des yeux, visiblement au bord de la crise de nerfs...

— Mais si cette saloperie s'infiltre dans le moindre de nos circuits électriques, on explose..., répliqua le capitaine.

— Impact dans 15 secondes, reprit l'un des navigateurs.

O'Malley demeurait silencieux.

— Impact dans...

— Coupez les auxiliaires et le général électrique, ballasts fermés et moteur à zéro. Maintenant ! hurla-t-il en bouclant sa ceinture, alors que les hommes s'activaient frénétiquement sur leurs postes de commande.

— Ballasts fermés. Remplissage 7 %..., lança un d'entre eux.

— Moteurs de direction à zéro. Principal à zéro. Réacteur en veille.

— Coupez le général ! ordonna le capitaine alors que les analystes mécaniques le regardaient d'un air éberlué.

— On a un problème dans le compartiment des torpilles ! Les tubes... Un tube est en dysfonctionnement ! Tube en dysfonctionnement ! aboya l'un des hommes alors que l'USS *Ohio* commençait à être secoué par les gigantesques bulles de gaz inflammables qui l'encerclaient de toutes parts...

— Coupez tout !

— On ne peut pas ! Si on coupe le général, ce putain de circuit informatique garde une veille sur l'auxiliaire en cas de panne localisée, murmura le second à l'oreille du capitaine, comme pour une confession particulièrement honteuse...

Assis l'un à côté de l'autre, dans le submersible ballotté comme un fétu de paille par les abysses devenus soudain bouillonnants, les deux hommes s'adressèrent un salut impeccable avant de se cramponner à leur siège, conscients de ce qui allait suivre.

Le méthane pénétra dans le tube lance-torpilles et atteignit les systèmes de fermetures électriques : les *112 hommes d'équipage*, les *4 milliards* de technologie ultramoderne... Tout cela disparut dans une tempête de feu et de flammes, à cause d'un câble secondaire que le Pentagone payait 2 dollars le mètre...

2

DÉPART

Région de Païlin, sud-ouest du Cambodge.

Les montagnes Cardamomes s'étiraient majestueusement sous la verrière du petit avion. Il était impossible d'apercevoir la moindre arête rocheuse, la moindre falaise, tant la jungle qui couvrait ces reliefs était dense et impénétrable, déchirée seulement par de petits torrents qui serpentaient au fond des vallées. Seth avait quitté l'aéroport de la capitale cambodgienne, Phnom Penh, une demi-heure auparavant, et se dirigeait maintenant vers la frontière thaïlandaise.

Les Cardamomes avaient longtemps constitué le sanctuaire impénétrable des Khmers rouges, responsables du massacre d'un million de leurs concitoyens. Aujourd'hui, ce territoire hostile et couvert de mines antipersonnel constituait un périmètre hors la loi où s'affrontaient les chercheurs de rubis, les exploitants de teck ou encore les trafiquants d'armes. Les anciens soldats Khmers rouges y louaient leurs services aux mafias rivales, qu'elles soient chinoises, thaïes ou vietnamiennes.

Aux commandes de son petit Cessna 152, Seth observait la beauté prodigieuse de ces territoires maudits. Les Cardamomes étaient, avant le début de la guerre civile qui ravageait le pays depuis près de quarante ans, l'une des plus formidables réserves naturelles de la région. Aujourd'hui, le bilan était accablant. Si les tribus montagnardes avaient été décimées par les Khmers rouges, elles n'étaient pas les seules : les ours ou encore les grands primates avaient également disparu, victimes des milliers de pièges et de mines dissimulés dans la forêt.

Sous le ciel d'un bleu limpide, ce magnifique tapis de végétation luxuriante dissimulait un enfer auquel ni les hommes ni les animaux n'avaient survécu...

Ces paysages de jungle et de montagnes lui étaient familiers. Fils d'un diplomate en poste à Hong Kong durant la plus grande partie de son enfance, il avait arpenté les campagnes de la colonie britannique avant que celles-ci ne disparaissent graduellement devant la poussée des tours et des usines. Très jeune garçon, il se souvenait des quelques maisons éparses au sommet de Victoria Peak, la montagne surplombant Hong Kong. En contrebas, le long de la côte, il y avait bien une poignée d'immeubles, des bâtiments officiels et des habitations particulièrement insalubres, exclusivement chinoises... Mais la paroi escarpée, couverte de jungle, qui menait jusqu'au bord de mer était aussi vierge que celle découverte par les Britanniques il y a deux siècles. A présent, tout un district y avait été créé : Mid-Level et ses tours à plusieurs dizaines d'étages s'étendait sur des kilomètres carrés de pentes si abruptes que personne n'aurait osé y construire une simple maison trente ans plus tôt !

Seth avait assisté à cette transformation avec un regard à la fois incrédule et amusé. Les gratte-ciel se construisaient en quelques mois, comme de gigantesques insectes en gestation sous des chrysalides de bambous, le seul matériau utilisé comme échafaudage jusqu'à aujourd'hui. Et puis un autre apparaissait, et encore un, jusqu'à transformer les forêts de son enfance en jardins d'agrément, noyés sous les parkings, les échangeurs et les fondations des buildings.

Il considérait ces années passées à Hong Kong comme la période la plus heureuse de sa vie. Pourtant, son enfance avait différé profondément de celle des autres garçons de son âge...

Seth ne possédait pas une faculté particulière. Un don qui l'aurait séparé de ses camarades et qui l'aurait orienté vers un domaine bien précis. Son incroyable faculté de déduction et d'analyse lui avait ouvert une infinité de portes, qu'il s'agisse des sciences, de l'informatique, ou encore des langues étrangères. Qu'il maîtrise le cantonnais à la perfection depuis l'âge de sept ans n'avait pas éveillé l'attention de ses parents. Même s'il s'agissait de l'une des langues les plus complexes et les plus délicates au monde, où chaque syllabe pouvait se prononcer de sept manières différentes, le fait qu'il réside à Hong Kong pouvait l'expliquer. Mais le jeune garçon s'exprimait avec la même aisance en russe, en japonais et en mandarin, la langue chinoise unifiée. Prodige linguistique ? Pas seulement. A quinze ans, ses formidables aptitudes scientifiques se révélèrent les unes après les autres, dans des domaines aussi abstraits que les mathématiques ou la physique théorique, mais également en informatique : le passe-temps favori du jeune garçon consistait à briser les codes et les verrous virtuels protégeant les archives d'organismes aussi secrets que la CIA, la DIA ou encore le Pentagone. L'une de ses incursions au sein des agences gouvernementales américaines avait d'ailleurs failli coûter à la NASA un satellite de plusieurs milliards de dollars. Depuis sa chambre, dominant Victoria Peak, à Hong Kong, Seth avait modifié les paramètres de la trajectoire orbitale de l'engin, en espérant le faire « rebondir » sur la couche atmosphérique, au-dessus du Pacifique, comme n'importe quel gamin s'amusant avec un camion de pompier. S'ensuivit une panique mémorable à Houston où l'on récupéra le satellite quelques minutes avant qu'il ne se perde à jamais dans l'espace. Le rapport confidentiel transmis par la suite au Congrès indiquait qu'une « défaillance télémétrique de cause inconnue avait incurvé la courbe géostationnaire du satellite. Celui-ci avait rebondi sur l'atmosphère terrestre à la verticale de Nouméa (Pacifique Sud) avant de quitter définitivement son orbite elliptique en direction de Jupiter. Les opérateurs de Houston ont déconnecté l'autoguidage et ramené, en mode manuel, le satellite *Blue Bird 1* quelques minutes avant que les réserves en hydrogène des moteurs ne deviennent insuffisantes pour corriger l'erreur de trajectoire... »

Au terme de ses études, Seth avait opté pour la finance : un domaine qui lui était familier tant ce genre de sport était couramment pratiqué à Hong Kong. Il n'était pas rare que les chauffeurs de taxi, en plein milieu d'une course, ralentissent pour scruter les écrans des milliers de courtiers qui fleurissaient dans les rues de la ville, afin de vérifier leurs positions du jour, sur des instruments aussi complexes que les options, les swaps de taux ou les produits dérivés. Hong Kong opérait une mue inexorable qui la faisait passer d'une plate-forme industrielle bon marché à un pôle financier de premier plan. Seth devint trader pour le compte d'une grande banque, jusqu'à ce qu'il découvre l'origine des centaines de millions de dollars qu'il brassait au nom de ses principaux clients : l'argent de l'une des mafias les plus puissantes de la région la 14 K. Il avait choisi la finance non pour l'argent, mais pour l'intérêt mathématique qu'il portait à l'analyse des marchés et à leurs fluctuations. En découvrant les intérêts mafieux qui gangrenaient un système prétendu impeccable et hors de tout soupçon, Seth avait décider de jouer une carte qui bouleverserait toute sa vie. Qui ferait de lui un homme traqué, constamment menacé quels que soient ses talents ou sa fortune, quel que soit le lieu où il déciderait de s'installer. Une carte qui en ferait également un déraciné, car Hong Kong était sa patrie, la terre où il avait grandi et la seule où, jusqu'à cet instant, il avait envisagé de vivre...

Moins d'une semaine après avoir découvert les liens de la triade avec les sociétés off-shore dont il avait la charge, Seth transféra graduellement tous les avoirs illégaux de la 14 K sur des comptes aux Bermudes et aux Bahamas. Après soixante-douze heures, la mafia la plus puissante de Hong Kong et d'Asie se trouva amputée de près de 75 millions de dollars qui furent ensuite reversés à plusieurs organisations non gouvernementales œuvrant pour la médecine d'urgence, la recherche ou encore la préservation de l'environnement. Son destin était scellé : il quitta Hong Kong le soir même, sachant qu'il n'y reviendrait jamais...

Le voyage qu'il effectuait aujourd'hui le ramenait un peu chez lui. Même si le Sud-Est asiatique et le monde chinois différaient par bien des aspects, il y retrouvait néanmoins de nombreuses similitudes. Des intonations linguistiques communes, un mouvement constant, un peu à l'image d'une fourmilière où le désordre apparent cache une discipline stricte et un respect profond des hiérarchies...

Seth venait de passer cinq jours au Cambodge, afin de mettre en place les infrastructures d'un orphelinat financé par une organisation caritative trois mois plus tôt. En fait, cette organisation n'existait pas : il en était l'unique membre et le donateur exclusif. L'objectif était de sortir deux cent cinquante enfants des orphelinats publics de la région où les conditions de vie misérables et sans avenir étaient aggravées par la corruption des responsables cambodgiens à tous les niveaux du programme. Les fonds versés par les différentes agences des Nations unies étaient siphonnés par les généraux et les officiels avant d'atteindre leurs objectifs, et ce financement indirect ne servait qu'à payer les villas des militaires cambodgiens à Bangkok ou les voitures de sport de leurs enfants...

Pour cette raison, il avait décidé d'initier un certain nombre de projets en direct, et d'offrir à ces enfants plus qu'un bol de riz et une tasse de thé. Seth venait d'acquérir un bâtiment de trois étages à Battambang, ancien quartier général de l'infanterie vietnamienne pour la quatrième région militaire du pays. A l'intérieur, il avait aménagé des salles de classe et importé du matériel informatique en provenance de Bangkok. L'enseignement serait assuré, dès la semaine suivante, à l'aide d'expatriés américains et français, rémunérés directement par l'organisation de façade qu'il avait créée au Canada, et qui opérait dans ce pays au travers de sa branche asiatique, établie en Thaïlande. La complexité volontaire du réseau qu'il avait mis en place ne visait qu'un seul but : éviter de fournir le moindre indice permettant de remonter jusqu'à lui...

— Bangkok, ici Alpha Uniforme. Bonjour...

— Alpha Uniforme, bonjour. Descendez à 050 et passez en transpondeur 1524..., lui répondit une voix féminine au travers des crépitements de la radio.

Il avait dépassé la frontière depuis une dizaine de minutes et se trouvait à la verticale de Bo Rai. Au loin, sur la gauche de l'appareil, Seth pouvait apercevoir la mer de Chine et le golfe de Siam.

Au fur et à mesure de la descente, les rizières et les forêts ébauchaient les contours d'un paysage de terre et d'eau délicatement ciselé, scintillant de temps à autre comme un gigantesque diamant sous la réverbération du soleil.

Après une quinzaine de minutes, les routes secondaires qui reliaient les campagnes de l'Est thaïlandais se rejoignirent, tels les confluents d'un fleuve, pour former les axes embouteillés qui menaient à Bangkok. La piste de l'aéroport de Don Muang était maintenant en vue, à quelques kilomètres devant lui. Seth réduisit sa vitesse, prépara l'avion pour l'atterrissage, intégra le circuit d'attente et se posa une quinzaine de minutes plus tard...

Quelques instants après avoir quitté l'appareil, alors que le vacarme du moteur avait cessé et qu'une voiture de l'aéroport l'emmenait jusqu'au poste de douane, la sonnerie de son téléphone retentit.

— Seth ?

La voix de Conrad Sanesburry était lointaine et légèrement retardée par la communication satellite. Néanmoins, il pouvait y déchiffrer une certaine tension. Sanesburry faisait partie du Comité pour lequel Colton opérait en secret.

Le Comité regroupait quatre membres qui se désignaient ainsi, mais rien de formel n'attestait de son existence ou de ses activités. Créé par des hommes à la tête d'empires technologiques parmi les plus puissants, son objectif unique visait à contrôler le développement de cette même technologie. Il ne s'agissait ni d'un lobby financier, ni d'un simple organisme d'éthique. Ses quatre membres partaient d'une hypothèse de travail claire : les menaces que l'humanité aurait à affronter durant le prochain siècle différeraient profondément de celles qu'elle connaissait aujourd'hui. La science au service de l'humanité pouvait rapidement devenir une illusion dangereuse, permettant à ses détenteurs d'acquérir un pouvoir absolu. Ce pouvoir, les quatre hommes du Comité le côtoyaient. De par leurs activités respectives, dans des domaines aussi divers que la biotechnologie, l'informatique ou les médias, tous avaient été confrontés à la tentation d'outrepasser leur rôle.

Ces quatre hommes luttaient en secret pour que personne, disposant du même choix, ne puisse prendre une décision qui les mènerait au sommet de l'autorité, d'une manière aussi arbitraire et incontrôlable que les dictateurs d'un autre temps...

Anthony Daff, âgé de quarante-cinq ans, avait créé et dirigeait aujourd'hui la plus grosse entreprise américaine de logiciels. Présent sur tous les marchés de la planète, il disposait d'un levier de pouvoir incomparable à une époque où l'informatique contrôlait les secteurs les plus sensibles de notre monde. Le Comité était le fruit de son initiative, car il était plus que quiconque conscient du risque représenté par les « nouvelles technologies », et du pouvoir insurpassable dont jouissaient leurs créateurs.

Pourtant, la mise en place définitive de cette association ultrasecrète était à porter au crédit d'un autre personnage, Conrad Sanesburry. Ce Britannique de cinquante-sept ans dominait le monde de l'information et des médias à travers trente et une chaînes de télévision, émettant dans quatorze langues différentes, de l'anglais au chinois, de l'italien au russe ou encore au portugais... Sanesburry avait gravi tous les échelons de la société britannique, qui était pourtant loin d'être la plus démocratique. Fils d'une famille ouvrière de Manchester, il avait travaillé avec une obstination étonnante durant toute sa jeunesse, sacrifiant son existence d'adolescent pour s'arracher à l'univers sans avenir dans lequel il était né. Après de très brillantes études et un diplôme universitaire d'Oxford, Sanesburry avait fait ses premières armes dans le journalisme, d'abord au sein du très prestigieux *Financial Times* et ensuite à la rédaction de l'hebdomadaire considéré comme le mieux renseigné de la planète : *The Economist*. Propriétaire de sa première télévision à trente-quatre ans, il multiplia les acquisitions hostiles tout au long des années 80, propulsant son empire médiatique à travers le monde entier, du Brésil au Japon, en passant par l'Union soviétique, l'Amérique et l'Europe occidentale. Des chaînes d'information au téléshopping, en passant par le câble et même les providers de données financières durant le boom de Wall Street, Sanesburry possédait tout, et son flair pour anticiper le goût et les humeurs de ses multiples publics devint rapidement légendaire.

Le troisième homme du Comité, Mike Bradley, était à la fois un intime de la Maison Blanche et un chercheur de génie. Diplômé du Massachusetts Institute of Technology, il y avait ensuite travaillé pendant quelques années avant de partir, lui aussi, pour la Californie. C'est d'ailleurs là qu'il avait rencontré Anthony Daff. Au début des années 80, ce dernier était un véritable demi-dieu pour les entrepreneurs de San Francisco, alors que les biologistes occupaient un rôle de second plan. Graduellement, à travers le développement exponentiel des travaux sur le clonage et le génie génétique, l'importance d'hommes comme Bradley ne cessa de croître, au point que la Maison Blanche fonda un comité d'éthique dont il devint le président, sous le mandat de Bill Clinton. Chargé de contrôler les développements et les risques de dérives de cette industrie amenée à devenir l'une des plus puissantes de la planète, Bradley comprit très vite que les entreprises transnationales de ce secteur échappaient à tout contrôle, quelles que soient les bonnes volontés plus ou moins réelles au sein du pouvoir américain. Comme les autres membres du Comité, il agissait par conviction profonde, sans aucun intérêt personnel dans la lutte confidentielle que tous avaient décidé de mener.

— Qui sont nos adversaires ? avait demandé Bradley à Sanesburry lorsque le magnat de l'information l'avait approché.

— Des hommes comme nous... Le grand public ne sait rien des dangers contre lesquels nous le défendons.

Bradley l'avait observé un instant, en fronçant les sourcils :

— Jamais ?

Ils se trouvaient tous deux à bord d'un jet d'affaires qui les ramenait de New York à San Francisco. Pour éviter les turbulences qui sévissaient à la verticale des Rocheuses, le pilote avait cabré l'avion en espérant trouver des vents plus réguliers en haute altitude. Le verre de scotch de Bradley avait lentement glissé le long de la table, sous l'effet de la brusque inclinaison de l'appareil. Sanesburry le récupéra in extremis, d'un geste étonnamment rapide, tout en déclarant avec un sourire amusé : « Si le grand public est un jour informé des menaces dont nous le protégeons, c'est que nous aurons failli et qu'il est trop tard... »

Andy Brown, un ami d'Anthony Daff, constituait le quatrième membre du Comité. Directeur d'une firme de processeurs informatiques cotée sur les plus grandes places financières de la planète, il n'oublierait jamais sa rencontre avec Seth Colton, le jeune prodige qui, déjà, vivait dans le secret et l'anonymat le plus total. Arrivé à son bureau de la Silicon Valley très tôt, comme tous les matins, il trouva un message étrange, l'informant qu'il serait contacté à 9 heures, heure de la côte Ouest, pour une révélation de la plus haute importance. Il crut à un canular ou à un chantage quelconque. A 9 heures, la sonnerie de son portable retentit. Il figurait parmi les cinquante hommes les plus riches et les plus influents des Etats-Unis, et se procurer son numéro de mobile personnel était quasiment impossible.

Une voix totalement inconnue lui avait alors expliqué :

— Votre concurrent direct, ProTek, obtient des avantages sur vous auprès des fabricants taiwanais, en contrepartie du développement et du transfert de technologie militaire à ce gouvernement...

Brown était resté silencieux un instant, partagé entre l'étonnement et la méfiance.

— Vous marchez pour qui ? Les Chinois ? De toute façon ceci n'a pas la moindre importance parce que vous êtes mal renseigné : ni moi ni ProTek ne travaillons dans le secteur militaire...

— ProTek est actionnaire majoritaire de Zuihao Technology Ltd, à Taiwan. Ils développent un composant fondamental de télémétrie-missile avec l'argent de la maison mère. En échange, ils obtiennent des contreparties sur leurs approvisionnements en processeurs à usage civil. Et c'est vous qui en pâtissez...

— Et comment est-ce que je vérifie tout ça ? Vous

ne pensez pas que je vais vous payer un dollar avant de...

— Il ne s'agit pas d'argent. Ouvrez votre e-mail.

Sans comprendre, sans réellement savoir à quoi s'attendre, Andy Brown composa son code confidentiel et vérifia la liste de ses nouveaux messages. Il n'y en avait qu'un, attaché à un fichier de 800 mégaoctets.

— Vous avez tout le dossier..., enchaîna l'inconnu au téléphone. Faites-leur le procès qu'ils méritent et dévoilez tout cela au grand jour.

— Une minute ! cria Brown plus fort qu'il ne l'aurait voulu, de peur que son interlocuteur ne raccroche. Je ne sais pas encore si vous vous foutez de moi – et là, vous le regretteriez –, ou si vous êtes sérieux. Dans le second cas, je... je ne comprends pas. Pourquoi ? Si vous êtes un ex-employé viré par ProTek, laissez-moi vous dire que vous jouez un jeu dangereux...

— Rien à voir. Ils risquent d'enflammer la région, voilà tout. Les deux républiques chinoises sont sur les dents, l'une face à l'autre. Si Pékin venait à découvrir cette manœuvre le premier, il en déduirait que les Américains opèrent un transfert de technologie clandestin vers Taiwan. Et cela constituerait le début d'une crise grave...

— Mais peut-être que cela sera également le cas lorsque je dévoilerai la vérité au tribunal ?

— Peut-être, mais c'est un risque à courir. De toute façon vous serez gagnant. Vous serez placé devant un monopole quasi absolu pendant un certain temps, et le prix des microprocesseurs va s'envoler. Lisez ces documents, faites un procès à ProTek, et nous serons tous les deux contents...

— Je parie que vous êtes de la CIA..., c'est ça ? Vous cherchez un abruti à envoyer au casse-pipe, quelqu'un qui ne parle pas au nom du gouvernement, pour couvrir des conneries dont vous étiez peut-être même responsable auparavant. Je me trompe ?

— Complètement. Je veux simplement éviter qu'une région s'embrase parce que des requins de la Silicon Valley ont cru bon de gagner quelques millions de plus...

Et ce fut tout. L'inconnu raccrocha, laissant Andy Brown complètement sonné. Il ouvrit le fichier, le lut et le vérifia durant tout le reste de la matinée : pour autant qu'il puisse en juger, l'enquête était minutieuse et totalement cohérente. S'il appelait ses avocats, ils se jetteraient sur le conseil d'administration de ProTek avec la férocité d'un pitt-bull sur un caniche famélique. Et le procès serait un véritable jeu de massacre. Les actions de sa société doubleraient probablement dans les quinze jours, en même temps que le prix des processeurs. Alors, pourquoi hésitait-il tellement ?

Parce que parallèlement à toutes ces bonnes nouvelles, il pouvait aussi déclencher une crise diplomatique majeure, dans une région notoirement instable où deux superpuissances possédaient la bombe atomique. Sans compter que toute agression chinoise envers Taiwan impliquerait une riposte américaine, les Etats-Unis s'y étant engagés formellement, par traité.

Son propre pays partirait en guerre. Et cela uniquement parce qu'il aurait mis le feu aux poudres...

Après plusieurs minutes de réflexion, il décrocha son téléphone pour composer, non pas le numéro de ses avocats, mais celui de John Hastings, Chief Executive Officer de la société ProTek. Il sollicita un rendez-vous le jour même, « au plus vite, dans ton propre intérêt », déclara-t-il courtoisement à son rival. Une heure plus tard, les deux hommes s'enfermèrent ensemble, pour un entretien bref mais très constructif, dans la mesure où les filiales taiwanaises de ProTek furent fermées dans les trois jours qui suivirent. Personne n'en tira le moindre profit, mais toute l'affaire demeura secrète. Aucun remous ne vint agiter la scène diplomatique internationale, et personne n'entendit plus parler d'un quelconque transfert de technologie militaire américaine à destination de Taiwan...

Andy Brown, lui, avait gâché la plus belle opportunité financière de sa vie. Mais peu lui importait... Le projet du Comité élaboré par Daff et Sanesburry avait déjà été soumis à Brown lorsqu'il reçut un second appel de son mystérieux interlocuteur. L'inconnu tenait à le féliciter pour sa décision et pour la manière subtile dont il avait agi. Le lien était créé. Après d'infinies précautions, enquêtes et vérifications, Seth accepta d'apparaître au grand jour devant ces hommes. Le Comité venait de naître, et Colton allait devenir son bras armé...

Alors que le douanier thaïlandais s'éloignait avec son passeport, Seth prit place dans l'un des fauteuils de la salle d'attente où il avait été conduit.

— Je t'écoute, Conrad, demanda-t-il à Sanesburry qui patientait au téléphone.

— Il faut que nous nous rencontrions rapidement. Pouvons-nous dîner ensemble, ce soir ?

— Je suis à Bangkok et je n'arriverai qu'à 21 h 30 à l'aéroport d'Heathrow...

— C'est important, Seth. Très important.

Colton ferma les yeux un court instant, puis répondit d'une voix résignée :

— Où es-tu ?

— Hôtel Savoy.

— Retrouvons-nous plutôt demain matin à 9 heures.

— Je t'attendrai au River Restaurant, conclut-il avant de raccrocher.

*

Après son arrivée à Heathrow, Seth embarqua dans un hélicoptère Bell qui le ramena chez lui après un vol de quelques dizaines de minutes.

Le château de Glennesborough, son refuge depuis plusieurs années, se trouvait au cœur de la lande écossaise, planté dans un décor lunaire et hostile. Balayé par des vents incessants, il offrait l'image d'un navire figé pour l'éternité dans une banquise de roche et de végétation éparse, où seuls les mousses et quelques épineux parvenaient à défier la rigueur des hivers...

Après son départ de Hong Kong, il avait résidé successivement à New York, puis en Australie et en France, évitant les régions où la triade qui le recherchait était la plus active, tel le Sud-Est asiatique ou encore le Canada. Mais chaque fois les hommes de la 14 K retrouvaient sa trace. Colton était devenu pour eux l'homme à abattre, quoi qu'il en coûte et quel que soit le temps nécessaire. Aucun homme vivant à ce jour n'avait jamais commis ce crime : Seth avait dérobé des sommes doublement importantes pour la triade. Parce qu'elles étaient colossales, mais également parce qu'elles étaient « propres », « blanchies » par les comptables et les experts financiers des paradis fiscaux où la mafia était implantée. Pour ces hommes sans visage que les polices du monde entier ne connaissaient que par des numéros (la particularité de la 14 K était d'identifier chacun de ses membres par une série de chiffres, compliquant encore un peu plus le travail des autorités...), Seth était déjà un cadavre. Ils espéraient seulement pouvoir le ramener à Hong Kong vivant pour jouir en direct des tortures qui l'y attendaient...

Glennesborough était un sanctuaire solide. Au fur et à mesure de sa fuite, Seth avait appris chaque fois à dissimuler un peu mieux son identité et son passé, réinventant sa propre histoire et brouillant les pistes autour de lui. Repéré à New York, il avait quitté les Etats-Unis le jour même, opéré plusieurs transits, avant d'arriver finalement à Sydney. En piratant les bases de données du consulat britannique il était devenu, en un simple clic de souris, sujet de Sa Très Gracieuse Majesté résidant depuis une dizaine d'années en Australie. Un luxe de précautions, qui n'avait pourtant pas suffi à confondre la triade. A nouveau, il avait quitté sa terre d'accueil pour Paris et finalement l'Écosse.

Le château qu'il y avait acquis était une véritable forteresse datant du XIIIe siècle, et réputée totalement imprenable pour l'époque. Il savait que les murs les plus hauts ne désarçonneraient pas ses ennemis, mais l'isolement extrême qui prévalait sur la lande constituait un atout majeur. La population locale, si elle s'interrogeait beaucoup au sujet de ce nouveau châtelain, n'ébruitait rien au-delà des frontières du village : ce qui se passait sur les hautes terres ne concernait que leurs habitants, et malgré toutes les réserves dont ils faisaient preuve à son égard, Seth était tout de même devenu l'un des leurs. Suffisamment en tout cas pour ne pas répondre aux questions d'un groupe de Chinois patibulaires sillonnant la région en Mercedes blindée, avec une immatriculation londonienne...

En arrivant à la verticale de Glennesborough, il aperçut une silhouette qui attendait à quelques mètres de la croix blanche dessinée sur le gazon et balisant le point d'atterrissage. Choï, le majordome de Seth, était intimement lié à son histoire et à la traque dont il était l'objet. Amis d'enfance, Choï avait dû son salut et sa survie au père de Seth, qui avait organisé le passage clandestin de dizaines d'orphelins depuis la Chine jusqu'à Hong Kong. Choï avait côtoyé Seth jusqu'à l'adolescence, jusqu'à ce que le jeune Chinois pressente qu'à la demeure de la famille Colton, malgré la bonne volonté de tous, rien ne semblait fait pour lui. Il était pauvre, seul, et son unique bagage se limitait à une maîtrise étonnante des arts martiaux. Jeune immigré dans une ville où tout, jusqu'à la langue, lui faisait sentir sa différence, Choï tomba rapidement dans les tentacules de la mafia. Chargé des encaissements, des passages à tabac et de la sécurité des bouges les plus sordides de la colonie, Choï s'avéra être une très bonne recrue. Dans la branche des exécuteurs, les « 481 » dans le jargon du milieu chinois, il gravit les échelons à une vitesse stupéfiante. Plus vite que ses collègues de Hong Kong, ce qui n'étonnait pas vraiment ses chefs : les habitants de la colonie britannique vivaient tous dans un bien-être relatif par rapport aux effroyables conditions qui prévalaient de l'autre côté de la frontière. Celles que Choï avait connues étaient pires encore...

Originaire du Henan, au centre de la Chine, il avait grandi entre Zhengzhou et Luoyang, deux villes parmi celles où la famine avait sévi le plus durement. Interné après la mort de ses parents pour avoir subtilisé quelques poignées de riz dans les réserves de la coopérative locale, il fut battu pendant plusieurs jours par les policiers avant d'être envoyé en camp de travail dans la province du Heilongjiang, à la frontière sibérienne. Après six mois d'enfer, et devant le besoin croissant de main-d'œuvre valide, les cadres du Parti décidèrent de rapatrier tous ceux qui demeuraient en état de tenir une pelle afin de participer aux travaux titanesques de la vallée du Yangtsé. L'objectif : contenir les crues récurrentes qui détruisaient des régions entières au centre du pays. Choï avait alors quatorze ans. Deux mois après son arrivée, et face à des conditions de travail aussi effroyables que celles du pénitencier dont on l'avait sorti, il s'enfuit dans l'espoir de rejoindre Taiwan en passant par Hong Kong. Le voyage jusqu'à Canton dura deux mois. Il fut arrêté à trois reprises, mais parvint toujours à s'échapper. Recueilli par des dissidents chinois en relation avec des prêtres de Hong Kong, il fut immédiatement placé en tête de liste pour être transféré vers la colonie : le jeune garçon n'était plus qu'un cadavre, pesant trente et un kilos pour un mètre soixante-sept. Affamé, rongé par la dysenterie et la vermine, la Royal Hong Kong Police le conserva en quarantaine de décontamination pendant une semaine entière. Rien de ce que la 14 K pourrait lui demander par la suite ne l'impressionnerait. Il avait vu ses compagnons mourir de froid en Sibérie, ou encore d'épuisement sur les berges boueuses du Yangtsé Kiang. Il avait connu les tortures, les coups et l'enfermement. Il avait également tué pour forcer sa route vers la liberté...

Plus tard, Choï fut chargé d'une mission comme les autres. On lui apporta un document dans sa maison de Shooshon Hill. Pas de photo, juste une note écrite rapidement, en chinois, avec un numéro de téléphone à New York. Celui d'un indicateur, chinois bien entendu...

Choï partit le lendemain matin en compagnie de deux tueurs sous ses ordres. Le travail de repérage avait été effectué par les truands new-yorkais, et lorsque ceux-ci lui demandèrent s'il avait besoin de photos de sa victime, il répondit d'un geste évasif de la main : « Rien à foutre de la gueule qu'il a... On entre et on tire dans les jambes si besoin. Après on l'attache, et on le balance dans un container pour Hong Kong. Le reste, c'est pas notre problème... »

Pourtant, en entrant dans l'appartement, lorsqu'il découvrit que sa victime s'appelait Seth Colton, cette affaire devint subitement son problème. Son ancien ami était la seule personne dont il pût se souvenir à qui il avait réellement pu faire confiance. Et il devait l'envoyer à la mort. Pour une raison qu'il n'a jamais comprise par la suite, tout devint instantanément clair dans son esprit. Les deux hommes qui l'accompagnaient étaient des tueurs sans foi ni loi, alors que celui avec qui il avait partagé les seuls moments heureux de son enfance était déjà attaché à une chaise et roué de coups. Il dégaina son arme et fit exploser les têtes de ses deux compagnons, sachant qu'il scellait son existence au moment où il pressait la détente. Depuis ce jour, les deux hommes ne s'étaient plus quittés...

— Bonjour, Colton Saang. Bon voyage ?

— Si on considère que loger deux cents orphelins dans un pays qui en compte des dizaines de milliers abandonnés à la rue est suffisant, alors oui. Dans le cas contraire...

— Ne sois pas si pessimiste. Ce n'est qu'un début, répondit le Chinois en emportant ses bagages en direction du château, à une centaine de mètres de là.

— J'ai parlé à Conrad, tout à l'heure...

— Je sais. Il a appelé ici et j'ai transféré sa communication. Un problème ?

En observant Glennesborough et ses murs sept fois centenaires, écrasé sous le ciel gris et lourd des hautes terres écossaises, il ressentit une impression étrange et lointaine. Un sentiment diffus de bien-être et de sécurité qui l'avait fui depuis bien des années, depuis ce jour où il avait quitté le vieil aéroport de Kai Tak, à Hong Kong, en ayant déjà abandonné toute perspective de retour. Imperceptiblement, son visage s'éclaira d'un léger sourire : il réalisait avec bonheur qu'il pouvait encore se sentir chez lui quelque part...

— Seth ?

— Oui, pardon, Choï..., tu disais ?

— Est-ce qu'il y a un problème avec le Comité ? demanda le Chinois d'une voix qui se voulait neutre, mais dans laquelle on discernait une certaine tension...

— Aucune idée. Nous avons rendez-vous demain matin à Londres...

— Humm..., répondit Choï d'un air embarrassé, tout en ouvrant la porte de l'aile ouest.

Face à eux, un gigantesque corridor traversait le château de part en part, accédant aux salons et aux bibliothèques du rez-de-chaussée.

— Tu avais prévu autre chose ?

— Pas moi. Mais je croyais que quelqu'un t'attendait pour le week-end...

— Martin !

Lorsqu'il leva les yeux, en direction de l'escalier principal, il reconnut immédiatement la silhouette accoudée nonchalamment à la rampe. Il s'agissait de Caroline, sa compagne depuis un an. Française, elle résidait à Londres où elle occupait un poste de premier plan dans l'une des galeries d'art les plus cotées d'Angleterre. La jeune femme l'avait rencontré lors d'une vente organisée par ses courtiers en Bourse de la City. L'intelligence et la beauté de Caroline l'avaient immédiatement captivé. Néanmoins, comme pour tous ceux qu'il rencontrait aujourd'hui, Seth s'était inventé un autre personnage, un autre passé à évoquer, de peur qu'elle ne le perce involontairement à jour, et ne les conduise tous deux à la mort. Pour lui, il ne s'agissait nullement d'un jeu : il aurait aimé être Seth Colton, raconter son enfance, sa jeunesse et les souvenirs qui l'avaient marqué. Il ne prenait aucun plaisir à tromper quiconque sur son identité réelle. Mais les histoires arrivent rapidement aux oreilles de ceux qui savent écouter. Pourquoi Caroline n'expliquerait-elle pas un jour à ses amies de Londres qu'elle fréquentait un jeune homme richissime, reclus dans un château des Highlands écossaises et ayant passé sa jeunesse à Hong Kong ? Pourquoi ne dévoilerait-elle pas son véritable nom, Seth Colton ? La triade écoutait mieux que personne. Comme un fauve embusqué dans les hautes herbes de la savane, à l'affût du moindre bruit, même le plus anodin, témoignant de l'arrivée de sa proie. Les risques étaient faibles, bien sûr, mais l'enjeu suffisant pour s'entourer d'un excès de précautions...

Pour elle, il était donc Martin Brown, gestionnaire de patrimoine, fils d'un banquier d'affaires de Chicago, héritier d'une fortune considérable. Seuls ces mensonges pouvaient expliquer la vie qu'il menait. Il procédait à des opérations boursières pour une poignée de clients richissimes depuis son château, et aspirait à la solitude par choix. Il avait grandi aux Etats-Unis, travaillé au CBOT, la Bourse de Chicago, puis quitté ce pays à la mort de ses parents dans un accident de voiture pour s'installer ici... Caroline sentait que la personnalité de Seth coïncidait mal avec une existence aussi transparente, mais elle ne l'avait jamais questionné plus avant. Il avait expliqué son passé de manière précise et mécanique, sans qu'elle ne lui ait rien demandé, comme on présenterait un CV durant un entretien d'embauche. Etrange... Mais la jeune femme n'avait aucune envie de se transformer en inquisiteur. Seth était drôle, surprenant, attentionné et merveilleusement gentil à son égard, plus qu'aucun autre homme qu'elle ait jamais connu. S'il tenait à taire certains points de son passé, elle n'y voyait aucun inconvénient...

— Salut, dit-elle en déposant un baiser délicat sur ses lèvres. Comment était la Californie ?

— Pas mal..., mentit Colton en l'entraînant dans ses bras. Naturellement, j'aurais préféré que tu m'accompagnes.

— Et moi donc ! On a organisé une vente calamiteuse ce week-end : je me demandais pourquoi la présence d'une spécialiste était souhaitée. J'ai étudié l'histoire de l'art pendant cinq ans, et je me retrouve à vendre une bouteille de champagne vide enrobée dans une pellicule photo à 300 000 livres sterling.

— Une... ? demanda Choï avec un sourire incrédule et amusé.

— Tu as bien entendu ! Le type, enfin « l'artiste », est un punk complètement disjoncté qui n'émerge de l'héroïne qu'une heure ou deux par jour. Il a coincé un cure-dent au travers du goulot et y a accroché deux pellicules photo qu'il a ensuite enroulées autour de la bouteille. Enfin... conclut-elle d'un geste évasif de la main. J'espère que tu n'es pas trop fatigué par ton vol parce que je nous ai réservé un week-end à Paris en tête à tête et je...

Caroline intercepta le rapide coup d'œil que Seth adressa à Choï.

— Je serais vraiment ravi mais...

— Ecoute, Martin, je n'ai pas envie de faire une scène, mais j'aimerais quand même bien savoir ce qui t'occupe autant. Mon ex était aussi dans la finance, et je ne l'ai jamais vu sauter d'un avion à l'autre comme tu le fais. Je te le répète, tu ne me dois aucune explication. Mais j'aimerais simplement arrêter de préparer des week-ends, des dîners ou des vacances qui tombent toujours à l'eau...

Il la regardait avec un sourire désarmant, plein de regret, dans lequel on pouvait lire une tristesse profonde et sincère. La colère de la jeune femme se dissipa instantanément.

— Je suis vraiment désolé. Et je suis conscient de ne pas être suffisamment présent pour nous deux, mais...

Seth semblait chercher une explication, tout en conservant ses secrets. Lorsqu'elle s'aperçut de son malaise, elle posa un doigt sur ses lèvres et lui murmura :

— Ce n'est pas grave, oublie ça... Il ne s'agissait que d'un week-end, après tout.

— Mais pas le premier, admit-il avec un petit rire amer, en baissant les yeux.

— Quand dois-tu partir ?

— Demain matin, pour Londres. Mais il est possible que je revienne dans la journée.

— Fais ce que tu as à faire. J'aurais dû te prévenir, vérifier ton planning au lieu de ne penser qu'au mien. Je rentrerai à Londres avec toi demain matin. Tu me laisseras piloter l'hélico ? demanda-t-elle d'un ton espiègle.

Seth roula des yeux désespérés en répliquant :

— Dans ce cas, il nous reste quinze heures à vivre...

Ils se trouvaient à l'entrée de la chambre. Choï, avec tact, s'était éclipsé durant leur conversation. Elle jeta un coup d'œil alentour, vérifiant qu'ils étaient bien seuls, puis déboutonna les premiers boutons de sa chemise et déclara d'une petite voix innocente :

— Alors ne gaspillons pas notre dernière nuit...

*

Une nouvelle tornade a dévasté le sud du Texas, en début de matinée. On ignore encore le nombre exact des victimes, mais plusieurs bourgades ont été entièrement détruites dans la région de San Antonio. Fort heureusement, le cataclysme semble avoir évité cette ville, bien que les dégâts occasionnés en zone rurale se chiffrent déjà à plusieurs dizaines de millions de dollars. Cette tempête d'une rare violence fait suite à plusieurs autres tornades observées dans cette région des Etats-Unis, depuis le début du millénaire. Les météorologues se perdent en conjectures quant à l'origine de ces phénomènes, survenant à intervalles extrêmement rapprochés dans...

Seth referma le journal et paya sa course. Le taxi qui l'avait amené de l'aéroport jusqu'au Savoy s'éloigna rapidement dans la brume. Colton descendit les marches quatre à quatre pour se rendre dans le restaurant indiqué par son ami.

Surplombant la Tamise, la table réservée par Sanesburry se trouvait à l'écart de toutes les autres et offrait une vue splendide de la capitale britannique. Le magnat de l'information accueillit son invité avec une raideur étrange, visiblement mal à l'aise...

— Merci d'être venu si vite...

— Je t'en prie.

— Tu as entendu parler des bouleversements climatiques qui surviennent un peu partout dans le monde, depuis quelques mois ?

— Certains pensent qu'il s'agit d'El Niño, sous une forme plus exacerbée...

— El Niño apparaît tous les vingt-cinq ans. Il a surgi en 1998. Nous sommes en l'an 2002. Comment expliques-tu ça ? demanda Sanesburry avec une voix tendue.

— Et toi, comment l'expliques-tu ?

— Quelle est l'origine d'El Niño ?

Seth soupira légèrement, comme s'il acceptait à contre-cœur de passer un test de connaissance parfaitement inutile.

— L'Upwelling. Sur la côte pacifique de l'Amérique latine, le vent crée un courant en direction du large qui permet à l'eau froide des grands fonds de remonter en surface. C'est un véritable système d'air conditionné, à l'échelle planétaire, recyclant les eaux froides et régulant tous les développements météorologiques de la Terre.

— Continue...

— El Niño, c'est un réchauffement des eaux de surface. Plus légères que les masses froides, ces eaux bloquent le phénomène d'Upwelling, et bloquent par conséquent le système climatique mondial. Il s'ensuit des dérèglements à grande échelle, comme ceux auxquels nous assistons...

Les mains jointes en face de son visage, Conrad Sanesburry acquiesça d'un air songeur.

— Tout à fait. Mais aujourd'hui, il n'y a pas le moindre réchauffement des eaux de surface dans le

Pacifique Sud. Leur température est absolument stable. Et pourtant, le climat empire. N'y vois-tu pas quelque chose de... suspect ?

— Ecoute, Conrad. Nous connaissons El Niño, mais il existe une multitude d'autres phénomènes climatiques auxquels nous ne comprenons encore rien. Sais-tu que la mer de Béring s'est réchauffée de deux degrés en seulement une année ? Du coup, elle a engendré une nouvelle sorte de plancton, les coccolithophores, qui rejettent du CO_2 dans l'atmosphère ! Alors que le plancton que l'on trouve habituellement dans les eaux froides, les diatomées, consomme du dioxyde de carbone et refroidit la planète, ceux-ci en rejettent ! La température ne cesse de grimper dans ces mers polaires, et elle menace de détruire à moyen terme tout l'écosystème de l'Arctique... Les bouleversements climatiques auxquels nous assistons peuvent être une conséquence directe de ce réchauffement local ou d'un autre phénomène dont nous n'aurions jamais entendu parler. Je pense qu'il n'est malheureusement rien que nous puissions faire à ce sujet...

— Tu te trompes, répondit-il d'une voix neutre.

Seth leva les yeux au ciel en affichant une moue indulgente. Avant même qu'il ne puisse s'expliquer, Sanesburry enchaîna.

— Connais-tu le projet SOSUS ?

— Non... de quoi s'agit-il ? demanda Colton après quelques secondes de réflexion.

Un serveur s'approcha de leur table pour prendre commande.

— Plus tard. Merci..., trancha Conrad d'une voix polie, mais ferme.

Il plongea ses yeux bleu clair dans le regard de son ami :

— ... SOSUS a été développé théoriquement durant les années 50, et placé en fonctionnement opérationnel vers la fin des années 60. Dans le cadre de la lutte pour le contrôle des axes maritimes, la marine américaine a jalonné le fond des océans avec de petits capteurs sonars.

— Où ?

— Partout ! Atlantique, Méditerranée, Pacifique, océan Indien et océan glacial Arctique. Des dizaines de milliers de capteurs, chacun de la taille d'un walkman... Sous l'eau, le son peut porter à plusieurs kilomètres. Il constitue le moyen de repérage le plus efficace connu à ce jour. La Navy avait donc placé des oreilles à travers toutes les mers du globe pour détecter les sous-marins soviétiques et reconstituer leurs mouvements...

Seth écarquilla les yeux de surprise, mais en même temps il ne parvenait pas à comprendre où son ami voulait en venir...

— Quel rapport avec...

— Il y a trois jours, un sous-marin de l'US Navy, le plus perfectionné des lanceurs d'engins nucléaires, classé *Ohio*, a mystérieusement disparu en pleine eau, dans le Pacifique Sud, victime d'une explosion de méthane : un phénomène rare, contre lequel aucun bâtiment, en plongée ou en surface, ne peut résister...

— L'équipage ?

Sanesburry hocha négativement la tête en baissant les yeux...

— Tous morts. On n'a rien retrouvé. A l'endroit où

le navire amiral a perdu le contact, la profondeur est de 7 500 mètres..., précisa Conrad. Les secours sont arrivés deux heures plus tard, et les satellites étaient aveugles. Une masse de strato-cumulus bloquait toute visibilité...

— C'est terrible, mais je ne vois toujours pas en quoi...

— Le climat est réglé par les courants marins, nous le savons depuis quelques années de manière absolument certaine. Alors que des tornades, des inondations et des sécheresses ravagent notre planète de manière incompréhensible, un accident tout aussi étrange se produit très exactement dans la zone où El Niño prend sa source...

— Mais enfin, Conrad ! C'est ridicule ! Il n'y a pas lieu de...

— Attends ! SOSUS est parvenu à enregistrer le tremblement de terre qui a occasionné l'éruption de méthane, à 7 500 mètres de profondeur. Mets ça, dit-il en tendant une oreillette à Seth.

Intrigué, il s'exécuta sans un mot, alors que Sanesburry activait le petit magnétophone qu'il tenait maintenant entre les mains.

Seth fut captivé par le grondement sourd, infernal, qui emplit soudain son esprit : le bruit des abysses insondables et mystérieux, celui des entrailles de la Terre, enfouies sous des masses d'eau incommensurables, qui se déchiraient pour former, puis détruire et former à nouveau, l'écorce de notre planète...

— Ce que tu as entendu, c'est ce que le micro n° 36R8 a capté 4 minutes et 10 secondes avant l'explosion du sous-marin, précisa Conrad en coupant la retransmission d'un geste sec. Maintenant écoute une version ralentie à 80 %...

Le magnat de l'information inséra une autre cassette numérique dans le lecteur et, cette fois, le bruit était différent.

Seth perçut deux séquences distinctes. La première émettait un bruit net, semblable à une explosion, alors qu'une fraction de seconde plus tard, le grondement apocalyptique, dantesque, envahissait à nouveau son esprit, comme le rugissement hypnotique de quelque divinité terrifiante...

— Il y a... il y a deux explosions ? demanda-t-il, soudain plus intéressé par les théories de son ami.

— Non. Il n'y en a qu'une. La suite, c'est un tremblement de terre et une éruption d'hydrate de méthane. La première déflagration a été décortiquée par les services de décryptage de la Navy et de la NSA : il s'agit d'une explosion artificielle : de la nitroglycérine, m'ont-ils affirmé...

— Ils ?

Sanesburry balaya la question d'un revers de la main...

— J'ai quelques amis au Pentagone, tu le sais...

— Tu veux dire que le premier bruit est...

— Exactement, Seth. Le premier bruit est d'origine humaine. Quelqu'un travaillait au moment où le sous-marin est passé. Et cette personne travaillait par 7 500 mètres de profondeur...

3

STEFFI

67, Treptower Strasse, Berlin.
21 h 00 GMT

La jeune femme sentit quelque chose d'inhabituel avant même de pénétrer dans son appartement. Steffi louait un deux pièces au troisième étage d'un immeuble de construction récente, à l'architecture triste et linéaire, dans le quartier Neukölln à Berlin. En jetant un coup d'œil distrait sur la fenêtre de sa chambre, depuis le parking, elle avait aperçu un éclair lumineux au travers des vitres : une lampe torche ou tout simplement son imagination. Steffi avait opté pour la seconde hypothèse : depuis une quinzaine de jours, la jeune militante écologiste évoluait dans un univers qui frisait la paranoïa.

Au sein de JRN (*Junge Radikale für Naturschutz*), un groupe de lutte pour la protection de l'environnement, elle se battait depuis plusieurs années pour obtenir des réglementations plus strictes sur les émissions de gaz à effet de serre, responsables du réchauffement brutal de la planète. Pour étayer ses dires, elle s'appuyait sur le principe « d'amplification exponentielle », une théorie selon laquelle, en augmentant la température d'un degré, on créait les conditions nécessaires à un réchauffement encore plus important. Steffi avait d'ailleurs publié un article tout à fait explicite sur le site Internet du mouvement, détaillant ce phénomène.

L'amplification exponentielle repose sur une idée extrêmement simple : plus la Terre se réchauffe, plus elle crée les conditions nécessaires à un réchauffement supplémentaire dans les mois, les années ou les décennies à venir.

Le sous-sol marin abrite 300 000 milliards de tonnes d'hydrate de méthane. Ce mélange, qui se présente sous la forme d'une roche blanche, commence à se dissoudre lorsque la température du fond des océans augmente. Il remonte à la surface, et pénètre dans l'atmosphère. Il provoque un effet de serre 20 fois plus puissant que le terrible CO_2. *Ainsi, une hausse infime de la température marine entraîne la libération d'un gaz qui accentue encore le réchauffement de la planète...*

En conséquence, la neige de la calotte polaire fond et renvoie moins efficacement les rayons du soleil, provoquant une nouvelle hausse de la température qui achève de dissoudre les glaciers, libérant à son tour l'eau douce de la banquise. On sait aujourd'hui que l'existence de nos climats est interconnectée à une circulation océanique profonde qui a besoin, pour exister, d'un certain niveau de salinité près des pôles. Le sel augmente la densité de l'eau et la fait plonger vers les abysses, provoquant un courant continu dont la Terre ne peut se passer.

Si la banquise fond, des milliards de tonnes d'eau

douce se mélangent à l'eau de mer et affaiblissent sa densité. Ainsi, elle ne plonge plus, et bloque la circulation océanique dans son ensemble... Ce scénario catastrophe, pourtant parfaitement réaliste, découle d'un réchauffement initial de quelques degrés. Exactement ce que l'humanité est en train de provoquer...

Mais Steffi savait pertinemment qu'on ne lui en voulait pas pour cet article. Depuis plusieurs mois, la jeune femme et ses amis cherchaient autre chose : une réponse aux dérèglements climatiques actuels.

Au terme d'une enquête patiente menée par un groupe d'écologistes américains avec qui elle travaillait, ces derniers avaient mis en lumière la fabrication ultrasecrète de composants sous-marins.

Les cinq apprentis détectives, en Floride, n'avaient pas survécu à leur découverte : victimes d'accidents divers immédiatement après, ils étaient aujourd'hui tous morts...

ANTA, une société américaine basée à Miami et collaborant avec certains projets de la NASA, venait de mettre au point des modules gigantesques dont Steffi ne comprenait pas encore l'usage exact. Mais un de ses amis était parvenu à se glisser quelques instants dans les fichiers de la société américaine : les alliages utilisés par ANTA pour mettre au point ces modules demeuraient totalement inconnus du grand public. Le matériel était destiné aux environnements d'ultrapression : voilà tout ce que les jeunes gens pouvaient déduire de leur découverte. Les photos qu'ils avaient obtenues avant la disparition de leurs collègues américains, en prenant des risques insensés, étaient actuellement disponibles sur le site Internet de JRN. Les écologistes espéraient à présent obtenir plus d'informations sur la nature réelle de ces constructions aux formes étranges. Maintenant, Steffi était persuadée de se trouver face à un projet gouvernemental top secret, mené par l'armée américaine dans les profondeurs océaniques. Un projet qui, comme bien d'autres avant lui, menaçait la survie de l'espèce humaine tout entière...

Elle tourna la clé dans la serrure et se figea quelques instants. A double tour... La porte était fermée à double tour, ce qu'elle ne prenait jamais la peine de faire...

— Tu es vraiment trop bête ! se dit-elle à haute voix, essayant de tourner ses craintes en dérision.

Elle poussa la porte et alluma l'interrupteur, avant de balayer l'entrée puis le salon d'un regard rapide. « Vide... bien sûr ! » se dit-elle en affichant une moue amusée.

Ses longs cheveux blonds encadraient un visage délicat, rehaussé par des yeux d'un bleu profond qui contrastaient merveilleusement avec son teint très mat. Mais Blake Sodderington s'en moquait. Il était en mission, et rien d'autre ne comptait à ses yeux, du moins pour l'instant. En d'autres lieux, en d'autres circonstances, il lui aurait peut-être fait la cour, au hasard d'une rencontre... Mais aujourd'hui il devait la tuer. Rien de personnel, juste le job... Tapi dans l'encoignure de la salle de bains, il observait sa victime en attendant le moment propice. Il ne doutait pas du succès de l'opération : pour lui, la jeune femme était déjà morte. Par contre, il tenait à ce que tout se déroule dans les règles : sans laisser la moindre trace...

Steffi se laissa tomber sur le divan et alluma la télévision, pianotant d'une chaîne à l'autre avec la télécommande de l'appareil. Elle s'attarda quelques instants sur les informations : dans le golfe du Bengale, de nouvelles inondations venaient de faire plusieurs milliers de victimes : deux typhons d'une violence inouïe semblaient s'être suivis à quelques heures d'intervalle. Le reportage montra brièvement quelques corps, extraits des torrents de boue, puis les habitations détruites et encerclées par une eau marécageuse... Après quelques dizaines de secondes, et devant la fadeur des autres programmes, elle se dirigea en soupirant vers la cuisine. Chaque soir, ce zapping presque rituel la plongeait dans une légère déprime qu'elle soignait avec une dose massive de chocolat, en feuilletant des revues comme *Nature* ou *National Geographic*...

Blake profita de cet instant pour ouvrir la porte et faire face à sa victime, d'un œil sans expression. Elle aperçut le tueur alors qu'il levait lentement son arme dans sa direction...

Jamais Steffi ne se serait crue capable du réflexe dont elle fit preuve. Elle se jeta à terre pour éviter le premier coup de feu. Celui-ci transperça la cloison de l'entrée, projetant du plâtre et des morceaux de brique à travers toute la pièce. Elle se releva en un éclair et ouvrit la porte avec une rapidité stupéfiante. Mais trop tard...

Une seconde balle traversa le mur à quelques centimètres de son visage, puis une troisième lui déchira les muscles de l'épaule. Steffi fut envahie par une douleur fulgurante qui paralysa tout son corps pendant un bref instant, jusqu'au moment où elle sentit la main de son agresseur qui tentait de la ramener à l'intérieur de l'appartement. D'un mouvement instinctif, elle se dégagea en criant avant de s'élancer dans le couloir qui conduisait aux ascenseurs. Plusieurs voisins étaient sortis : la jeune femme habitait dans cet immeuble depuis trois ans, et connaissait la plupart d'entre eux. Un homme d'une trentaine d'années, suivi de sa compagne, s'interposa entre Steffi et son poursuivant :

— Eh, toi ! Qu'est-ce que...

Sans ralentir sa course, les yeux toujours rivés sur sa cible, Blake dégaina son automatique en direction du voisin. Sans même lui adresser un regard, il lui décocha un projectile en plein front. La balle à tête creuse se comprima sur le point d'impact et lui fit exploser l'arrière du crâne. Blake tira plusieurs coups en direction de Steffi, près des ascenseurs. Elle plongea dans la cage d'escalier et disparut de son champ de vision pendant quelques instants. Lorsqu'il arriva en haut des marches, sa cible avait disparu...

Un homme lui assena plusieurs coups de poing dans le dos, espérant mettre un terme au carnage. Alors que son épouse poussait sans ménagements leur fille à l'intérieur de l'appartement, fermant la porte derrière elle et abandonnant son mari aux mains du tueur, Blake riposta avec une précision parfaite. Il avait travaillé quinze ans pour les escadrons paramilitaires de la CIA, avant de rentrer au service de son employeur actuel. Il maîtrisait toutes les techniques de combat rapproché...

Son adversaire, courageux mais incapable de faire face à cette véritable machine, lui portait des coups sommaires et imprécis. Blake l'immobilisa sans difficulté, puis l'envoya rouler sur le sol avant de lui tirer trois balles dans la poitrine. Cet abruti venait peut-être de lui faire perdre sa cible..., pensait-il en courant vers le rez-de-chaussée.

Sur le parking, il aperçut une voiture qui démarrait en trombe. La cible était à l'intérieur. Il tira une nouvelle fois, et le pare-brise de la vieille Golf vola en morceaux...

— Posez ça ! hurla une voix derrière lui.

Deux policiers en uniforme le tenaient en joue. Il plongea derrière une voiture en stationnement et roula deux fois sur lui-même, avant de réapparaître de l'autre côté du véhicule pour faire feu sur les deux hommes. Avec une précision étonnante, il exécuta le premier d'une balle dans la gorge avant de se baisser pour éviter les tirs du second. Allongé par terre, sous le véhicule, Blake n'éprouvait pas le moindre sentiment de peur. Juste une très grande colère : sa cible lui échappait, définitivement...

Alors que le policier tentait de contourner le tueur, il fut fauché par un projectile qui lui arracha le pied droit. Dans un hurlement de douleur atroce, l'homme s'effondra sur le sol. Une seconde balle lui fit exploser le coude. Sous le choc, il lâcha son arme qui glissa sur plusieurs dizaines de centimètres, hors d'atteinte. Pétrifié de terreur et de souffrance devant le spectacle de ses articulations disloquées, le sergent Helmut Bayer, quarante-huit ans, père de deux enfants et gardien de la paix modèle, observait Blake Sodderington qui s'approchait maintenant de lui, sans un mot...

— Je l'ai perdue, maintenant ! cria-t-il comme un enfant outré par sa punition.

— Je vous en prie... ne me...

Il vida les cinq dernières balles de son chargeur à bout portant. Blake observa le cadavre criblé de projectiles pendant un long instant, comme apaisé par ce spectacle. Mais il savait que rien n'était fini. Il devait retrouver cette gamine au plus tôt. Et elle ne lui échapperait pas deux fois...

La douleur était atroce, mais elle survivrait... Elle ne connaissait rien en médecine, rien en chirurgie, rien en...

— Et merde ! gémit-elle en frappant le volant avec force, alors que de grosses larmes commençaient à couler sur ses joues.

De son seul bras valide, elle tentait de faire tomber les restes de pare-brise toujours accrochés à la Golf. Tout en surveillant la route, elle lançait des coups d'œil anxieux dans le rétroviseur... Pourquoi ne la poursuivait-il pas ? Il n'était quand même pas venu en bus ! Et ce type qu'il avait abattu dans le couloir... Jürgen, Günter... Elle ne se souvenait même plus de son nom. Pourtant, elle avait dîné chez eux à plusieurs reprises. Elle ne voulait pas se souvenir, voilà la vérité. Elle voulait oublier qu'il était mort à cause d'elle...

— Mon Dieu, comme il est tombé ! sanglota Steffi en repensant au corps plein de vie qui s'était interposé pour la sauver, puis à cette masse de viande morte s'effondrant quelques instants plus tard sur la moquette du couloir, le corps traversé par une volée de projectiles blindés...

Elle n'avait jamais vu quelqu'un mourir. Dans son esprit, la transition était plus lente, plus... pas comme ça, en tout cas ! Ce type s'était écroulé comme on tourne un interrupteur : vivant/mort...

Où pouvait-elle aller, maintenant ? Chez sa mère, à Hambourg ? Chez son ancien petit ami qui... non ! Certainement pas chez lui, de toute façon... Il fallait réfléchir vite, très vite, et se mettre à l'abri loin de cette ville et de ses pièges. Sans ralentir, elle passa la main sur son épaule gauche en grimaçant de douleur. Le sang coulait toujours. Il inondait maintenant la totalité de son T-shirt et le haut de son jean. Une hémorragie ? Non, il n'y a pas d'artères dans ce coin-là..., corrigea-t-elle en essayant de se rassurer. Mais alors pourquoi est-ce que cette saloperie n'arrêtait pas de saigner ?

D'un geste brusque, elle tourna le volant vers la droite et écrasa la pédale de frein. La Golf perdit son adhérence pendant quelques instants, puis s'immobilisa sur le trottoir de la Harzer Strasse, désert à cette heure. Elle balaya les environs d'un coup d'œil circulaire, et entreprit de soulever délicatement la manche de son T-shirt. Mais la balle avait justement touché son bras à cette hauteur. Le tissu déchiqueté pénétrait dans le magma sanguinolent de la blessure. Lorsqu'elle tira plus fort, il se détacha des chairs dans une douleur atroce. Steffi se mordit la lèvre inférieure pour ne pas crier. Et si... et s'il y avait une veine ou un truc comme ça ? se demanda-t-elle alors que la panique et la tristesse envahissaient son esprit. Elle essuya les contours de la plaie avec les lambeaux du T-shirt qu'elle venait d'extraire, puis tenta d'évaluer les dégâts. Le sang coulait sans cesse, avec un débit plutôt alarmant.

— Il faut que quelqu'un s'occupe de ça ! Bientôt tu n'auras même plus la force de conduire !

Elle demeura silencieuse un bref instant puis déclara, toujours à haute voix :

— Theo ! Je vais demander à Theo de voir ça...

Theo Uberd travaillait comme bénévole à WESEAR. Mais surtout, il était étudiant en médecine. C'était son seul espoir, pensa-t-elle en redémarrant le moteur de sa voiture.

— Mais nom de Dieu qu'est-ce que j'ai fait pour...

Elle ne prit même pas la peine de terminer sa phrase. Steffi savait très exactement ce qui venait de se passer. On ne touche pas impunément aux intérêts militaires de la première nation du monde. Persuadée d'avoir mis en lumière les activités secrètes du Pentagone ou de l'US Navy au fond des mers, la jeune femme tremblait de peur. Elle se trompait complètement. Mais les forces qu'elle venait de percer à jour, sans le savoir, étaient infiniment plus terrifiantes que n'importe quelle machine gouvernementale...

4

COLONEL NANCY PREDGARD

Centre expérimental et scientifique de l'US Navy, Fort Kedley, Massachusetts.

Nancy observait l'enquêteur dépêché par le Service de surveillance météorologique international, basé à Londres, avec un certain étonnement. Il n'avait rien d'un bureaucrate, ni d'un scientifique. En fait, il lui semblait totalement inclassable.

— Vous fumez ? demanda-t-elle en allumant une cigarette...

Agée de trente-trois ans, le colonel Predgard dirigeait le Service scientifique de la Navy depuis deux ans. Sortie major de West Point à l'âge de vingt et un ans, elle avait choisi la marine dès cette époque. Lieutenant à bord de l'USS *Benjamin Franklin*, un sous-marin lanceur d'engins en activité dans le Pacifique pendant l'affrontement Est-Ouest, elle avait ensuite dirigé les missions scientifiques de l'USS *Wilson* jusqu'en 1991. Ce navire, un des plus top secret de la flotte américaine, travaillait sur la télémétrie missile et l'expérimentation des projets recherche et développement de la Navy...

— Non, merci..., répondit Seth avec un sourire.

Après son entretien avec Sanesburry, il avait décidé de mener une enquête discrète pour vérifier les dires de son ami. Le Service de surveillance météorologique jouissait d'un certain prestige dans la communauté scientifique mondiale et, surtout, il n'éveillait qu'une méfiance relative au sein de l'US Navy, habituée à travailler de pair avec cet institut depuis de longues années. Seth avait donc piraté leurs fichiers, pour y introduire son nom et s'attribuer une mission fictive : avec plus de mille deux cents employés, dont presque quatre cents enquêteurs, la supercherie tiendrait assez longtemps pour qu'il puisse obtenir les informations qu'il cherchait...

— Alors que voulez-vous savoir, monsieur...

Elle fronça les sourcils un instant, puis jeta un rapide coup d'œil à ses dossiers.

— Monsieur Preston, je vous écoute...

— Nous sommes en train de mener une enquête sur les bouleversements climatiques qui surviennent en de nombreux points de...

— Vous pensez qu'il s'agit de quoi ? demanda la jeune femme qui paraissait sincèrement intéressée par la réponse de son interlocuteur.

— Franchement, nous n'en savons rien. Mais les courants marins pourraient constituer un élément de réponse important...

— Important ? répliqua le colonel en affichant une moue indulgente... Nom de Dieu, c'est fondamental !

— Comment cela ?

— Vous connaissez le courant du Groenland ?

Elle marqua une courte pause, puis reprit son explication.

— Le courant du Groenland, aussi appelé courant des Profondeurs, est à la base de tout le système climatique mondial : El Niño n'est qu'un tout petit dérivé de ce phénomène. On s'aperçoit des catastrophes que ce dernier engendre, tous les vingt-cinq ans, lorsqu'il apparaît sur les côtes du Pacifique Sud. Alors imaginez ce que produirait une altération du courant des Profondeurs, qui, lui, traverse toute la planète.

— De quoi s'agit-il, exactement ?

— En 1961, les essais nucléaires battaient leur plein des deux côtés du Rideau de fer. La Navy décida de financer un programme de recherche destiné à suivre la diffusion et l'altération des éléments radioactifs à travers les océans. Les scientifiques décidèrent de porter leur attention sur une molécule particulièrement facile à détecter : le tritium...

— Une molécule radioactive qui découle du choc thermonucléaire, n'est-ce pas ?

— Tout à fait..., répliqua la jeune femme, avec une pointe d'étonnement, avant de poursuivre : Pendant plusieurs années, des bâtiments de la Navy ont traqué le tritium sur toutes les mers du globe. D'ailleurs, on s'est aperçu que toutes ces saloperies ne disparaissent quasiment jamais... Enfin ! Les propriétés chimiques du tritium le maintenaient dans un palier situé entre 0 et 300 mètres de profondeur.

— Et au-delà ?

— Non. Il ne s'enfonçait pas plus loin. Dans toutes les mers, tous les océans, le tritium restait toujours dans cette zone...

— Si je ne me trompe pas, il s'agit de la région marine où se concentrent 90 % de la vie : la région dans laquelle le plancton peut opérer la photosynthèse et...

— Nous ne sommes pas là pour faire le procès de l'armée, monsieur Preston. Vous allez comprendre pourquoi je vous explique tout ceci : en 1963, on s'est rendu compte que près des pôles, le tritium descendait à 3, 4 et parfois même jusqu'à 5 000 mètres de profondeurs. C'est ainsi que tout a commencé...

Seth fronça les sourcils, intrigué.

— Qu'est-ce qui a commencé ?

— On venait de découvrir le courant du Groenland. Aux alentours des deux calottes polaires, l'eau de surface plonge vers le fond.

— Plonge ?

— Oui. En surface les masses d'eaux deviennent plus lourdes pour deux raisons. Elles sont plus froides, au contact de la banquise, et plus salées que n'importe où ailleurs.

— Le froid et le sel rendent l'eau plus dense, donc plus lourde..., c'est bien ça ?

— Oui. C'est le même principe qu'en météorologie, avec les nuages et les dépressions.

— Mais pourquoi est-elle plus salée qu'ailleurs ?

— Parce que la banquise emprisonne l'eau de mer en rejetant le sel : la glace est uniquement formée d'eau douce.

— Donc, avec plus de sel et des températures proches de 0 °C, cette eau plonge vers le fond..., conclut Seth qui écoutait les explications de la jeune femme avec intérêt, fasciné par l'incroyable dynamique marine qui sous-tendait l'équilibre de nos climats.

— Exactement. Aux alentours du Groenland, 20 millions de tonnes d'eau s'engouffrent chaque seconde vers les abysses. Imaginez ce que vous ne verrez jamais : des dizaines de colonnes d'eau, mesurant chacune plus d'un kilomètre de diamètre, avec un débit 200 fois supérieur au fleuve Amazone, qui plongent dans les ténèbres, en direction du fond des mers...

— Pourquoi dites-vous que je ne le verrai jamais ?

— Parce que c'est de l'eau dans l'eau. L'imagerie synthétique qui permet de recréer ce spectacle en variation thermique existe, et je peux vous en prêter une vidéo. Mais, quant à le voir en réalité...

Silencieux, Seth scrutait les réactions du colonel. Si quelqu'un pouvait descendre à 7 500 mètres pour y faire exploser un gisement d'hydrate de méthane, c'était probablement la Navy...

— ... vous ne le pourrez jamais : la pression colossale des grandes profondeurs vous aplatirait comme une crêpe.

— Pourtant certains appareils descendent jusqu'à 4 000 mètres...

— C'est du flan ! trancha la jeune femme d'une voix étonnamment catégorique.

— Comment cela, « du flan » ? demanda Seth, curieux et amusé à la fois...

— Est-ce que la Navy sponsorise ce genre de projet ? Non. Leur intérêt scientifique est tellement minime face aux investissements nécessaires, qu'ils n'intéressent que les excentriques et les multinationales en mal de publicité... Les images nous font découvrir un monde de pierre et de sable ennuyeux à mourir, que les chaînes de télé diffusent à 3 heures du matin pour combler les trous de leur programmation... De temps en temps, on remonte un caillou à la surface et tout le monde est en extase : « Oh qu'il est beau ! Oh qu'il est étrange ! »..., déclara la jeune femme en tenant son briquet devant elle, pour mimer les scientifiques face à une telle découverte.

— Ce n'est pas un peu réducteur, comme vision des choses ? Les premières capsules de la NASA ont toutes explosées en vol, si mes souvenirs sont bons. Et pourtant, finalement, nous avons réussi à envoyer Jaeger en orbite et Armstrong sur la lune...

— Vous ne comprenez pas, monsieur Preston : pour descendre dans les fosses marines, il faut inventer un nouveau type d'appareil. Avec une propulsion révolutionnaire, un alliage révolutionnaire... Tout ce que font ces petits submersibles, c'est consolider les architectures classiques des sous-marins que nous utilisons pour descendre à 8 ou 900 mètres... Mais par contre, si vous m'amenez le prototype d'un engin entièrement nouveau, doté d'un réel potentiel pour l'exploration abyssale, et que vous me demandez 10 milliards de dollars pour le brevet, alors je vous signe un chèque immédiatement. Même si l'engin n'est pas au point. Même si ce n'est encore qu'une maquette, incapable de flotter dans une piscine expérimentale...

— Désolé, je n'ai rien de tout ça..., ironisa-t-il, sans que la jeune femme ne relève la plaisanterie.

— Pour revenir à ces courants marins...

— Oui. Vous m'expliquiez comment l'eau de surface plonge vers le fond, aux abords des banquises.

— Oui. Ensuite commence une longue route sous-marine. Comme une rivière large de plusieurs kilomètres, les eaux froides forment un canal qui progresse de 10 centimètres par seconde. Elles redescendent le long des côtes américaines, puis sont rejointes par les eaux de l'Antarctique avant de se séparer en deux branches distinctes : l'une remonte au travers de l'océan Indien, jusqu'à la périphérie des côtes pakistanaises et iraniennes, alors que la seconde, appelée « flux principal », contourne l'Australie et la Nouvelle-Zélande pour s'engouffrer dans la fosse des Kernadec...

La jeune femme s'exprimait maintenant d'une voix lente, rêveuse. Les yeux perdus dans le vague, elle enchaîna d'un ton absent :

— Essayez d'imaginer ça : ce gigantesque torrent d'eau froide plonge sur plusieurs milliers de mètres jusqu'au fond de la faille. On s'émerveille devant les quelques centaines de mètres des chutes du Niagara, mais est-ce que vous pouvez imaginer le spectacle de cette cascade qui coule au ralenti sur plusieurs kilomètres de hauteur, dans un silence absolu ? Essayez..., dit-elle sans même lui accorder un regard, toujours perdue dans ses rêves.

— Et ensuite ? Que devient ce courant ?

L'effet de sa question était semblable à celui d'une gifle sur un somnambule : elle sursauta légèrement, fronça les sourcils un bref instant, puis s'efforça de reprendre une allure plus martiale. Seth comprenait maintenant qu'il se trouvait face à une véritable amoureuse de la mer. Une femme qui aurait tout donné pour percer ces prodigieux mystères qu'elle ne pouvait qu'entrevoir, au travers des cartographies satellites et des balisages-sonars de la Navy. Il commençait même à la soupçonner d'avoir choisi l'armée pour cette seule et unique raison...

— Ensuite, le courant du Groenland traverse une partie du Pacifique et sa température augmente, chemin faisant... Il perd ainsi de sa densité, et remonte progressivement en surface : ce voyage dure deux mille ans. Les eaux qui remontent en ce moment au milieu du Pacifique ont plongé sous la banquise du Groenland à la naissance du Christ, conclut-elle avec un rire nerveux qui ressemblait à un sanglot d'émotion.

— Et il se termine ?

— Pas du tout. En remontant dans les zones équatoriales, qu'il s'agisse de l'océan Indien ou du Pacifique, il tempère les régions excessivement chaudes, alors que les courants de surface qui se forment ensuite remontent vers le nord pour adoucir les climats plus rudes de ces pays...

— Mais je croyais que le Gulf Stream, par exemple, était formé par l'action conjointes des vents d'ouest et des alizés ?

— C'est le cas. Mais tous ces mouvements océaniques sont profondément interconnectés : par exemple, jusqu'à la découverte du mécanisme des courants profonds, personne ne comprenait pourquoi le Gulf Stream remontait si loin vers le nord, en longeant l'archipel norvégien des Loffoten... Si ce courant de surface, provoqué par des vents contraires, agit de la sorte, c'est parce que le courant des profondeurs, qui résulte, quant à lui, d'une différence de densité, entraîne les eaux du Groenland vers le fond. Il crée ainsi un « appel d'eau » qui attire les masses plus chaudes et donc plus légères du Gulf Stream vers la banquise où elles se refroidiront avant de couler à leur tour. C'est un seul et unique cycle, un système de climatisation d'une perfection absolue, bouleversante..., conclut-elle avec un sourire d'enfant.

— Je voudrais vous poser une question qui risque de vous paraître...

— Allez-y, dit-elle en allumant une seconde cigarette.

— Si – je dis bien si – on trouvait le moyen de descendre à 8, 9, 10 000 mètres ou même plus bas...

— C'est tout à fait absurde, mais continuez, lança la jeune femme d'une voix détachée.

Seth savait pourtant qu'elle connaissait l'existence du projet SOSUS. Elle était même, probablement, la première personne à avoir écouté l'enregistrement de l'explosion qui venait de coûter à la Navy son plus beau sous-marin...

— De quel pouvoir disposerait-on ?

Elle expira lentement la fumée de sa cigarette et observa son interlocuteur d'un regard étrange.

— De tous les pouvoirs, monsieur Preston. Oubliez l'or, le pétrole, les missiles nucléaires titans, et même l'informatique...

— Vous êtes sérieuse ?

— Tout à fait sérieuse, croyez-moi. Vous ne me parlez pas d'un de ces modules merdiques qui vont ramener un bout de rocher du fond ?

— Non. Je vous parle d'engins totalement autonomes : à l'aide desquels on pourrait pratiquer une gamme très étendue de travaux sous-marins, avec la même aisance qu'en surface...

— Alors on détient bel et bien tous les pouvoirs. Avec une technologie surpuissante et avec les connaissances nécessaires, on peut transformer le Sahara en forêt tropicale ou l'Amazonie en désert de glace. On peut inonder les trois quarts des Etats-Unis en provoquant un réchauffement brutal ou encore plonger toute la planète dans une nouvelle période de glaciation...

— Est-ce que vous êtes préparés à ça ?

Le colonel eut un léger mouvement de recul.

— Je pense que cette question dépasse les limites de vos compétences, monsieur Preston.

— Vous avez raison, colonel. Bien... Je crois en avoir appris beaucoup. Merci...

— Autre chose ?

— Je voudrais rencontrer d'autres spécialistes en matière de climatologie marine. Auriez-vous quelques instituts à me conseiller ?

Elle leva les yeux au ciel un instant.

— Oui. Vous pouvez aller à Monterrey, en Californie. C'est un centre privé qui compte parmi les meilleurs du monde. Il y a aussi le Bayer Institut, à Berlin. Très sérieux...

— Sur quoi travaillent-ils ?

— Tout ce qui touche la mer : son fondateur, Ludwig Bayer, est décédé il y a quinze ans alors qu'il dirigeait une mission d'exploration dans un de ces petits sous-marins dont vous me parliez. L'appareil aurait implosé sous la pression ambiante : on ne l'a jamais retrouvé. Vous savez, quand un marin se noie, il va flotter entre deux eaux et on pourra peut-être le récupérer dans un filet de pêche. Mais là, c'est un autre univers. Un monde aussi inaccessible que la planète Mars. Quand les abysses vous prennent, ils vous gardent...

5

LE LOUP DANS LA BERGERIE

879, Urban Strasse quartier de Kreuzberg, Berlin, siège de la JRN. 23 h 15 GMT

Blake savait qu'une gamine à moitié morte n'était pas très difficile à localiser. Il l'avait touchée en haut du bras : à l'épaule ou au dos, il pouvait l'affirmer avec certitude... Peut-être gisait-elle déjà, inconsciente, victime d'une hémorragie sur le bas-côté de la route ? Dans ce cas, il l'apprendrait demain matin par les journaux.

Mais sa mission ne se limitait pas à une seule cible. Ces idiots venaient de mettre les doigts dans un engrenage auquel ils n'échapperaient plus. Ni cette Steffi ni aucun de ses amis...

Il pénétra dans le couloir crasseux du bâtiment avec une lueur d'espoir qui donnait un éclat malsain au gris terne de ses yeux. Deux étages plus haut, dans les locaux de JRN, il trouverait peut-être la jeune femme blessée qui venait de lui échapper. Etait-elle bête à ce point ? Il n'osait même pas l'imaginer...

En lieu et place de Steffi, il ne trouva qu'un garçon

âgé d'une vingtaine d'années, penché sur un écran d'ordinateur avec un walkman sur les oreilles. La porte d'entrée sur laquelle les adolescents avaient peint le logo du mouvement – un dauphin et une pieuvre rigolarde – n'était pas fermée... A l'intérieur, une dizaine de bureaux vides et mal rangés s'étalaient dans un fouillis indescriptible, derrière un stand de réception aux couleurs chatoyantes. « Incroyable que la menace puisse venir de ça ! » se dit Blake en balayant la pièce d'un coup d'œil circulaire, avec une pointe de mépris.

— Je peux t'aider, vieux ?

Si deux choses plongeaient l'ancien paramilitaire de la CIA dans une colère noire, c'était les tutoiements intempestifs et les « vieux » que semblaient utiliser les gamins pour tout ce qui dépassait trente ans...

Flavio Guiselli se tenait face à Blake avec un sourire. Il lui offrit une poignée de main chaleureuse, que le tueur lui rendit de manière tout aussi amicale.

— Tu viens pour le site web ? C'est ça ? Tu n'arrives pas à te connecter ? demanda le jeune homme en désignant du doigt un vieux sofa élimé. Assieds-toi : on sera mieux pour parler...

Arrivé de Milan pour suivre un doctorat de biologie à Berlin, trois ans auparavant, il s'impliquait énormément dans les travaux de WESEAR. Il dirigeait le site Internet de l'organisation à titre bénévole depuis cette époque. De taille moyenne, doté d'un physique plutôt fluet, ses longs cheveux tressés en nattes épaisses étaient retenus par un bonnet rasta aux couleurs de l'Afrique. Dans les écouteurs qu'il venait de retirer, mais qu'il portait toujours autour du cou, Blake pouvait entendre un *No Woman No Cry* en version live, de Bob Marley...

Le jeune homme sortit un paquet de Marlboro et en proposa une à Sodderington, qui refusa en affichant un sourire poli. Devant le silence de son visiteur, Flavio enchaîna :

— Je suis dessus depuis cet après-midi ! Vers 8 heures, le serveur a reçu un virus par e-mail. C'était un peu comme Mélissa, il y a deux ans, sauf que celui-ci ne se propage pas : il a été envoyé pour détruire notre site. Et il a réussi. J'ai appelé la hot line de notre provider mais l'abonnement avait expiré. Les mecs ont refusé de m'aider, tu te rends compte ! Juste à cause d'un abonnement ! Le fric fait tourner le monde, mon vieux. C'est comme ça...

— On n'y peut rien, conclut Blake avec un sourire, alors qu'il observait le plafond de la pièce, à la recherche de caméras éventuelles.

— Tu as perdu des fichiers à cause de ce virus, vieux ?

Il pensa un instant à enfoncer son doigt dans l'œil du garçon pour lui arracher l'os nasal de l'intérieur, tant ce genre de familiarité l'exaspérait, puis se ravisa : « En son temps... », pensa-t-il.

— Non. Mais je voulais télécharger des infos sur les... plans que JRN a récupérés auprès de...

— Auprès de l'armée ! trancha le jeune homme, avant de poursuivre d'une voix pleine de lyrisme : Ces salopards bousillent la planète avec leurs engins de folie. Ce qu'on a réussi à récupérer, vieux, c'est de la dynamite...

— Vous avez combien d'entrées hebdomadaires sur le site ?

Flavio Guiselli afficha une moue étonnée.

— Ça, je sais pas... Je dirais une cinquantaine. On n'est pas un site commercial : les gens qui viennent chez nous, sur le web, sont tous des copains d'autres mouvements ou des sympathisants...

— Et depuis combien de temps est-ce que vous laissez ces clichés à disposition du public ?

— Ça fait trois jours. Mais maintenant que tout a été détruit par le virus, personne ne peut plus y accéder. Si tu veux, je peux te faire une copie des...

— Pas la peine, je les connais..., répliqua Blake avec un sourire inquiétant.

Flavio fronça les sourcils un bref instant, puis observa la pièce sombre autour de lui, comme s'il était à la recherche d'une issue.

— Eh, mec ! Qui tu es ? Tu es envoyé par l'armée, c'est ça ? demanda-t-il d'une voix trahissant la terreur qui commençait à s'emparer de lui.

— Non... pas du tout. Et d'ailleurs, puisque tu vas mourir, je peux te refiler un scoop : l'armée, le gouvernement américain ou même les Martiens n'y sont pour rien...

Le sourire du tueur s'élargissait pour dévoiler une dentition impeccable, d'une blancheur presque irréelle. Il observait sa cible d'un regard neutre, dans lequel Flavio ne parvenait pas à déceler la moindre émotion. Aucune peur, aucune colère, aucun regret non plus...

— Eh ! Je...

Avant qu'il puisse terminer sa phrase, Blake se trouvait déjà à quelques centimètres de lui. L'avant-bras fermement plaqué contre la gorge du jeune homme, il maintenait une pression douloureuse sur son cou :

— Je vais être franc avec toi : je ne vais pas te promettre la liberté, tu sais que c'est trop tard. Mais par contre, si tu parles tout de suite, si tu réponds à toutes mes questions, je t'abattrai d'une seule balle, conclut-il en claquant dans ses doigts : sans douleur...

— Je vous en prie laissez-moi par...

Blake lui assena une violente gifle.

— Réveille-toi ! hurla-t-il. Terminé ! C'est fini ! Rideau ! Tu es mort, et maintenant tu dois choisir entre une fin rapide et une nuit de souffrance si terrible que tu ne peux même pas l'imaginer ! dit-il en repoussant le jeune homme au fond du sofa.

Dans le bruit lointain du walkman, Bob Marley entamait son célèbre *Buffalo Soldier* sous un tonnerre d'applaudissements.

— Alors ? demanda Blake en s'éloignant de quelques mètres, retirant sa veste et dévoilant le colt qu'il portait en holster...

— Mais je ne sais pas de quoi vous...

— Je veux deux choses. Le code d'accès de votre serveur, et l'original que vous avez subtilisé à ANTA...

Flavio sanglotait de peur, les yeux grands ouverts. Comme Steffi, il n'avait jamais véritablement cru à la menace qui planait sur eux. Et comme la jeune femme, la rapidité avec laquelle son sort était en train de se décider le laissait incrédule, hébété...

— Je ne...

— Et amène-moi cette saloperie, tu veux ! hurla Blake en pointant son doigt vers le walkman.

Flavio s'exécuta en tremblant, le visage inondé de larmes. L'autre prit la cassette et la plaça dans une vieille chaîne stéréo qui trônait sur le meuble de réception. Bob Marley reprit sa chanson où il l'avait laissée, plein tube, cette fois...

— J'aurais préféré autre chose, mais on fera avec...

Flavio ne pouvait pas trahir ses amis. Il ne pouvait pas fournir le code d'accès du serveur à cet homme. Ce type éliminerait tous ceux ayant approché de près ou de loin les fameux clichés. Mais est-ce qu'il avait le choix ?

— Tu décides quoi, « vieux » ? demanda Soddeington en s'approchant de l'écologiste, un rasoir à la main.

— Non, je vous en...

D'un geste rapide et précis, il lui plaqua la tête sur l'accoudoir du sofa et trancha son oreille droite. Le cartilage se découpait facilement, et l'opération ne prit que quelques secondes, alors que les cris de douleur se noyaient dans les trompettes et les batteries de *Buffalo Soldier*.

Le sang inondait maintenant les mains du tortionnaire, et celui-ci recula de quelques mètres. Blake observait le spectacle sans plaisir, d'un œil purement clinique : il évaluait l'effet produit par la douleur sur l'organisme et la volonté du jeune homme. « Ce genre de branleur ne tiendra pas dix secondes », pensa-t-il en observant Flavio qui se tortillait sur le sol, lové en position fœtale...

Il se trompait.

Une telle chose arrive parfois – rarement – au cours d'une séance. La douleur peut agir comme un déclencheur de courage, activant la volonté au lieu de la briser. Lorsqu'il s'approcha de l'Italien, ce dernier lui décocha un violent coup de pied qui l'atteignit à la cuisse droite, avant de se propulser à l'assaut du tueur. Blake le repoussa sans difficulté, et lui assena plusieurs coups de poing d'une extrême violence. Le nez de Flavio se brisa sous ses phalanges, libérant une nouvelle hémorragie...

Sans laisser au jeune homme le temps de réagir, il lui saisit la main droite et brisa son pouce dans un craquement sec. Le militant écologiste se tordait à nouveau de douleur. Blake l'agrippa au col et le releva d'un geste brutal, pointant la lame du rasoir en direction de son visage :

— Est-ce que je continue ? Ou est-ce que tu me dis ce que je veux savoir ?

Sans même attendre une réponse, il le frappa au niveau du ventre, puis l'envoya rouler au sol d'un coup de pied en plein visage. Le jeune homme ne résistait plus. Il s'effondra violemment sur la moquette de la réception, entraînant une pile de dossiers dans sa chute. Il tenta de se relever, mais plus pour se défendre : Flavio rampait péniblement vers la porte, guidé par les instincts de survie les plus primaires de son cerveau. Peine perdue. Blake le rattrapa et, sans un mot, lui trancha le pouce de la main gauche. Imperturbable, Sodderington s'accroupit devant sa victime :

— Je vous en prie. Je vous dirai...

— Le code ? demanda-t-il d'une voix détachée, parfaitement calme et neutre.

— OX67GREG445, marmonna le jeune homme, les dents serrées...

Sans un mot, Blake se leva pour se diriger vers l'ordinateur où Flavio travaillait avant son arrivée. Il pianota plusieurs secondes, puis imprima la liste des visiteurs ayant téléchargé les dossiers d'ANTA : dix-huit personnes, se trouvant pour la plupart en Allemagne.

— Les originaux, vieux, demanda-t-il à haute voix, en pivotant sur la chaise de bureau.

A quelques mètres, le jeune homme se tordait toujours sur le sol.

— Les originaux, répéta-t-il patiemment, comme si tout ce qui l'entourait n'avait rien d'anormal.

— Coffre. Il... ouvert, gémit Flavio qui se tenait au milieu d'une véritable mare de sang.

Sodderington se dirigea vers le vieux coffre d'occasion que ces idiots ne prenaient apparemment pas la peine de fermer. Il sourit légèrement lorsqu'il aperçut les constructions d'ANTA, photographiées à la hâte par des militants d'une association américaine. Ceux-là étaient morts depuis longtemps...

Sur les clichés, on pouvait apercevoir des structures hautes de plusieurs dizaines de mètres, en demi-cercle imparfait : elles ressemblaient à des ballons de rugby coupés en deux dans le sens de la longueur. Sur d'autres feuillets, les caractéristiques techniques de l'alliage utilisé. Le seul au monde qui soit capable de résister à une pression de 1 000 atmosphères...

Fort heureusement, le texte n'avait pu être diffusé par les écologistes : crypté dans un format extrêmement complexe, les alignements de barres horizontales et verticales qui en résultaient ne semblaient pas avoir attiré leur attention. Du moins pas suffisamment pour qu'ils le publient sur le site...

— Monsieur, s'il...

Blake se tourna vers le jeune homme. Il l'avait presque oublié...

— Merci, vieux ! fit-il en rassemblant les feuillets du coffre.

Il récupéra, dans l'imprimante, la liste des internautes ayant téléchargé les informations subtilisées à ANTA, puis se dirigea vers la sortie en dégainant son colt. Blake pointa le silencieux en direction du crâne ensanglanté de Flavio, qui leva lentement les mains dans un geste de protection dérisoire, alors que le tueur pressait la détente. La victime s'arc-bouta une infime seconde, avant de retomber lourdement sur le sol. Sodderington observa quelques instants le jeune homme sans visage, dont les jambes étaient encore secouées par quelques tremblements nerveux, avant de sortir tranquillement, au rythme des cuivres de Bob Marley qui scandaient *Every little thing's gonna be all right...*

6

JOACHIM NEUMANN

Savigny-Platz, Bayer Institut, Berlin.
9 h 30 GMT

Joachim Neumann était ravi de la décision du gouvernement concernant Berlin. Il faisait partie de cette nouvelle génération d'Allemands, libérés du complexe nazi, qui souhaitaient ardemment redonner à cette ville son statut de centre politique national. La greffe n'avait jamais pris sur Bonn, qui demeurait encore aujourd'hui une agglomération de seconde zone. Adenauer l'avait d'ailleurs choisi pour cette raison, pensa-t-il en contemplant l'architecture magnifique des bâtiments qui longeaient la Mommsen Strasse...

En savourant le silence qui régnait dans son bureau, il jeta un coup d'œil distrait à la première page du *Financial Times*. Entre une nouvelle hausse des taux américains et l'informatisation du pit de Chicago, figurait un article qui attira plus particulièrement son attention :

Inondations catastrophiques à la suite de deux typhons au Bangladesh : on dénombre 650 victimes et 4 000 disparus dans la région de Chagandi.

A l'intérieur du journal, une analyse de cinq colonnes détaillait les faits et leurs possibles origines. Neumann ne prit même pas la peine de la lire : les journalistes se trompaient, forcément...

Depuis la disparition de Ludwig Bayer, Joachim dirigeait la fondation créée par cet homme étonnant, vingt ans plus tôt. Magnat de l'industrie, pionnier de l'écologie, Bayer s'était battu sur tous les fronts, de l'émission des gaz à effet de serre au recyclage des déchets radioactifs, en passant par la préservation des forêts primaires et la pollution de l'eau...

Parmi toutes ces causes, la mer occupait une place de choix. Bayer avait subventionné les premiers submersibles capables de descendre à plusieurs milliers de mètres de profondeur, dans les années 60. Il était le « milliardaire excentrique » sur lequel ironisait le colonel Nancy Predgard à propos des méthodes d'exploration actuelles. Bayer pensait que la Terre deviendrait rapidement invivable, surexploitée par un développement humain toujours plus anarchique et plus brutal...

Soixante-dix pour cent de la surface du globe se trouvent sous les eaux de 15 mers et de 4 océans, à une profondeur moyenne de 3 800 mètres. Bayer passa les dix dernières années de son existence à chercher un moyen de vivre et de prospérer dans les abysses avant d'y mourir, écrasé par une pression de 80 atmosphères, au milieu de l'Atlantique Sud, alors qu'il explorait le rift médio-océanique dans un submersible de sa conception...

Son immense fortune fut reversée au Bayer Institut, une fondation entièrement dédiée à la recherche océanographique. Gigantesque instrument de lobbying écologique, l'Institut finançait un grand nombre de projets scientifiques, mais également de vastes campagnes publicitaires sur la préservation de l'environnement marin.

Joachim régnait aujourd'hui sur plusieurs milliards d'euros, dont il pouvait décider l'attribution sans aucune contrainte extérieure. Agé de quarante-six ans, ses cheveux châtains impeccablement coiffés retombaient sagement le long de ses tempes, autour d'un visage massif et charnu. Sa peau mate, creusée de profondes rides, témoignait des années passées en compagnie de Bayer, sur toutes les mers du globe. Le sel, le vent et le soleil avaient laissé leur empreinte sur lui, sans que douze années de vie citadine ne parviennent à les atténuer.

Il sortit un dossier de sa mallette : celui-ci, frappé de la mention CONFIDENTIEL, contenait une quinzaine de pages et détaillait les réactions du KGB, de la CIA et du MI6, devant la disparition du sous-marin nucléaire. Après plusieurs minutes, il posa les photocopies devant lui en affichant un léger sourire : tout se déroulait comme prévu. Malgré les enregistrements de SOSUS, personne ne donnait suite aux allégations de la Navy : il n'y avait eu aucune activité humaine à 7 500 mètres : c'était la version officielle. La CIA et la DIA objectait – avec raison – que la communauté scientifique ne connaissait presque rien des phénomènes géologiques sous ultrapression : il pouvait tout aussi bien s'agir d'une poche de gaz comprimé, d'un gisement de pétrole ou d'une éruption spontanée... *Penser à une menace militaire dans un milieu aussi hos-*

tile, aussi inaccessible, témoigne d'une paranoïa d'un autre âge..., écrivait même l'auteur du rapport de la CIA, un homme du nom de Jack Folley.

— Bravo, Jack ! ironisa Neumann en riant à haute voix, satisfait de constater que rien ne filtrait.

Joachim Neumann jouissait d'une excellente presse dans les milieux huppés de Berlin, toujours attentifs aux sermons écologistes qui fleurissaient à travers toute l'Allemagne d'aujourd'hui. En revanche, tous ignoraient les efforts surhumains que ce beau parleur devait déployer jour après jour afin de dissimuler sa véritable personnalité.

Pour ses amis, Neumann était un philanthrope, un homme profondément convaincu de la justesse de ses choix, que l'engagement et le risque n'effrayaient nullement. Ses ennemis, quant à eux, le décrivaient comme un idéaliste, le suiveur docile et terne de son ancien maître, dont il avait indirectement reçu la fortune. Tous se trompaient...

L'écologie, selon Joachim Neumann, n'avait strictement rien à voir avec le bien-être de la race humaine. La préservation d'un écosystème global pouvait même se trouver en totale contradiction avec le développement d'une espèce bien spécifique en son sein... Lors de discussions où Joachim pouvait librement exprimer son point de vue, il comparait souvent l'humanité à un virus. Ces formes de vie proliféraient avec une rapidité stupéfiante à l'intérieur d'une cellule, avant de la détruire et de partir à la recherche d'une nouvelle victime. Il en allait de même pour notre espèce, expliquait Neumann. La population humaine atteignait des proportions que la Terre et sa chaîne alimentaire ne pouvaient plus supporter. Il s'ensuivait alors une déforestation massive, une culture à outrance amenant fatalement la création d'organismes transgéniques, hybrides et formidablement dangereux sur le long terme. La cellule que le virus humain s'apprêtait maintenant à détruire, c'était la Terre. Mais à la différence des micro-organismes qui grouillaient en chacun de nous, la planète bleue demeurait le seul habitat possible de notre espèce : une situation tragique que personne ne semblait prendre véritablement au sérieux...

Pour cette raison, Neumann ne supportait aucun compromis dans la lutte qu'il menait depuis vingt-cinq ans. Doté d'une intelligence hors du commun, d'une habileté de négociateur insurpassable, il possédait également une foi indestructible et effrayante. Une foi qui justifiait tout...

Conscient des formidables obstacles qui se dresseraient devant un discours trop dur, il avait patiemment tissé un double combat : prônant un écologisme charitable et séducteur sur le devant de la scène, il élaborait son véritable projet dans l'ombre, destiné à la préservation d'un monde qui lui importait plus que ses semblables...

— Monsieur ? Blake Sodderington est arrivé.

Dans l'Interphone, la voix de sa secrétaire semblait refléter un certain malaise. « Plutôt normal, face à un type comme Blake ! », pensa-t-il avec un léger sourire...

— Faites-le entrer.

Un instant plus tard, le tueur pénétra dans le vaste bureau et referma la porte derrière lui, d'un geste délicat, sans un bruit. Ses cheveux gris étaient parfaitement rabattus en arrière, et son costume bleu marine de bonne coupe lui donnait l'apparence rassurante d'un homme d'affaires en plein travail. Effectivement, Blake travaillait. Mais ses activités n'avaient rien à voir avec la finance ou le commerce international...

— Alors ? demanda Neumann en lui désignant un siège.

— J'ai récupéré tous les documents. Mais la fille s'est échappée. Il me...

— Quoi ? ! Vous n'êtes qu'un idiot !

Sodderington ferma les yeux un court instant. Il contenait sa colère avec peine...

— Elle m'a échappé. Cela ne se reproduira plus...

— Bordel ! Est-ce que vous êtes inconscient ? Cette fille a probablement conservé des doubles de tous les documents ! Elle...

— Je pense qu'elle a fui sans chercher à emporter quoi que ce soit avec elle. De plus, elle est blessée. Peut-être gravement. Peut-être même est-elle déjà morte...

— « Peut-être, peut-être »... Nous ne vous avons pas engagé pour que vous réussissiez « peut-être » vos missions ! Quand on pratique vos tarifs, on essaie de ramener un minimum de résultats ! trancha Neumann d'une voix glaciale.

Il marmonna quelque chose entre ses dents, puis chercha nerveusement une cigarette dans la poche de sa veste...

— Et les autres, ils sont morts ?

— Qui ?

— Tous les autres ! Tous ceux qui ont eu accès aux fichiers d'ANTA !

— Non. J'ai placé cinq de mes hommes sur cette mission, hier soir. Mais les cibles sont nombreuses...

— Combien ?

— Dix-huit. Dont quinze à Berlin.

— Et les trois autres ?

— Un homme au Japon, et deux Américains. Probablement des types qui surfaient innocemment sur le web, et qui ont juste téléchargé la photo parce qu'il la trouvait marrante. Ils seront morts sous quarante-huit heures, rassurez-vous, conclut Sodderington d'une voix détachée.

— Donc, il ne reste que la gamine ?

Blake acquiesça de la tête et plissa légèrement les yeux...

— Voyons le bon côté des choses : aucun service secret n'a eu le temps de fourrer son nez dans nos dossiers, n'est-ce pas ? demanda Neumann d'une voix tendue.

— Non. Aucun des e-mails enregistrés ne correspond à une agence gouvernementale quelconque. Tous les internautes sont des particuliers. En Allemagne, il s'agissait d'autres écologistes qui avaient pour habitude d'échanger leurs informations avec WESEAR. Les numéros de cartes de crédit correspondant aux e-mails ne semblent pas factices, d'après nos premières recherches.

— Bien. Ce qui veut dire que nous sommes parvenus à circonscrire l'incendie...

— Tout à fait, monsieur, confirma Sodderington d'une voix martiale.

— Vous pouvez me garantir que la gamine sera morte demain ?

— Franchement, non. Elle va se terrer dans une cachette quelconque pendant des jours, voire des semaines. Si elle n'utilise pas sa carte de crédit, nous avons peu de chances de la localiser. Malheureusement...

— Démerdez-vous ! C'est votre problème ! Cette morveuse peut faire capoter tout mon projet, alors mettez le paquet ! Trouvez-la, vérifiez qu'elle n'a parlé à personne, et tuez-la ! Allez, conclut-il en l'invitant à sortir d'un geste méprisant.

Sodderington le foudroya du regard, et Neumann comprit qu'à cet instant il lui aurait volontiers arraché le cœur. Mais le patron du Bayer Institut s'en fichait. Il savait depuis longtemps à quel genre d'homme il avait affaire. Blake était un professionnel hors pair, et sa discipline naturelle agissait comme un verrou psychologique inviolable : dans l'esprit totalement militaire de Sodderington, Neumann était l'officier. Et un vrai soldat ne se rebelle jamais contre les ordres d'un officier...

— Elle va certainement se rendre dans sa famille, lança Joachim en direction de son invité, alors que celui-ci se dirigeait rapidement vers la porte.

— Son père est mort et la maison de sa mère est sous surveillance. Tous ses amis le sont également. Je vous ai dit que ça prendrait du temps, mais je la retrouverai. Je les retrouve toujours...

7

TRAQUE

Kempinski Hotel, Küfurstendamn, Berlin.
8 h 30 GMT

Confortablement installé dans le salon de sa suite, Seth pianotait sur son ordinateur depuis une quinzaine de minutes. Il devait rencontrer un des océanographes du centre de recherche marine de Berlin à 11 heures. En attendant, il épluchait des dossiers appartenant à la NASA, que le Comité lui avait fait parvenir par e-mail quelques minutes plus tôt.

Particulièrement active en recherche sous-marine depuis une dizaine d'années, l'agence américaine lui apporterait peut-être quelques éclaircissements sur les avancées secrètes du gouvernement en matière d'explorations profondes...

Il n'y avait d'ailleurs rien d'illogique dans le fait de retrouver la NASA au fond des mers : l'eau constituait un élément tridimensionnel qui présentait plus de similitudes avec l'espace qu'avec les méthodes de navigation classique de la Navy...

Les résultats furent décevants : la NASA espérait

bientôt envoyer une sonde, calquée sur le modèle de *Voyager*, afin d'explorer les fosses abyssales du Pacifique Nord. Mais sans aucun équipage...

PERMO, un second projet commandé par l'agence de Floride, concernait la mise en place d'une nouvelle propulsion qui paraissait loin d'être opérationnelle. Il s'agissait d'un procédé permettant aux engins submersibles de se déplacer à l'aide de la pression ambiante, en créant un flux perpétuel qu'il suffirait ensuite de canaliser et d'orienter. Parfait en théorie, mais totalement inapte pour l'instant.

Un troisième projet attira l'attention de Seth. Il concernait un domaine beaucoup plus audacieux : la création d'un mélange gazeux qui permettrait d'annuler la pression ambiante. Composé principalement de gaz inertes jamais utilisés auparavant pour ce type d'application, il devait en théorie permettre au corps de s'adapter à des profondeurs de 10 000 mètres avec une aisance stupéfiante.

Le problème des plongées profondes n'est pas directement causé par la pression, mais plutôt par les différences de bars entre le milieu ambiant et le mélange gazeux qui se répand dans le sang du plongeur. Si ce dernier maintient le mélange aux pressions de la surface – soit 1 atmosphère –, alors les conditions extrêmes des grandes profondeurs l'écrasent comme une véritable presse hydraulique. Si, par contre, le plongeur module la pression du gaz qu'il respire en fonction de la profondeur ambiante, alors son corps résiste de manière tout à fait satisfaisante au poids de l'eau.

Mais la pression induit des réactions chimiques dans

la composition des gaz : par exemple, à 60 mètres, l'azote contenu dans les bonbonnes devient un stupéfiant très puissant, qui cause la dangereuse « ivresse des profondeurs »...

Si les mélanges de plongée demeuraient stables dans les grands fonds, le barrage des ultrapressions serait rapidement franchi. Seul problème : à part certaines molécules inertes de la classification périodique, aucun gaz ne conserve les mêmes propriétés à 1 et 100 atmosphères. Ainsi, tout ce que nous pouvons respirer se modifie pour devenir un psychotrope, un stupéfiant, un somnifère ou un poison...

Mais le nouveau mélange proposé par la NASA ne semblait subir aucune modification particulière jusqu'à la profondeur incroyable de 10 000 mètres, soit 1 000 atmosphères !

Lorsque Seth observa les comptes rendus plus attentivement, il s'aperçut que le projet n'était encore qu'une simple idée. Le mélange gazeux présenté par les scientifiques de l'agence se révélait extrêmement toxique pour l'organisme. Il ne changeait pas, en effet, mais il était irrespirable dès la surface. Tous les cobayes utilisés jusqu'à présent étaient morts avant même d'être placés dans le caisson hyperbare. En bref, le produit permettait de résister aux ultrapressions, mais le simple fait de l'inhaler s'avérait aussi mortel que dans le cas d'un neurotoxique militaire...

L'équipe en charge du projet essayait maintenant d'y insérer certaines molécules, comme de l'hydrogène ou de l'azote, afin d'obtenir une stabilité équivalente pour un produit qui deviendrait respirable.

Déçu, Seth quitta les dossiers de la NASA, persuadé que l'agence américaine était totalement étrangère aux activités sous-marines enregistrées par SOSUS...

Tout en avalant rapidement son petit déjeuner, il feuilleta les journaux du matin. Le *Financial Times* et le *Wall Street Europe* titraient à nouveau sur les perturbations climatiques. Le *Wall Street* consacrait deux colonnes aux terribles inondations frappant depuis quelques jours le golfe du Bengale, alors que le journal britannique attirait l'attention de ses lecteurs sur des rapports pluviométriques étonnants : l'Afrique saharienne enregistrait des précipitations six fois plus importantes que d'ordinaire, et le sol extraordinairement sec de ces régions n'absorbait pas l'humidité, qui grossissait les fleuves et provoquait des crues meurtrières au Mali et au Soudan.

Les puits s'engorgeaient, et polluaient l'eau potable. Des recrudescences de poliomyélite et de diphtérie étaient déjà signalées par l'OMS dans ces pays, dépourvus de la moindre infrastructure sanitaire. Plusieurs équipes de météorologues se penchaient sur cet étrange phénomène, sans pouvoir encore fournir la moindre explication.

Dans le même temps, le débit du fleuve Amazone avait, selon plusieurs organisations écologistes, diminué de 3 pour cent en six mois : une véritable catastrophe pour la forêt primaire. Durant cette période, au lieu des 800 millimètres habituels, les précipitations n'avaient atteint que 300 millimètres.

Le *Berliner Zeitung*, quant à lui, titrait sur une nouvelle locale qui attira immédiatement l'attention de Seth :

Carnage dans les milieux écologistes berlinois : sept militants abattus en deux jours. Une jeune femme reste introuvable. La police se refuse à tout commentaire...

Intrigué, il parcourut rapidement l'article, à la recherche du nom de la disparue, puis décrocha son téléphone : par les renseignements, il obtint le numéro de cette association martyre en quelques secondes. JRN. Il n'en avait jamais entendu parler. Ce genre de mouvements fleurissait en Allemagne : certains comptaient plusieurs milliers de membres autour d'une structure bien établie, alors que d'autres ne regroupaient que quelques copains de fac. JRN semblait faire partie de la seconde catégorie.

— Ouais..., répondit une voix maussade et hargneuse à la fois.

— Je voudrais parler à Steffi..., demanda-t-il poliment.

A l'autre bout du fil, son interlocuteur murmura quelque chose. Un instant plus tard, Seth entendit le clic aisément reconnaissable d'un système d'écoute rudimentaire. Il raccrocha et réfléchit pendant quelques secondes. L'article du *Berliner Zeitung* fournissait quelques éclaircissements sur les activités de WESEAR : une minuscule organisation très militante, en particulier dans le domaine marin. D'après l'un des survivants, placé sous protection policière depuis la veille, les jeunes écologistes étaient parvenus à obtenir des documents sur les travaux entrepris par l'armée américaine dans les grandes profondeurs océaniques.

Affabulation ou vérité ? Il devait retrouver cette fille pour le découvrir...

Mais comment procéder ? Il était virtuellement impossible de... Soudain, son visage s'éclaira d'un léger sourire : Steward Welsh. Il demeura immobile un instant, comme s'il hésitait à recourir aux services de cet homme en qui il n'avait absolument aucune confiance. Mais sans l'aide d'une machine de renseignements aussi puissante que la NSA, jamais il ne retrouverait la trace de cette Steffi Jungmann. Jamais...

Il ouvrit son répertoire électronique et le posa devant le téléphone, avant de composer le numéro de cet étrange personnage. Quelques instants plus tard, Welsh prenait la parole comme si les deux hommes étaient déjà en pleine conversation :

— Que pensez-vous de Berlin, monsieur Colton ? Personnellement, je déteste cette ville...

— Savez-vous pour quelle raison je me trouve en Allemagne ?

Welsh demeura silencieux un court instant, comme si la réponse à cette question était si évidente que le simple fait de la poser devenait presque offensant.

— Que puis-je pour vous, monsieur Colton ?

— Je cherche une jeune femme qui s'est volatilisée...

— Votre vie privée dépasse mes compétences, j'en ai peur, se permit Welsh d'une voix légèrement ironique.

Colton esquissa un sourire avant de poursuivre :

— Elle est en fuite depuis deux jours. Son nom est Steffi Jungmann. Elle habite à Berlin et...

— Attendez.

A nouveau, il y eut un silence de plusieurs secondes, pendant lequel Welsh semblait réfléchir, élaborer un plan de bataille.

— Vous pensez qu'elle est toujours en Allemagne ?

— Je pense, oui, répondit Seth. Mais je n'ai malheureusement aucune certitude...

— Possédez-vous un enregistrement quelconque ? Un enregistrement sonore où figure son empreinte vocale ?

— Non.

— Pouvez-vous obtenir un tel matériau ?

— Non, j'en ai peur...

— Y a-t-il un répondeur sur sa ligne téléphonique personnelle ?

— Je ne sais pas.

— Je vous rappelle avant ce soir, conclut Welsh qui s'apprêtait déjà à raccrocher.

Quartier général de la NSA, Fort Meade, Maryland.
11 h 00 GMT

Steward Welsh fixait le plafond de son bureau d'un œil absent, tout en réfléchissant au moyen le plus efficace de la retrouver. Cet homme particulièrement influent maîtrisait totalement les rouages de la NSA. A la différence de la CIA, sciemment paralysée par des directions rivales et concurrentes, la *National Security Agency* était dotée d'une hiérarchie pyramidale qui conférait à Welsh des pouvoirs extrêmement étendus...

Mais ce dernier ne s'intéressait pas outre mesure à l'agence qu'il dirigeait. Il avait choisi cette affectation stratégique pour deux raisons : s'informer, et surtout désinformer... Les menaces militaires et terroristes que la NSA était censée prévenir ne constituaient pour lui qu'une activité annexe, qu'il confiait bien volontiers à ses subalternes. Welsh dépendait toujours, officieusement, de l'Air Force et du projet Majestic, depuis 1953...

Il décrocha un des combinés soigneusement alignés sur son bureau et composa le numéro de Jerry Allenbaum, le responsable du Service surveillance et écoute, au huitième sous-sol.

— Monsieur ?

— Je veux le numéro de téléphone d'une certaine Steffi Jungmann, à Berlin.

Il y eut un court silence au bout de la ligne, avant qu'Allenbaum ne demande timidement :

— C'est tout ?

— Oui. Pourquoi ?

— Nos ordinateurs ne nous permettent pas d'accéder directement à une telle demande. Il faut reparamétrer un programme de recherche. Cela risque de prendre plusieurs heures...

— Quoi ? demanda Welsh d'une voix amusée. Si je le demande aux renseignements téléphoniques, je l'obtiendrai en quelques...

— C'est exactement ce que j'allais vous suggérer, monsieur, répondit Allenbaum qui paraissait embarrassé par cet aveu de faiblesse.

— Très bien : venez dans mon bureau, j'ai besoin de vous, commanda le patron de la NSA en activant une ligne extérieure.

Avec un léger sourire, il composa le numéro des

renseignements internationaux. Il aurait bien évidemment pu le demander à sa secrétaire, mais la perspective d'appeler US Telecom pour obtenir un numéro civil depuis le centre le plus performant au monde en matière de décodage et d'écoute téléphonique l'amusait énormément. Dans une vie totalement dédiée au travail, Welsh ne détestait pas, de temps à autre, jouer ainsi de la dérision...

Il raccrocha quelques instants plus tard et composa le numéro de la jeune fugitive, à Berlin... La voix de Steffi, sur fond de mouettes et de vagues océanes, annonçait d'une voix enjouée : « Je ne suis pas là. Laissez un message, salut... »

Steward Welsh enregistra l'appel et raccrocha, alors que Jerry Allenbaum se présentait dans son bureau. Brun, les cheveux bouclés, cet homme de quarante-trois ans travaillait pour la NSA depuis près de vingt ans. Il en connaissait tous les rouages, particulièrement dans le domaine de l'écoute qu'il dirigeait depuis l'accession de Welsh à la tête de l'agence. Ce dernier avait repéré Jerry et l'avait placé à son poste actuel pour alléger l'immense charge de travail que nécessitait la fonction de directeur. Entouré d'un personnel extrêmement capable et autonome, il pouvait ainsi se consacrer pleinement à la poursuite de ses véritables objectifs...

— Jerry, j'ai ici l'empreinte vocale d'une jeune personne que nous devons retrouver. Elle se cache quelque part en Allemagne depuis trois jours et...

— Je peux écouter l'enregistrement ? coupa Allenbaum.

L'homme du Service d'écoute ne s'embarrassait

d'aucune préséance avec son chef. Il était efficace et rapide : tout ce que Welsh attendait d'un collaborateur. Il passa l'enregistrement du message, et Jerry soupira en se massant les tempes.

— C'est tout ce qu'on a ?

— Oui.

— Ce qui me gêne, ce sont les bruits de fond : ces conneries de vagues et... les canards.

— Ce sont des mouettes, Jerry, corrigea Welsh avec une moue indulgente.

Celui-ci maintenait une distance volontaire avec les hommes de la NSA. Steward Welsh était un militaire, même si officiellement l'Air Force ne le connaissait plus. Jerry et les autres ne faisaient pas partie de son monde. Heureusement pour eux, se disait-il...

— Oui, d'accord, des mouettes... De toute façon, même si c'était des pingouins, le problème serait identique. Il va falloir isoler parfaitement la voix de cette gosse : quand je dis parfaitement, c'est au millidécibel près.

— Comment ?

— Ce que nous pouvons faire, c'est essayer de scanner toutes les conversations en mémoire dans nos superordinateurs, pour retrouver tous les appels que cette jeune personne a pu émettre depuis sa disparition.

— Sur sa propre ligne téléphonique ? Mais je vous dis qu'elle s'est enfuie...

Le visage d'Allenbaum s'éclaira d'un léger sourire.

— Non, pas sur son téléphone : sur tous les téléphones d'Allemagne.

Welsh demeura silencieux pendant plusieurs secondes, visiblement surpris.

— Voilà comment nous allons procéder : chaque voix est unique. Nous allons décortiquer la sienne, et insérer ses paramètres dans nos machines. Elles scanneront l'ensemble des voix présentes sur nos enregistrements – c'est-à-dire celles de toutes les personnes ayant passé au moins un coup de téléphone en Allemagne durant les sept derniers jours, et nous pourrons ainsi savoir deux choses : ce qu'elle a dit, et d'où elle l'a dit.

Welsh savait que la NSA enregistrait une large partie des conversations mondiales : ce qu'il ignorait en revanche, c'était la facilité avec laquelle les analystes semblaient pouvoir travailler ce matériau...

— Combien d'heures de communication est-ce que cela représente ?

— Quoi. L'Allemagne ?

— Oui. Toutes les conversations téléphoniques allemandes sur une semaine...

— En comptant les appels vers et depuis l'étranger, à peu près quinze ans...

— Et combien de temps vous faut-il pour traiter ces informations ?

Allenbaum se gratta le front un instant, les yeux baissés, avant de répondre.

— Après avoir isolé la voix... je pense que cela devrait prendre moins de deux heures...

— Et pour parvenir à... « isoler » l'empreinte vocale ?

— Je n'en sais rien, conclut Jerry qui se levait déjà, la main tendue vers son supérieur pour emmener l'enregistrement dans ses laboratoires. Mais autant s'y mettre tout de suite...

8

AU FOND

Secteur Lisa 8, Pacifique Sud,
profondeur : 9 347 mètres. 11 h 00 GMT

Le grand canyon du Colorado est une faille de 35 kilomètres de longueur, pour une profondeur moyenne de 428 mètres. Sa renommée mondiale attire plus de seize millions de personnes chaque année, intriguées ou tout simplement admiratives devant cette erreur géologique sur laquelle bien des scientifiques s'interrogent encore. Et pourtant...

Pourtant, il existe une infinité d'autres canyons. Dans le secteur Lisa 8, situé approximativement au milieu de l'Atlantique Nord, au sommet d'une chaîne de montagnes dont les altitudes sont comparables et souvent supérieures à celles du massif alpin, une faille plonge sur plus de 3 500 mètres jusqu'au tréfond de la Terre, pour une largeur maximale de 400 mètres. La température oscille entre 2 et 4 °C, sauf lors des éruptions volcaniques, si violentes qu'elles peuvent libérer cinquante à cinq cents fois plus de lave que les pires colères de l'Etna. Dans ce rift, de telles éruptions sont quasi quotidiennes... Dans un grondement, le sol tremble quelques instants, puis libère un flot de magma si gigantesque que ses proportions et sa rapidité à se propager dépassent tout ce que nous pouvons concevoir, tout ce que nous pouvons même imaginer...

Le meilleur moyen de se représenter une éruption volcanique du secteur Lisa, c'est de penser à un gigantesque raz de marée de lave qui s'abattrait sur le fond et le recouvrirait sous plusieurs dizaines de mètres de magma, en quelques secondes, avant que celui-ci ne s'écoule lentement dans la faille, comme de l'eau dans un canal. Car le rift est long, très long... Il s'étend, comme une ligne de fracture, sur toute la longueur de cette chaîne de montagnes appelée « dorsale médio-océanique », soit plus de 65 000 kilomètres, une fois et demie le tour de la terre.

Nous ne sommes pas sur Mars ou sur Jupiter, mais seulement à quelques milliers de kilomètres de nos villes, de nos maisons et de notre monde, que nous croyons si bien connaître... Ce décor angoissant, avec ses montagnes de plus de 10 000 mètres, ses massifs enroulés autour du globe, ses failles et ses plateaux de plusieurs millions de kilomètres carrés, c'est celui des abysses : un univers de silence et d'ultrapressions, totalement inaccessible pour nos organismes et notre technologie pourtant réputée sans limites.

A 200 mètres, la lumière du soleil disparaît totalement. A 320 mètres, l'azote contenu dans les mélanges gazeux les plus performants subit une réaction chimique qui en fait un véritable poison pour l'organisme humain. Ce palier demeure le dernier seuil autorisé pour les plongeurs sous-marins. Les cosmonautes se déplacent librement sur le sol lunaire depuis plusieurs décennies, mais aucun homme n'a jamais survécu à 500 mètres sous la surface de nos propres océans. Bien sûr, certains centres de recherche possèdent des modules de plongée capables de nous emmener à 4, voire 5 000 mètres. Mais les contraintes de la pression limitent considérablement l'intérêt de ces voyages. Les petits sous-marins évoluent péniblement. Ils ne permettent aucuns travaux, aucune initiative, et n'offrent toujours qu'une vision fragmentaire de ce monde effrayant et hostile.

Leurs expéditions avaient tout de même permis de comprendre que la vie ne s'arrêtait pas à 200 mètres, avec la photosynthèse et la présence de plancton. On savait maintenant qu'un écosystème totalement inconnu s'était développé par 4 ou 5 000 mètres de profondeur. Ces organismes défiaient toute logique, et pas seulement à cause de la terrible pression environnante. Certains, comme le ver tubulaire, se nourrissaient d'oxyde de soufre grâce à une bactérie présente dans son organisme et capable de synthétiser cette matière, si toxique qu'elle fut longtemps utilisée, pendant la guerre froide, pour le développement des armes chimiques. D'autres formes de vie colonisaient les cheminées volcaniques, dans une eau en ébullition constante, à plus de 300 °C...

Sur la faune des abysses, plus bas, entre 7 et 11 000 mètres, on ne savait tout simplement rien...

Durant ses opérations de plongée, Nick Allisson évitait de penser à ce genre de choses. En fait, il voulait rentrer depuis un bon moment. Pas seulement à la base. L'Ecossais voulait remonter en surface et quitter cet univers de dingues. Mais tout ça, c'était pour plus tard...

Inondé de transpiration, les mains serrées sur les manettes de pilotage, il se trouvait dans l'habitacle étroit d'un module E-14. Mis à part sa couleur argentée très vive, ce petit véhicule de 5,50 mètres de longueur et de 4 mètres de hauteur ressemblait à une pelleteuse de chantier. Mais à la différence de celle-ci, l'engin valait plus de 50 millions de dollars, soit le prix de deux chasseurs F-15...

Le pilote accédait à la cabine par un sas étroit qui se refermait ensuite pour l'emprisonner à l'intérieur. Calé dans un siège minuscule, Allisson pouvait observer le paysage des abysses qui se déroulait devant lui. Mais pas au travers d'un hublot : aucun type de Plexiglas ne résistait à 94 atmosphères... Il voyait le fonds des mers reconstitué en images de synthèse sur des panneaux vidéo accrochés en face de lui. Dans l'obscurité absolue des grands fonds, aucun système d'éclairage n'aurait permis de voir avec une telle netteté. Les environnements d'ultrapression bloquent la lumière, et la portée des projecteurs n'y dépasse jamais 10 mètres. Sur les panneaux, en revanche, Allisson pouvait explorer ces contrées inhospitalières du regard, à plus de 300 mètres du sous-marin. Le spectacle était surréaliste. En fait, les ingénieurs de la base l'obtenaient grâce à un programme informatique révolutionnaire baptisé SONAVISION. Il décryptait les rapports sonars obtenus en projetant des ondes courtes autour de l'engin. La rapidité avec laquelle le faisceau était répercuté ainsi que son angularité fournissaient de précieuses informations à l'ordinateur central. Le logiciel reconstituait la topographie environnante à partir de ces données, puis restituait finalement le paysage en images virtuelles, d'une exactitude et d'une précision étonnantes...

Allisson se trouvait dans le rift de la dorsale médio-océanique. En d'autres termes, en plein cœur de l'usine à lave de toute la planète... Encerclé par les murs de la faille, hauts d'une cinquantaine de mètres à cet endroit, son module E-14 se déplaçait au fond du canal par lequel le magma libéré des entrailles de la terre s'écoulait quotidiennement. La prochaine éruption se produirait dans trois heures quarante minutes, selon les géologues du centre de contrôle. L'ennui, c'était que leurs prévisions n'étaient pas plus sûres que celles de leurs homologues de la météo, en surface. L'opération pour laquelle il venait de quitter la base lui prendrait environ une heure. Il devait forer la paroi nord du rift, à environ 200 mètres de l'endroit où il se trouvait, y déposer une gigantesque charge d'explosifs, et enfin retourner sur ses pas pour être treuillé vers la sortie...

Une gigantesque grue était installée depuis huit jours au sommet de la faille . celle-ci descendait puis remontait le matériel avec ses équipages, avant et après chaque explosion volcanique. Le spectacle d'une éruption était tellement superbe qu'il en faisait parfois oublier le danger. Parfois, mais jamais quand on se trouvait au fond... Jamais quand on se tenait dans le canal d'écoulement du magma.

Les environnements hyperbars agissaient comme une presse permanente sur la carlingue des sous-marins : les pilotes et leurs assistants travaillaient dans un grondement constant, dû à l'immense masse d'eau qui cernait leurs engins. Mais les éruptions, aussi, sont annoncées par un grondement sourd et continu... Travailler dans ces conditions exigeait des nerfs à toute épreuve.

Nick avait le profil requis pour ce genre de travail. Le risque ne l'effrayait pas, bien au contraire. Mais les règles du jeu devenaient différentes. La veille, un tremblement de terre avait emporté trois appareils, alors que la semaine précédente, deux modules de reconnaissance avaient été désintégrés par la lave, coincés dans une éruption surprise, très exactement là où il se trouvait maintenant... Allisson avait travaillé toute sa vie pour des compagnies pétrolières et minières, mais à presque 10 kilomètres de profondeurs, dans le complexe le plus secret du monde, un type comme lui n'avait rien à dire sur les missions qu'on lui attribuait. Or, celle-ci était particulièrement dangereuse.

Le rift médio-océanique pouvait être comparé à une véritable usine : en libérant le magma, elle « construisait », seconde après seconde, la croûte de l'écorce terrestre qui disparaissait ou se consolidait en d'autres endroits du globe. Le rift était une gigantesque fonderie... L'activité volcanique se déplaçait en permanence : lorsque la croûte terrestre s'affaiblissait par endroits, elle libérait une série d'explosions violentes que les géologues ne pouvaient pas prévoir. Allisson avait beau être un simple foreur, il connaissait les entrailles de la terre aussi bien que les scientifiques du centre, à l'abri devant leurs programmes informatiques de simulation ultraperformants. En vingt-cinq ans de métier, dans toutes les mers et les mines du globe, il avait développé une sorte d'instinct : un instinct qui ne lui disait rien de bon quant à sa mission actuelle...

Sans rien changer à la poussée des gaz, il décentra la commande de direction pour faire obliquer sa machine vers la droite, en direction de la grotte artificielle creusée par les excavatrices. A l'aide de l'un des quatre bras articulés qui se trouvait à l'avant du module, il dévissa rapidement les panneaux de barricades en alliage thermorésistant, placés devant l'entrée pour détourner les flux de lave en cas d'éruption. Cet alliage était également utilisé par la NASA dans les trappes d'évacuation du *launch pad* de Cap Kennedy. Dans ces trappes, les boosters remplis d'hydrogène qui faisaient décoller les navettes rejetaient des flammes qui atteignaient plusieurs milliers de degrés.

Grâce à cette astuce, la coulée ne reboucherait pas les 38 mètres de galerie que cinq équipes de forage s'évertuaient à creuser depuis une semaine...

Il pénétra à l'intérieur sans perdre le moindre dixième de vision. Son champ oculaire demeurait identique : la grotte n'était pas plus sombre que l'extérieur – à 9 300 mètres, l'obscurité est totale partout –, et les images de synthèse ne dépendaient que du flux sonar. Il fixait du regard les parois du tunnel sous-marin, en prenant garde d'éviter les arêtes latérales, tranchantes comme des rasoirs. L'alliage à base de titane ne pouvait être entamé, mais son engin demeurait vulnérable. Décheniller dans cette grotte, c'était la mort assurée : lors d'une panne quelconque, les modules de secours viennent s'arrimer à votre sas pour vous évacuer, avant de revenir tracter l'engin jusqu'à la base. Mais pas ici : les modules de sauvetage, de par leur carénage fusiforme, ne pouvaient pénétrer dans cet étroit boyau. Si les autres engins ne parvenaient pas à le tirer en eau libre, Allisson mourrait d'asphyxie sans que personne ne puisse rien pour lui...

— Concentre-toi, espèce de con ! pensa-t-il en grimaçant de rage, furieux que de tels scénarios puissent lui traverser l'esprit à cet instant.

Dans un claquement sec, il rabattit une série d'interrupteurs commandant l'immobilisation de l'appareil. Devant lui, sous les panneaux vidéo, un message rouge l'informait du statut « off-move » de son E-14. Il se trouvait au fond du tunnel, à 2,15 mètres de la paroi, prêt à insérer l'explosif...

— E-14 à contrôle..., lâcha-t-il d'une voix détachée, tout en activant le manipulateur du bras de forage.

— Contrôle. A vous E-14..., répliqua une voix monocorde depuis le QG de chantier, 300 mètres plus loin, à côté des grues qui bordaient le rift.

— Je commence à forer. Sur 3 mètres en calibre 24...

— OK. Bon courage, E-14.

— Que disent les géologues ?

— Tranquillise-toi : tout baigne. Enfin, si on peut dire...

Il pianota un instant sur le clavier de l'ordinateur de bord, et entama les opérations de forage. Dans un ronronnement à peine perceptible depuis l'habitacle, la mèche pénétrait dans le sol avec lenteur et difficulté. Au-dessus des panneaux de SONAVISION, un petit écran affichait la profondeur en chiffres rouges. Lorsque la mèche fut enfoncée de 3 mètres à l'intérieur des roches volcaniques, il commanda l'extraction, puis immobilisa le bras en position de stand-by, le long de la coque du module.

— Forage terminé : je pose l'exogène et j'arrive.

Concentré d'explosifs particulièrement puissant, l'exogène servait à tous les travaux d'excavation et de forage en eau profonde. L'inconvénient majeur de ce produit – un formidable effet de souffle – était totalement neutralisé dans un environnement d'ultrapression...

En activant un autre bras pour placer la charge, il bouscula le plafond de la grotte en provoquant un petit éboulement. Des centaines de kilos de roches s'abattirent sur le module, presque sans un bruit : son habitacle de 1,60 mètre de hauteur pour 1,20 mètre de largeur et une longueur équivalente se trouvait au cœur de l'engin, entouré par 1,50 mètre d'alliage renforcé...

— Merde ! hurla-t-il en commandant une vision latérale, sans toucher aux commandes de direction.

En cas d'éboulement, les règles de sécurité prévoyaient de ne jamais forcer le passage : une manœuvre en douceur constituait la seule option possible, s'il y en avait une...

Il observa les alentours du module avec un soupir de soulagement : aucun rocher ne bloquait son trajet de retour. Par SONAVISION, il aperçut de petites masses blanches, grouillant sur le sol. Il s'agissait d'une colonie de crabes des abysses. Ces étranges habitants des grands fonds étaient comme tous les autres : aveugles et dépourvus des couleurs chatoyantes que l'on trouvait en surface. La mélanine du soleil était inexistante. Toutes ces créatures étaient blanches, voire étrangement luminescentes pour certaines : Allisson se rappelait le laboratoire de biologie qu'il avait visité quelques semaines auparavant, à l'intérieur de la base. Certaines méduses qui se déplaçaient entre 4 et 7 000 mètres ressemblaient à de véritables soucoupes volantes : elles ondulaient dans l'obscurité, le corps cerclé d'anneaux lumineux qui s'éclairaient par intermittence, pour dévoiler çà et là une partie de leur étrange robe translucide. Un bien curieux spectacle...

Vue depuis l'intérieur du module, cette colonie de crabes ressemblait à un nid d'araignées. Au fond de la grotte, à l'intérieur de ce tank des abysses, la vision de ces formes de vie grouillantes, si différentes de la nôtre, plongeait Allisson dans un malaise diffus. Il posa l'exogène au fond du trou qu'il venait de creuser, puis désactiva le statut « off-move » afin de s'éloigner en direction du rift.

Alors que les chenilles faisaient machine arrière, il fit pivoter la cabine sur le socle du châssis afin de revenir dans le sens de la marche.

— Terminé. Je rentre à...

Allisson n'eut pas le temps de terminer sa phrase. Le grondement de la pression s'amplifia brusquement, puis le sol se déroba sous ses chenilles : une gigantesque fissure se forma sur le passage exact du tunnel. Avant qu'il ne puisse réagir, le module E-14 sombrait dans la fosse, jusqu'aux entrailles de la Terre...

Pendant plusieurs secondes, il fut ballotté en tout sens, alors que le SONAVISION fonctionnait toujours. Dans sa chute vers le fond – mais le fond de quoi ? ! –, il aperçut un bras mécanique, puis deux, arrachés par le choc violent des parois qui heurtaient le petit sous-marin. Le profondimètre s'affolait : il indiquait maintenant 12 500 mètres : aucun des modules n'avait été conçu pour résister à cette profondeur, parce qu'elle n'existait tout simplement pas. Nick Allisson ne se trouvait plus au fond du Pacifique, mais *sous* le Pacifique !

« Je suis dans une putain de faille sismique ! pensait-il alors que le sous-marin tombait toujours. Je vais bientôt entrer en contact avec la lave et… »

Dans un choc d'une violence incroyable, le module fut arrêté net dans sa descente aux enfers. Allisson fut projeté sur les panneaux LCD à cristaux liquides du programme SONAVISION, qui rendit l'âme en même temps que tous les circuits électriques. Toujours conscient, le pilote sentit un liquide chaud inonder ses cheveux et son front. La cabine était plongée dans une obscurité absolue, sans la moindre chance d'être réparée, ni d'être secourue. Aucun module de sauvetage ne se hasarderait au fond d'une faille sismique qui pouvait se refermer et les écraser à tout moment. Il le savait, et ne leur en voulait même pas. Mais il priait maintenant pour qu'un nouveau tremblement de terre ou une nouvelle éruption se produise : ses réserves d'oxygène lui permettraient de tenir une vingtaine d'heures. Et ça, il ne le voulait à aucun prix : mourir lentement asphyxié dans un cercueil de titane, sous la croûte terrestre, était une torture supplémentaire qu'il espérait éviter...

*

La salle de contrôle fut avertie du problème presque instantanément. D'une superficie de 200 mètres carrés, ses murs étaient recouverts de panneaux vidéo sur deux côtés. Le spectacle était grandiose : devant les piliers de titane qui soutenaient cette partie de la base, une gigantesque vallée océanique s'étendait sur plusieurs dizaines de kilomètres carrés. Au loin, une chaîne de petits sommets pointus joliment ciselés se détachaient devant l'horizon noir des abysses. Le paysage évoquait une scène de montagne, en hiver. Les grandes profondeurs connaissent une « neige » permanente, appelée neige océanique. A la différence des flocons immaculés de nos massifs terrestres, la neige océanique est composée de déjections planctoniques recyclées dans les fosses marines. Mais la vue d'ensemble est la même. Au travers des panneaux de SONAVISION, le cadre n'avait rien d'inquiétant. Il était sobre et beau, d'une topographie semblable aux contreforts alpins, sans végétation. Dans le flou qui survenait parfois sur l'image de synthèse, on pouvait penser, sans grande imagination, qu'un paisible village de montagne nichait quelque part au cœur de cette vallée. Mais l'illusion était dangereuse. L'ultrapression tuait tout...

— Préparez des modules. Je veux trois submersibles de sauvetage ! cria Douglas Marrey depuis son poste de commande. Combien de temps avant la prochaine explosion ? hurla-t-il à l'attention des géologues.

— On ne sait pas. La secousse a bouleversé nos prévisions. Peut-être maintenant. Peut-être dans une heure...

— Vous n'avez rien de plus précis ? aboya Marrey en direction du groupe de scientifiques.

— On fait ce qu'on peut ! rétorqua l'un d'entre eux sur le même ton.

— Monsieur, les modules de secours sont prêts. Est-ce que je les envoie ? demanda Laura Baker, la jeune femme en charge des missions de secours, depuis les pupitres alloués à son groupe opérationnel. Laura était arrivée dans le centre à l'âge de vingt-huit ans : elle en avait aujourd'hui trente-quatre.

— Oui, faites-les descendre pour inspecter les dégâts. Demandez-leur de chercher une trace qui permette de localiser Nick.

— OK ! répondit-elle en se précipitant sur ses instruments radio.

A la différence des modules de travaux, les submersibles de secours évoluaient dans un espace tridimensionnel, comme les sous-marins classiques.

— La géo ! commanda-t-il aux hommes dont l'erreur venait de coûter la vie de Nick Allisson. Je veux une estimation de la température sur le rift. Et je veux connaître la profondeur de la faille. Il faut...

— Est-ce qu'on l'a perdu ? demanda une voix lente dans le haut-parleur de la pièce.

La salle était plongée dans une véritable frénésie pour récupérer le disparu. Lorsque la voix au timbre grave s'éleva dans le centre de commande, chacun s'immobilisa.

— Non, on ne l'a pas encore perdu. Il a dévissé dans une faille, mais on ne sait pas sur quelle profondeur et...

— A l'intérieur du tunnel ?

Marrey sembla hésiter un court instant. Le petit homme trapu au visage épais, ancien chef de plateforme en mer du Nord, devinait les conséquences des paroles qu'il s'apprêtait à prononcer.

— Oui. A l'intérieur du tunnel. Mais...

— Alors arrêtez tout, déclara la voix sur un rythme toujours aussi lent, presque hypnotique...

— Mais on ne peut pas le lai...

— Ce ratage vient de nous coûter un homme et 50 millions de dollars. Ne décuplez pas ce lourd tribut en tentant l'impossible, trancha la voix avant de couper la communication.

Dans la pièce personne ne parlait. Laura observait son chef d'un œil anxieux et impatient. Finalement, elle se leva en l'apostrophant, depuis l'autre bout de la pièce.

— Doug ! Qu'est-ce qu'on...

— On continue, murmura-t-il, d'une voix qui manquait d'assurance. Je ne le laisserai pas tomber...

— Tu as entendu les ordres ! hurla-t-elle. On ne pourra pas le récupérer...

Douglas foudroya la jeune femme du regard. A contrecœur, d'une voix amère et triste, il enchaîna :

— Désactivez l'alerte des équipages de secours et remontez le matériel endommagé. On va attendre la prochaine éruption pour tracer une nouvelle cartographie volcanique à l'intérieur du rift. Espérons que nous aurons plus de chance.

La chance n'était au rendez-vous pour personne, ce jour-là : aucun nouveau séisme n'écrasa le module E-14 de Nick Allisson, et l'éruption qui eut lieu une heure plus tard se produisit en aval de la faille. Le foreur qui aurait dû suivre son instinct demeura en vie pendant seize heures trente, coincé dans le noir absolu à 13 000 mètres de profondeur. Il mourut d'une asphyxie graduelle, dans des souffrances physiques et mentales inimaginables...

9

PREMIÈRE RENCONTRE

République fédérale allemande.
14 h 00 GMT

Seth gara sa voiture de location bien avant la cachette présumée de Steffi. Il n'y avait aucune raison particulière pour qu'il ait été suivi, mais le carnage dont JRN venait d'être victime l'incitait à une prudence redoublée...

Il se trouvait aux environs de Berlin, dans un village du nom de Walchow. Perdu au milieu d'une campagne triste et sans charme, Walchow s'étendait comme une longue flaque en lisière ouest de l'autoroute 24. Composé de quelques immeubles ternes et de maisons neuves, il disposait d'un seul hôtel : Le National. Ce grand pavillon datant des années 70, de conception particulièrement laide, proposait des chambres aux VRP ou aux camionneurs de passage...

Selon les résultats obtenus par les superordinateurs de Welsh, la jeune femme se terrait à l'intérieur depuis deux jours. Elle avait passé plusieurs coups de téléphone. Deux jours auparavant, Steffi Jungmann avait contacté sa mère depuis une station d'autoroute, pour lui dire que tout allait bien mais qu'elle devait quitter l'Allemagne quelque temps. Les hommes de la NSA avaient rapidement vérifié son historique bancaire, afin de déceler la trace d'un paiement quelconque, auprès d'une compagnie aérienne ou d'une agence de voyage... Une telle information leur aurait permis, ensuite, de découvrir la destination finale de la jeune femme. Mais son unique compte en banque était débiteur de 28 deutsche Mark et lors de ses conversations téléphoniques, Steffi n'avait jamais demandé le moindre prêt, ni à sa mère, ni à aucun de ses amis. Jerry Allenbaum avait également scanné son nom à travers toutes les listes de voyageurs au départ des principaux aéroports allemands. Le nom de la jeune écologiste ne figurait chez aucune compagnie aérienne, ni aucun transport ferroviaire, ni même aucun service d'autocar...

La veille, elle avait passé deux nouveaux appels téléphoniques depuis la chambre de cet hôtel, sans commettre aucune imprudence. Steffi savait que sa mère et ses amis se trouvaient probablement sur écoute. Les deux coups de téléphone étaient des appels locaux : le premier auprès d'un garage de Walchow, et le second à un service de livraison à domicile, pour des pizzas.

La jeune femme se comportait bien, et les tueurs n'avaient pour l'instant aucun moyen de retrouver sa trace. Ce qu'elle ignorait, c'était que les superordinateurs d'un certain Steward Welsh venaient de lancer une traque planétaire sur Steffi Jungmann, et qu'elle ne pouvait y échapper...

Lorsque la jeune femme entendit quelqu'un frapper à la porte, elle eut l'impression que le sol se dérobait sous ses pieds. Pendant plusieurs secondes, elle demeura immobile, complètement paniquée, submergée par une vague de terreur irrépressible. Elle tourna la tête en direction de la fenêtre puis abandonna cette idée. Le cauchemar de cette soirée, à Berlin, lui avait enseigné que le seul moyen de se sortir d'une telle situation était la fuite... Si elle se brisait une jambe en sautant du deuxième étage, le type n'aurait aucune difficulté à l'abattre. Elle devait sortir par la porte, forcer le passage comme elle l'avait fait trois jours plus tôt. Mais cette fois elle jouissait d'un avantage énorme : la surprise...

Seth allait frapper à nouveau lorsqu'il se ravisa. La jeune femme était dans sa chambre, mais elle ne lui ouvrirait pas. Il pouvait la comprendre : la dernière fois qu'elle s'était trouvée face à un inconnu dans des circonstances analogues, l'homme avait tué quatre personnes en essayant de l'abattre. Il s'approcha de la porte :

— Fraülein Jungmann ? interrogea-t-il dans un allemand parfait...

Pas de réponse.

Pendant un instant, il songea à lui expliquer qu'il ne faisait pas partie de ceux qui voulaient l'éliminer, qu'il voulait au contraire apprendre ce qu'elle savait, en essayant de lui assurer par la suite une protection maximale... Mais quel intérêt ? Elle n'en croirait pas un mot, et chercherait certainement à s'enfuir, si elle ne l'avait pas déjà fait. Il observa les quatre coins de la porte, en silence, puis assena un violent coup de pied sur la serrure. Sans perdre un instant, il s'engouffra à l'intérieur. Les rideaux étaient tirés, plongeant la pièce dans une obscurité presque totale. Il traversa le couloir d'entrée pour accéder à la chambre, persuadé que la jeune femme s'était déjà enfuie.

— Mademoiselle Jungmann, je suis désolé d'avoir...

Il reçut un coup très violent sur l'omoplate, et fut projeté à terre sans pouvoir se défendre. Steffi le frappa une seconde fois, avec une force redoublée : Colton eut à peine le temps de bloquer la batte de base-ball qui s'abattait en direction de son crâne. Son avant-bras absorba le choc, mais la douleur le paralysa presque immédiatement. Cette gamine allait le tuer, pensa-t-il alors que la jeune femme lui balançait un coup violent dans les côtes. D'un coup de pied qu'il essaya de rendre le moins douloureux possible, il balaya son adversaire qui s'écroula au sol dans un cri étouffé. Seth fondit sur elle en lui maintenant fermement les épaules, sans savoir qu'il comprimait le bras blessé de Steffi. L'Allemande hurla de douleur avant de s'écrier :

— Au secours !

Il la bâillonna rapidement de sa main libre.

— Arrêtez ! ordonna-t-il doucement, sans la quitter des yeux. Je ne vous veux aucun mal. Je vous en prie, laissez-moi vous parler... Est-ce que je peux enlever ma main ?

Elle acquiesça de la tête, les yeux écarquillés par la peur et l'incompréhension, puis recommença immédiatement à crier.

— Au sec...

— J'ai lu les rapports de police : l'homme qui vous a attaquée s'embarrassait-il des voisins ? Est-ce qu'il essayait de vous faire taire ? Tout ce que je veux, c'est vous parler...

Steffi respirait bruyamment. Ses longs cheveux blonds étaient éparpillés sur la moquette alors qu'elle fixait l'inconnu d'un œil fou.

— Si j'étais ici pour vous abattre, ce serait fait depuis longtemps, croyez-moi... Je veux simplement que nous parlions... Si vous continuez à vous cacher, ils vous retrouveront tôt ou tard.

Elle paraissait plus calme, maintenant. Son regard trahissait un sentiment d'angoisse diffus, mais la panique qui prévalait encore quelques secondes auparavant semblait avoir disparu.

— Je peux enlever ma main ?

A nouveau, elle acquiesça de la tête.

— Qu'est-ce qui se passe, nom de Dieu ? hurla un homme en pénétrant dans la chambre, une matraque à la main.

— Rien. Retournez dans votre... répondit Seth alors que l'homme s'apprêtait à lui assener un coup en plein visage.

Il esquiva au dernier moment, puis se releva en un éclair pour rabattre le bras du quidam derrière son dos. L'homme, prisonnier d'une douleur atroce, s'immobilisa immédiatement.

— Retournez dans votre chambre. Il ne se passe rien qui vous regarde ! ordonna-t-il d'une voix sèche avant de le repousser vers la porte d'entrée.

Il détourna les yeux et s'aperçut que Steffi brandissait à nouveau sa batte de base-ball, d'un air menaçant.

L'inconnu se précipita dans le couloir pour avertir la réception.

— Ecoutez, gardez votre bâton à la main si ça vous chante, mais vous savez très bien que le vrai tueur se pointera avec un automatique pour...

— Ça a marché une fois, à Berlin ! répliqua-t-elle sur un ton hargneux.

— Oui. Mais c'était un coup de chance. Ils vous tueront la prochaine fois. Dans une trentaine de secondes, les types de l'hôtel vont débarquer ici. Si vous leur expliquez que je vous ai agressée, ils me ficheront dehors et je ne pourrai plus rien pour vous. Alors à vous de voir...

Après un court instant de silence, la jeune femme le foudroya du regard et l'interpella violemment.

— Et d'abord qui êtes-vous ?

— J'enquête sur les perturbations climatiques qui surviennent à travers le monde entier. Il apparaît que ces dérèglements sont en rapport direct avec les courants marins. Or, vous et vos copains avez été les cibles de plusieurs attentats, pour avoir dévoilé certains secrets sur les expériences gouvernementales en grande profondeur. C'est bien ça ?

Elle acquiesça de la tête et se détendit imperceptiblement. Derrière eux, dans le couloir, des bruits de voix s'approchaient.

— Maintenant, c'est à vous de voir. Est-ce que vous acceptez de m'aider ?

Elle l'observait d'un regard étrange, à la fois inquisiteur et suppliant. Visiblement, la jeune femme était à bout de nerfs.

— Qu'est-ce qui se passe ? hurla le patron en se

figeant sur le seuil de la porte, une chaîne à la main, accompagné par plusieurs autres employés.

Seth ne put réprimer un léger sourire devant le ridicule de la scène.

— Ce n'est rien. Il est avec moi. Merci..., finit-elle par lâcher d'une voix qui s'efforçait de paraître normale, alors qu'elle brandissait toujours la batte de base-ball.

— Vous trouvez ? Il a bousillé ma porte ! Et le...

— Tenez, et excusez-nous, conclut Seth en lui tendant une liasse d'euros.

Le tenancier s'immobilisa, plongé dans un bref calcul mental sur la somme qu'il était en train de recevoir, puis son visage s'illumina d'un sourire contenu. Il prit l'argent d'une main, et esquissa un geste apaisant de l'autre, en tenant toujours la chaîne initialement destinée à l'inconnu.

— Ça devrait aller pour les réparations... Vous voulez une autre chambre ? demanda-t-il à Steffi.

— Non. Préparez la note. Nous partons, répliqua Seth à la place de la jeune femme.

Après que la petite troupe se fut éloignée, il repoussa la porte et s'assit au bord du lit. Steffi avait posé son arme, et elle l'observait en silence.

— Dites-moi ce que vous avez trouvé.

— Si vous ne le savez pas, comment êtes-vous sûr que cela soit si important ? répliqua-t-elle d'une voix toujours méfiante.

— J'ai tout appris dans les journaux. Mais si des tueurs se sont lancés à vos trousses, je ne peux que supposer...

— D'accord. D'accord... Il y a quinze jours, un

groupe écologiste américain a obtenu des documents ultraconfidentiels, au terme d'une enquête de plusieurs mois, sur la fabrication de structures gigantesques destinées aux grandes profondeurs...

— Comment en êtes-vous sûre ?

— Parce que le groupe américain a obtenu des photos, mais également des dossiers : certains étaient totalement cryptés, mais d'autres non...

— Et que disaient-ils ?

— Ils détaillaient les comptes rendus expérimentaux obtenus à partir de ce nouvel alliage.

— Un nouvel alliage ?

Seth repensait au colonel Predgard. « Il faut un alliage révolutionnaire pour explorer les grands fonds... »

— Oui. Mais nous ne connaissons pas sa composition. Les documents ont été emmenés par le type qui a...

Une larme coula sur sa joue. Elle la balaya d'un geste rageur.

— ... par le fils de pute qui a tué Flavio.

— Où est-ce que cette chose a été construite ?

— En Floride. Dans les ateliers d'une société ultraprotégée : ANTA Industries... Une firme qui travaille, entre autres, pour la NASA, notamment sur la conception des habitacles de la navette *Challenger*. En fait, dans tous les domaines d'anti ou d'ultrapressions...

— A qui appartient-elle ?

— Vous apprendrez, monsieur l'enquêteur, que toutes les sociétés travaillant pour la NASA appartiennent au Pentagone ! ricana la jeune femme d'une voix méprisante.

Il s'agissait d'une affabulation totale. La plupart des sociétés opérant pour le compte du gouvernement appartenaient au secteur privé. Mais Seth jugea inutile d'approfondir le sujet. Malgré leurs intentions parfois louables, la paranoïa antimilitaire des groupes écologistes comme celui de Steffi rendait toute discussion impossible. Pour elle, l'armée américaine contrôlait le monde, et son seul véritable objectif était de le détruire. Point final...

— Et qu'est-ce que vous soupçonnez, exactement ?

— Ça ne vous semble pas évident ? demanda-t-elle en plissant les yeux, avec un sourire fébrile qui se voulait ironique. Depuis plusieurs mois, les climats sont perturbés : le Gulf Stream a perdu plus de 20 % de son intensité, en Norvège. Je ne sais pas ce qui se passe, mais ça vient du fond ! Ça ne peut pas être autre chose...

— Mais les climats ne se perturbent pas comme on éteint un interrupteur : c'est un processus qui dure plusieurs années, voire plusieurs décennies. Une expérience menée ces derniers mois ne peut engendrer des catastrophes climatiques immédiates. En aucun cas...

— Nous l'avons découvert il y a quinze jours. Mais qui vous dit que ces projets top secret n'existent pas depuis dix ou vingt ans, sans que personne ne soit au courant ? Il n'y a pas beaucoup de témoins, dans les abysses...

10

RÉBELLION

Salle de contrôle, secteur Lisa 8,
profondeur : 9 325 mètres. 22 h 00 GMT

— Laissez-moi vous raconter une histoire...

Douglas Marrey se trouvait dans la salle de commande, entouré par les techniciens et les responsables des différentes équipes qu'il dirigeait. Face à lui : l'homme qui avait ordonné l'abandon des recherches sur Nick Allisson et son module.

Le simple fait de s'adresser ainsi au créateur de la base, à celui pour qui toutes les personnes présentes avaient sacrifié leur existence, en surface, témoignait du malaise grandissant qui rongeait les équipages depuis quelques mois, comme un cancer...

Marrey dirigeait le centre de commande opérationnel depuis son arrivée à la base, neuf ans plus tôt. Comme tous les autres, il était partisan d'une approche radicale des problèmes écologiques. Mais aujourd'hui, pour les mêmes motifs, il doutait.

— Nous connaissons vos projets, et nous y avons tous adhéré sans réserve. Mais aujourd'hui, les choses doivent être envisagées sous un angle différent. Depuis les succès remportés il y a plus de huit ans, nos efforts pour percer une seconde brèche dans le rift s'avèrent totalement improductifs. Bien pire... Ils s'avèrent dangereux pour nos hommes et pour l'équilibre de la planète.

Son interlocuteur afficha une moue amusée. Après quelques instants de silence, il rétorqua :

— Pour la planète, Douglas ? Expliquez-moi ça...

— Je vais vous raconter l'histoire d'une planète qui s'appelait Mars. Il y a un milliard d'années, elle possédait une atmosphère à peu près semblable à la nôtre, et son développement suivait un schéma identique à celui de la Terre. Il y avait plusieurs mers, d'une profondeur supérieure à 1 000 mètres, et un écosystème côtier commençait même à y voir le jour. D'après ce qu'en a dit la NASA, l'océan devait regorger de vie. Alors, savez-vous ce qui s'est passé ? Savez-vous pourquoi Mars n'est plus qu'un caillou à – 60 °C, aujourd'hui ?

Dans la salle, tout le monde écoutait Marrey. Il était le premier qui osait affronter directement cet homme. Ce dernier observait son interlocuteur d'un regard froid. Debout devant lui, figé dans une raideur martiale, personne ne pouvait dire s'il écoutait avec attention ou si, au contraire, il attendait la fin du réquisitoire pour prononcer la sentence.

— Je pense que vous allez nous l'expliquer, Douglas, déclara-t-il d'une voix indéchiffrable.

— Oui, monsieur... Le dioxyde de carbone, comme vous le savez tous, se dissout aisément dans l'eau de mer. Sur terre, on estime que trois cent millions de tonnes de CO_2 sont absorbées chaque année par les océans. On sait également que le CO_2 fait partie des gaz à effet de serre, et qu'il contribue au réchauffement de la planète. Ainsi, en l'absence de CO_2 dans l'atmosphère, la température de la Terre chuterait de plusieurs dizaines de degrés en quelques années...

Parmi les techniciens et les responsables, personne n'osait même acquiescer à cette démonstration. Terry Buchanan savait que Marrey jouait finement sa partie. Il était aujourd'hui en désaccord complet avec les méthodes – et, plus grave encore, les objectifs – de son chef, mais il savait que le seul moyen de le convaincre des dangers de ses travaux passait par une démonstration scientifique rigoureuse...

— ... mais si les mers l'absorbent continuellement, où va-t-il ? La température devrait chuter dramatiquement... C'est ce qui s'est passé sur Mars il y a plus d'un milliard d'années : le CO_2 a graduellement quitté l'atmosphère pour se déposer au fond de l'océan. En quelques décennies, il s'est formé ce que l'on appelle un permafrost, c'est-à-dire une glaciation permanente : l'eau a gelé, et la glace s'est enfouie dans le sol, éradiquant toutes les formes de vie présentes sur cette planète... Et savez-vous pourquoi ce genre de choses n'arrive pas chez nous ?

— La tectonique des plaques, qui recycle les carbonates dans le magma avant de les renvoyer dans l'atmosphère, via les éruptions volcaniques, répondit son interlocuteur avec un sourire entendu.

Il comprenait maintenant où Douglas Marrey voulait en venir...

— Eh oui... Mars est morte parce que son activité

volcanique s'est déréglée. C'est la seule et unique raison pour laquelle cette planète n'est pas habitable aujourd'hui. La seule...

— Et vous m'accusez d'être à l'origine de la mort de Mars ? ironisa l'homme d'une voix sans chaleur.

— Pis : je vous accuse de mettre en danger la Terre, sans même daigner prendre ce risque en considération...

Une chape de plomb s'abattit sur l'assemblée.

— ... Votre « projet », qui est aussi le nôtre, ne justifie ni les risques que vous faites prendre à vos équipages, ni les perturbations géologiques majeures qui peuvent en découler. Nom de Dieu ! s'emporta Douglas Marrey... Nous travaillons sur la dorsale médio-océanique, où se concentrent 90 % de l'activité volcanique mondiale ! On ne sait rien des conséquences de nos actes ! Les années passées dans cette base nous ont appris que l'océan était totalement imprévisible. Nous avons essayé de le maîtriser, mais sans succès. Il faut abandonner : il en va de la survie de cette planète...

— Abandonner ? rugit son interlocuteur en s'approchant de quelques pas.

— Oui ! répliqua Marrey sur le même ton. Nous sommes aujourd'hui semblables à des enfants qui manipuleraient une ogive nucléaire. Nous ne savons plus ce que nous faisons. Nous allons beaucoup trop loin...

L'homme se tenait toujours immobile, les yeux légèrement baissés, sans croiser le regard de Marrey. Finalement, il tourna les talons...

— Je n'avais pas envisagé la possibilité d'un permafrost. Suivez-moi, Douglas, nous allons en discuter au laboratoire de géologie...

Le patron de la salle de commande n'osait pas y croire : avait-il finalement réussi à le convaincre ? Etait-il réellement sensible à ses arguments ? Immédiatement, il regretta d'avoir adopté un ton aussi dur à l'égard de cet homme que tous, au sein de la base, respectaient infiniment.

Les avancées technologiques permises par la création de ce complexe sous-marin dans les domaines biologique, chimique et hydrophysique étaient tout simplement prodigieuses. Même si les opérations de forage s'arrêtaient, même si leur rêve ultime ne voyait jamais le jour, les années de labeur passées au fond des océans étaient loin de constituer un échec...

*

Sans un mot, Marrey le suivit dans le dédale des couloirs métalliques accédant au niveau 0 de la base : la charpente du complexe était taillée dans le même alliage que celui servant aux rampes de soutien extérieures. Tout était conçu pour lutter efficacement contre l'ultrapression, dans les moindres détails. En permanence, un réseau de capteurs électrothermiques, disséminés sur toutes les poutrelles de l'édifice, avertissait le centre de commande de la moindre faille, de la moindre fissure, qui pouvait survenir en n'importe quel point de la base.

Dans le cas d'une alerte, le délai d'intervention n'excédait jamais quarante-sept secondes. Jusqu'à la neutralisation complète du problème, l'ensemble des sas était verrouillé, de manière à limiter les dégâts potentiels. Dans un complexe de 6,5 hectares, doté de cinq niveaux d'une surface équivalente, la surveillance s'opérait de manière constante sur chaque centimètre carré d'alliage. Une seule défaillance, imperceptible à l'œil nu, pouvait affaisser le centre sous le poids de la pression externe, comme une voiture à la casse...

Cinq superordinateurs et douze techniciens veillaient en permanence dans la salle de commande, alors que des équipes d'intervention – trois à chaque niveau – étaient disséminées au travers de la base. A l'extérieur, cinq modules C-12 de maintenance et d'observation scrutaient les piliers, les poutres et les cloisons, là aussi vingt-quatre heures sur vingt-quatre. En tout, une petite centaine d'hommes étaient affectés à la surveillance de l'édifice. Car la base était la seule construction humaine de la planète devant supporter un poids d'environ 500 000 milliards de tonnes sur ses plafonds...

— Vous savez, le fait de vous appuyer sur Mars pour votre démonstration était éclairant : vous m'avez fait réaliser une chose, Douglas, déclara l'homme en invitant Marrey à pénétrer dans le sas.

Le patron de la salle de commande s'engouffra dans le tube métallique froid sans répondre, légèrement embarrassé. C'était par là qu'ils accédaient aux sous-marins : le laboratoire géologique se trouvait dans un autre bâtiment, situé à quelques minutes du complexe principal.

— De quoi s'agit-il, monsieur ?

Marrey fronça les sourcils en observant son chef qui le toisait d'un regard glacial, debout devant la porte du sas : il n'avait manifestement aucune intention d'entrer pour le rejoindre à l'intérieur...

— Votre démonstration est absurde : Mars a été victime d'un permafrost, soit... Mais il n'était pas dû à un dérèglement du système volcanique : Mars n'a jamais connu de mouvement tectonique. Eh oui... il n'y avait presque aucun volcan sur cette planète, depuis sa création. Donc, votre théorie idiote sur les risques que je fais courir à la Terre ne tient plus. J'espère que celui qui vous remplacera sera plus futé, conclut-il en fermant la porte.

— Non ! hurla Douglas Marrey en se jetant contre le blindage épais...

La serrure était déjà enclenchée. Marrey actionna l'alarme qui empêchait l'ouverture du sas externe, échappant ainsi à la noyade, mais il savait déjà ce qui l'attendait. Depuis sa console de contrôle, le vieil homme pressurisa le sas. Sur un affichage digital, il observait le niveau de pression barométrique : 100 bars, 200 bars...

A l'intérieur, le patron de la salle de commande éprouva des difficultés à respirer, puis une migraine atroce. Tout cela en quelques secondes.

Il commença ensuite à saigner du nez avant qu'une douleur inimaginable ne traverse son cerveau de part en part, comme une aiguille qu'on lui enfilerait d'une oreille à l'autre : ses tympans venaient d'éclater. Il se recroquevilla, toujours incapable de respirer, alors que les maux de tête empiraient. Ses yeux se voilèrent rapidement, avant que ses ongles ne se détachent de la peau surcomprimée. A leur tour, ses dents se déchaussèrent des gencives...

850 bars.

Il était parcouru de spasmes vomitifs, mais la pression qui écrasait son thorax bloquait le liquide avant qu'il ne parvienne à la gorge. Sa combinaison se tacha de rouge à l'entrejambe : ses testicules venaient d'imploser...

1 000 bars.

Il entrait dans le royaume infernal des ultrapressions : sa boîte crânienne se brisa dans un craquement terrifiant alors que ses orbites écrasées rejetaient les globes oculaires dans un flot de sang. Son cadavre se disloquait à une vitesse stupéfiante, comme si une multitude de semi-remorques invisibles le prenaient pour cible au milieu d'une autoroute...

A 2 000 bars, le sang éclaboussa toute la pièce, comme si on crevait un ballon plein d'encre rouge. Le cadavre était tout simplement méconnaissable : il ne ressemblait pas à Douglas Marrey, ni à qui que ce soit d'autre. Avec beaucoup d'imagination, on pouvait supposer qu'il s'agissait d'un corps humain écrasé par une presse hydraulique : c'était très exactement ce qui venait de se produire...

Après quelques dizaines de secondes, l'homme ramena la pression à un niveau normal. Il ne prit pas la peine d'ouvrir la porte, sachant trop bien quel répugnant spectacle il y découvrirait. Sans s'attarder sur place, il regagna ses quartiers, cinq étages plus haut, et contacta le responsable de la sécurité...

Quelques minutes plus tard, Ralph Torman apparut dans le bureau de son chef. Ralph était âgé d'une trentaine d'années : il dirigeait les soixante hommes chargés de la sécurité depuis le départ de Blake Sodderington, rappelé en surface pour une mission de tout premier ordre...

L'homme de taille moyenne au visage anguleux, ancien mercenaire de la firme sud-africaine Executive Outcomes, attendait les ordres sans broncher.

— Marrey est mort dans le sas 24. Envoyez des hommes le récupérer, puis incinérez-le. Je veux un rapport toutes les douze heures sur les responsables du centre de commande. Prévenez-moi en cas de mécontentement ou de rébellion. Nous ne pouvons accepter la moindre faiblesse aujourd'hui. Pas alors que nous sommes si près du but, conclut-il...

Une fois seul, il repensa aux déclarations de Marrey : un permafrost semblable à celui de Mars... Totalement inconcevable ! Dans quelques mois, peut-être quelques années, son projet verrait enfin le jour. Et les doutes qu'il commençait à éprouver, parfois, ne seraient plus qu'un mauvais souvenir.

Lorsque ce moment arriverait, la Terre vivrait à nouveau au rythme de son écosystème. L'humanité n'y jouerait plus que le modeste rôle qui lui incombait : celui d'un acteur semblable à tous les autres, sans le moindre droit d'ingérence dans la suite du scénario...

11

FILIÈRES SECRÈTES

Hôtel Adlon, Berlin. 21 h 32 GMT

ANTA travaillait main dans la main avec la NASA : du moins donnait-elle cette impression, au premier abord... Le site Internet extrêmement convivial de la société expliquait en détail et de manière vibrante la passion qui animait ses employés, l'émulation permanente ressentie par chacun d'entre eux à l'idée de travailler dans un tel secteur de pointe. Le serveur détaillait point par point les différentes opérations menées par la société de Floride : certains portaient une mention clignotante en haut de l'écran, « declassified this month ! », signifiant que le Congrès venait d'autoriser sa publication, après une longue période de secret. On y apprenait comment les habitacles de *Challenger* étaient testés sous pression 0, dans les laboratoires de la firme ou encore quels matériaux étaient utilisés pour la construction des bras mécaniques de la navette. Les internautes amateurs pouvaient, en effet, obtenir une foule de renseignements passionnants sur l'état actuel de l'exploration spatiale.

Mais rien au sujet des abysses. Rien au sujet des modules photographiés par les copains de Steffi...

Dans les serveurs privés d'ANTA, loin des secrets de pacotille divulgués par Internet, on pouvait obtenir une quinzaine de dossiers sur les produits « expérimentaux » développés par le laboratoire de Floride. Sous la mention « expérimental », il fallait invariablement lire « sous-marin »... Or, l'ensemble des documents était crypté. En observant les pages de bâtonnets horizontaux et verticaux, Colton comprit que le mode de codage dérivait d'une séquence binaire trop complexe pour qu'il puisse la percer rapidement à jour. Welsh ? Peut-être y parviendrait-il, mais la NASA travaillait en très étroite collaboration avec l'Air Force, et le patron de la NSA avait dirigé pendant plusieurs années le très secret Service de reconnaissance spatiale, dépendant de l'armée de l'air. Il ne tenait pas à ce que cet homme s'ingère plus avant dans son enquête...

Il abandonna les fichiers recherche et développement pour pénétrer les finances du groupe. ANTA possédait plusieurs filiales au travers d'un actionnariat croisé, et l'une d'entre elles capta immédiatement l'attention de Seth. ANTA UP Experimental Researches : UP comme ultrapressions...

— Bingo ! se dit-il en décortiquant la filiale.

Les mots de passe pour accéder à l'intranet étaient extrêmement complexes, mais à l'intérieur de ce dernier, les codes se limitaient à quatre chiffres : les 9 999 possibilités ne présentaient aucune difficulté pour le logiciel de décryptage qu'il utilisait. Ce dernier inhibait les séquences d'alerte et parcourait l'ensemble des combinaisons en moins de 4 minutes, même si cette manœuvre l'obligeait à utiliser son portable comme un simple terminal : seuls les serveurs de sa résidence de Glennesborough, en Ecosse, pouvaient travailler à cette vitesse...

ANTA UP disposait de revenus gigantesques. Le subterfuge était parfait : les sommes allouées à la recherche sous-marine n'apparaissaient pas dans les comptes du groupe. Malgré son nom identique, le siège de la firme était basé aux îles Caïmans, et son statut de filiale était joliment édulcoré par des systèmes d'actionnariat croisé mis en place au travers de plusieurs sociétés off-shore des Caraïbes.

Un Trust Fund centralisait l'ensemble des sommes accordées à ANTA UP... Des dizaines de millions de dollars arrivaient chaque semaine sur les comptes secrets de la firme. Ceux-ci étaient alloués à titre de donations, de mécénat ou autres pirouettes légales permettant de dégager ANTA UP... de toute obligation de rendement. Ses comptes étaient plats : ni perte ni profit. Les fortunes qu'elle recevait étaient immédiatement versées à des projets de recherche et développement qui paraissaient ne jamais aboutir.

Colton pensa d'abord à une manipulation gouvernementale. La qualité de leur façade, la minutie avec laquelle la firme déguisait ses activités... Tout cela rappelait étrangement les projets secrets de la CIA ou de la NSA dans les années 70.

Mais lorsqu'il accéda aux comptes du Trust Fund qui centralisait l'argent de la société de recherche, il comprit que l'armée ou le gouvernement n'y étaient pour rien. Seth se trouvait face à un problème beaucoup plus étrange qu'il ne le suspectait au départ.

Le Trust Fund récoltait les profits de trois sociétés de négoce spécialisées dans les métaux précieux, ainsi que ceux d'un mystérieux laboratoire chimique philippin. Tout cela était bien trop étendu, et surtout bien trop privé, pour que la CIA ou une agence de ce genre y soit mêlée...

Colton se rejeta dans son fauteuil en fermant les yeux un instant. Il grimaça de douleur lorsque son avant-bras vint heurter l'accoudoir : un bleu gigantesque se formait le long de son os, là où Steffi l'avait frappé.

— Je ne vous ai pas loupé, hein ?

Elle se tenait derrière lui, enveloppée dans un peignoir de bain aux couleurs de l'hôtel. Son ami étudiant en médecine, qui avait nettoyé puis suturé sa blessure, avait effectué un travail remarquable : la balle était passée loin des os, et la déchirure musculaire se cicatrisait sans problème... Après leur départ de Walchow, il l'avait ramenée avec lui en attendant de rencontrer les autres membres du Comité afin, entre autres choses, de décider d'un plan de protection pour cette miraculée...

Elle affichait un sourire qui se voulait détendu, mais son regard trahissait un léger embarras :

— Je suis désolée. Je ne savais pas à qui j'avais affaire, conclut-elle en se vautrant sur le canapé, avant d'allumer la télévision.

— S'il vous plaît... Allez dans la chambre, si vous

voulez bien..., dit-il en pointant son doigt vers le récepteur.

La jeune femme éteignit le poste de télé en soupirant, puis se traîna lentement vers l'autre pièce. Elle claqua la porte en signe de mécontentement, abandonnant Colton dans une profonde perplexité : d'où venait l'argent de cette mystérieuse société de recherche ?

Il quitta l'intranet du Trust Fund et entreprit de pénétrer les fichiers des quatre firmes nourricières. Après une heure de recherches, bercé par le bruit des rythmes techno qui martelaient la pièce voisine, il avait compris.

Dans le cas des trois firmes de négoce, il s'agissait de rétribution : les sociétés filiales du Trust Fund leur vendaient plusieurs types de métaux précieux en échange des sommes que ce dernier recevait dans les Caraïbes. Il s'agissait d'or, mais également d'argent, de platine, de manganèse et de palladium. Pour le cas du laboratoire philippin, spécialisé dans la fabrication de composants informatiques, les transactions portaient sur du lithium.

Quant à savoir pourquoi le Trust Fund reversait ses profits à ANTA UP, cela demeurait un mystère total...

Il pénétra à nouveau dans l'intranet d'ANTA pour éplucher les comptes courants de la firme, persuadé d'avoir manqué quelque chose. Dans les fichiers, un grand nombre de règlements étaient destinés à une société de fret panaméenne : OCCEN. Celle-ci recevait en moyenne 3 millions de dollars par mois. Une somme qui témoignait d'un volume de transport exceptionnellement élevé pour le compte d'ANTA...

Colton espérait trouver la clé du mystère à l'intérieur des fichiers de cette compagnie. Seul problème : la société de transport ne possédait pas de réseau informatique. Comment retracer ses feuilles de route, comment connaître le nom de ses actionnaires ?

Il réfléchit quelques instants puis pénétra les dossiers du Département commercial américain. Peut-être possédaient-ils des informations sur le Panama ? Avant même que son logiciel de décryptage n'accède au serveur gouvernemental, il abandonna cette idée. Il savait maintenant comment procéder : l'agence américaine la mieux renseignée sur cette région et sur son tissu industriel, c'était la DEA...

Les fichiers de l'agence antinarcotiques américaine regorgeaient d'informations précises et constamment réactualisées sur les pays d'Amérique latine impliqués dans le commerce des stupéfiants. En effet, la quasi-totalité du secteur privé panaméen était contrôlé par les cartels. Pour combattre efficacement ce fléau, la DEA devait disposer de renseignements particulièrement pointus...

Par chance, Seth s'intéressait au secteur le plus stratégique et le plus espionné de tout le tissu industriel panaméen : le transport maritime, par lequel la cocaïne quittait cette région en direction de l'Amérique ou de l'Europe.

Le fichier informatique de la DEA disposait d'une foule d'informations sur OCCEN : ses feuilles de routage, la nature et la quantité de fret embarqué à chaque départ, ainsi que l'actionnariat détaillé du groupe.

Colton fut frappé par un détail troublant : les navires de 250 000 tonnes n'embarquaient jamais plus d'un quart de leur capacité totale, alors que d'autres compagnies moins bien équipées quittaient le même port avec un chargement supérieur aux limites autorisées...

Tout en conservant ce détail à l'esprit, il parcourut les feuilles de routage obtenues par la DEA : la société desservait plusieurs lignes, dont Panama-Kyoto, Panama-Hong Kong-Bombay ou encore Panama-New York-Rotterdam. Mais dans tous ces documents maritimes, qui détaillaient les cargaisons embarquées à chaque voyage, il ne trouva aucune trace d'un transport quelconque au nom d'ANTA.

Cette société n'utilisait pas de prête-nom, puisque les règlements bancaires étaient effectués directement par ses banques sur les comptes d'OCCEN. Alors pourquoi envoyait-elle 3 millions de dollars au Panama tous les mois ? se demanda Seth en fronçant les sourcils...

Dans l'actionnariat de la société, il trouva un nom qui jurait avec les consonances hispaniques des autres membres du conseil d'administration : Joachim Neumann, représentant le Bayer Ozean Institut de Berlin...

Qui était cet homme ? Il cherchait depuis plusieurs jours une réponse aux problèmes qui le préoccupaient à travers les centres océanographiques de la planète. Or, aujourd'hui, derrière un actionnariat secret dissimulé par les filiales off-shore d'ANTA, il retrouvait la trace de l'un d'entre eux. Inespéré...

Colton téléchargea l'ensemble des données concernant la firme panaméenne, puis entreprit de rédiger un rapport précis sur les connections reliant le Bayer Institut et la firme de recherche américaine. Il s'aperçut que Neumann était également l'actionnaire majoritaire du Trust Fund qu'il venait de découvrir. Plus incroyable encore : ce même homme, via différentes sociétés off-shore placées sous son contrôle, dirigeait les activités d'ANTA UP, dont il possédait le capital à hauteur de presque 60 pour cent... Alors que le soir commençait à tomber, il téléchargea le fruit de son travail pour le communiquer à Daff, Bradley, Sanesburry et Brown, l'ensemble des membres du Comité...

Dans l'autre pièce, Steffi avalait les chocolats du minibar en fixant le récepteur d'un œil vide. Lorsque Seth poussa la porte, elle roula sur elle-même comme une petite fille, en prenant garde à sa blessure, pour se lever du lit.

— Qu'est-ce que vous avez fait tout l'après-midi ? Les sites érotiques ? demanda-t-elle d'une voix enfantine, comme si le cauchemar des derniers jours n'était déjà plus qu'un mauvais souvenir...

— Est-ce que vous connaissez le Bayer Ozean Institut ?

Elle hocha la tête.

— Bien sûr ! Il s'agit du plus gros centre allemand de recherche marine : il sponsorise trois fois plus de projets que l'Institut océanographique national. Ce sont des types super..., conclut-elle en éteignant la télévision.

— Ah oui ? demanda Colton d'un air amusé. Est-ce que vous savez que le directeur de ce centre est le véritable propriétaire d'ANTA ?

— Quoi ?

La jeune fille s'immobilisa au pied du lit, totalement perdue...

— ... mais c'est impossible. C'est l'armée qui...

— Arrêtez vos délires, Steffi : l'armée n'y est pour rien ! Dans le cas présent, elle ignore certainement tout...

Le monde que la jeune femme construisait depuis plusieurs années s'effritait à vue d'œil. Sa vision simple et rassurante qui séparait la planète entre de gentils écologistes et de méchants militaires s'accommodait mal des révélations de Colton.

— Mais pourquoi est-ce qu'ils feraient ce genre de choses ?

— Je ne suis pas en train de vous livrer mon sentiment sur cette affaire. Je me contente de vous exposer les faits que je viens de découvrir. Qu'ils vous plaisent ou non...

Steffi le toisa d'un regard étrange, avec une expression triste au fond des yeux. *Ne me cassez pas mes jouets...*, semblait-elle supplier, comme si la jeune écologiste refusait d'entendre la vérité.

— Mais pourquoi est-ce qu'ils développeraient ce genre de trucs ?

— Pourquoi l'armée le ferait-elle ? Y avait-il des canons, des objets spécifiquement militaires sur ces photos ?

— Non, murmura-t-elle, presque à regret.

— Alors pourquoi l'armée ? Au vu des documents que j'ai parcourus cet après-midi, de nombreuses questions demeurent en suspens, notamment quant au rôle du Bayer Institut : d'où vient leur financement ? Que font-ils des matériaux fabriqués en Floride ?... De quelle manière perturbent-ils les climats ?

— Et surtout : est-ce intentionnel ou non ?

Seth parut surpris par la réplique de la jeune femme. Steffi semblait maintenant admettre l'implication de l'institut berlinois, tout en s'interrogeant sur ses motifs. Après quelques instants, elle enchaîna :

— ... est-ce qu'ils veulent perturber les climats ? Je pense que cela n'aurait aucun sens. Dans les milieux écologistes, nous luttons tous pour préserver l'écosystème terrestre... Par contre, il est possible que ces dérèglements soient une sorte... d'effet secondaire ? demanda-t-elle en esquissant une moue peu convaincue.

— Pourquoi pas ? Il faut maintenant découvrir ce qu'ANTA fabrique vraiment. Et pour cela, je vais devoir m'y rendre...

— En Floride ? hurla la jeune femme comme s'il parlait de l'Afghanistan...

Il acquiesça de la tête alors que Steffi poursuivait :

— Ils vont vous abattre comme ils l'ont fait pour nous. C'est de la folie...

— La clé de toute l'affaire se trouve probablement dans leurs laboratoires. Il faut découvrir ce qu'ils préparent, avant que leurs expériences – quelles qu'elles soient ! – ne débouchent sur un véritable cataclysme planétaire...

12

MISSION FATALE

Berlin. 19 h 00 GMT

Joachim Neumann s'adressait à la salle d'une voix vibrante et pleine d'émotion. Comme chaque année depuis douze ans, il présidait la remise des bourses attribuées par l'Institut aux projets les plus audacieux en matière d'écologie marine. Un groupe de cinq étudiants venait de décrocher un demi-million de Mark pour une étude sur les mouvements du krill, ce zooplancton qui remontait des abysses le soir venu, pour se nourrir du phytoplancton de surface, avant de replonger à l'aube. Les mouvements de ces microorganismes demeuraient aujourd'hui encore un mystère pour toute la communauté scientifique...

Neumann félicita les jeunes gens et se lança dans un éloge enflammé de leurs travaux. Devant les micros, il déclara :

— Nous sommes à l'aube d'un nouveau millénaire. Un millénaire où se décidera le sort de l'humanité, au travers de ses choix et de ses actions en matière d'environnement. Si nous poursuivons dans la voie suicidaire tracée par nos gouvernements depuis les prémices de l'ère industrielle, nous léguerons à nos enfants une planète où la vie disparaîtra peu à peu, sans espoir de bonheur et d'épanouissement. Nous leur léguerons une Terre que la folie et l'égoïsme de quelques-uns auront transformée en mouroir... pourquoi ? Pour que les complexes militaro-industriels puissent fabriquer de nouvelles armes et pour qu'une élite de généraux, d'hommes d'affaires et de financiers conservent leurs privilèges quelques années de plus ?

Il avala une gorgée d'eau, puis reposa son verre sur le pupitre avec violence.

— L'écologie, vous le savez tous, ne s'intéresse pas seulement aux espèces décimées par la folie humaine. Elle est d'abord et avant tout guidée par une certaine idée de la civilisation. Nous voulons une terre propre, mais également plus solidaire et plus consciente des responsabilités que chacun d'entre nous exerce sur le monde qui l'entoure...

Dans un tonnerre d'applaudissements, Neumann enchaîna :

— Mais certains d'entre vous se demandent certainement pourquoi nous attribuons ces sommes à des projets scientifiques, apparemment si éloignés des préoccupations humaines ? Pourquoi ne pas, plutôt, les reverser à des associations qui viennent en aide aux peuples défavorisés ?

L'auditoire, principalement composé d'étudiants, retenait son souffle dans un silence attentif.

— Parce que tout compte, mes amis... Et ce contre quoi les écologistes se battent, c'est justement cette classification par ordre d'importance qui prévaut dans le monde actuel. Etudier le krill n'est, pour certains, qu'un passe-temps sans le moindre intérêt. Et pourtant cette biomasse est à la base de la chaîne alimentaire mondiale. Sans savoir que, dans les eaux du Pacifique, les proportions de krill ont chuté de 66 % depuis les années 50, on ne comprend pas dans quelle situation précaire l'humanité se trouve aujourd'hui. On ne comprend pas qu'il est urgent d'interdire les pêches industrielles, qui détruisent un écosystème marin déjà mourant... Nous devons cesser de croire que l'humanité est la seule espèce qui compte réellement sur la planète. Nous devons également abandonner cette idée farfelue qui veut voir en nous une race parfaitement autonome, qui peut détruire les autres sans en subir les conséquences. Nous n'existons qu'au travers de l'équilibre fragile de la chaîne alimentaire : brisons un seul maillon de cette chaîne, et le chaos nous frappera sans rémission possible.

A nouveau, un tonnerre d'applaudissements s'éleva dans l'assistance.

— ... cette étude du zooplancton permettra, je l'espère, de constater la diminution de la biomasse et d'en mesurer les conséquences possibles sur notre environnement et notre vie quotidienne. Si vous parvenez, mesdemoiselles et messieurs, dit-il en pointant un doigt amical en direction des lauréats, à porter ce fait aux oreilles du grand public, alors vous aurez largement accompli votre mission...

Après son discours, Neumann reçut un appel de Sodderington sur son portable, alors qu'il se trouvait en compagnie d'une quinzaine de jeunes écologistes surexcités. Sans parvenir à s'isoler, il écouta silencieusement les propos du tueur :

— Je l'ai. Elle est avec un type dont je n'ai jamais entendu parler. Peut-être son petit ami, je ne sais pas... Toujours est-il qu'un de nos informateurs l'a identifiée alors qu'elle pénétrait dans le hall de l'hôtel Adlon. Elle s'y trouve toujours. Est-ce que j'interviens ?

Il adressa un sourire chaleureux à la petite troupe d'étudiants qui l'encerclaient, trop heureux d'approcher enfin le pape de l'écologie mondiale.

— Oui... faites donc ça, déclara-t-il simplement avant de raccrocher.

*

Blake Sodderington sortit de l'ascenseur en portant déjà la main à son arme. S'il la croisait une seconde fois, il ne la raterait pas... Le tueur observait le numéro des chambres qui défilaient à la cadence de son pas rapide. Finalement, il s'immobilisa devant la suite occupée par Seth Colton sous un nom d'emprunt. Aucune caméra n'avait été disposée dans les couloirs : il ne serait pas inquiété...

Blake dégaina son arme et tira une balle dans la serrure. Avec le silencieux, la porte céda dans un craquement sec, sans que la détonation soit même audible... Il l'enfonça d'un coup de pied et pénétra à l'intérieur, le colt pointé devant lui. La suite se composait de trois pièces distinctes. Il aperçut la jeune femme alors que celle-ci s'enfuyait en criant. Il tira une première balle qui déchira les lambris de bois accrochés au mur. Steffi plongea au sol, sans cesser de hurler.

Il s'approcha d'elle rapidement, à la recherche d'un meilleur angle de tir, mais une main invisible le projeta sur le sol d'une manchette précise à la nuque...

Dans sa chute, Blake perdit son arme et roula plusieurs fois sur lui-même. Finalement, il esquiva de justesse l'attaque de son adversaire, et le balaya d'un coup de pied dans la cuisse. Seth s'écroula devant le tueur alors que ce dernier, déjà debout, cherchait son arme du regard. Cette seconde d'inattention lui fut fatale, puisqu'elle permit à Colton de se relever pour lui assener un coup de tibia en plein visage. Sous la violence du choc, Sodderington émit un grognement étouffé alors qu'il heurtait l'un des fauteuils du salon. Son agresseur tenta de le saisir à la gorge, mais l'ex-paramilitaire de la CIA contra la prise avec une acuité étonnante, malgré la douleur qui irradiait maintenant dans tout son corps. Face à face, à quelques centimètres l'un de l'autre, les deux hommes se toisaient du regard. Blake parvint à glisser un uppercut qui cueillit Seth à la pointe du menton. Un voile noir passa devant son visage et il s'affaissa sur lui-même quelques instants, suffisamment pour que Sodderington l'immobilise d'une puissante torsion au poignet...

La douleur n'eut pas l'effet escompté : elle réveilla Colton alors qu'il plongeait dans une somnolence comateuse engendrée par le coup de poing. Il pivota sur lui-même et parvint à se dégager de cette mauvaise posture en saisissant à son tour le poignet du tueur. Seth l'atteignit d'un coup de pied en pleine gorge alors que son adversaire s'apprêtait à riposter. L'homme s'écroula finalement au sol, inconscient...

Une détonation étouffée, celle d'un silencieux,

retentit immédiatement après. Instinctivement, il baissa la tête et balaya le salon du regard. Steffi Jungmann, en larmes, tenait le colt encore fumant. Devant elle, au sol, le dos de Blake Sodderington se couvrait de sang à vue d'œil. Elle tira une seconde balle puis une troisième, puis une quatrième...

Seth s'approcha lentement de la jeune femme alors que celle-ci continuait de tirer. Lorsqu'il fut à bonne distance, il s'empara du colt et la foudroya du regard :

— Mais qu'est-ce que vous avez fait ? ! hurla-t-il sans parvenir à maîtriser sa colère.

Steffi lui accorda un vague regard, comme s'il n'était pas réellement là, avant de conclure d'une voix terriblement calme :

— Ça, c'était entre moi et lui...

Elle jeta l'arme au sol et tourna les talons, avant qu'il ne la rattrape violemment par le bras.

— Et vous croyez que c'est fini maintenant ? aboya-t-il devant elle, rendu furieux par son inconséquence...

Elle le fixa d'un air étonné, sans comprendre ce qui pouvait bien déclencher chez lui un tel accès de rage.

— Comment ? Vous pensez peut-être que nous aurions dû le livrer à la police ! Ce salaud n'a eu que ce qu'il méritait. Et c'est encore trop peu pour ce qu'il a fait endurer à Flavio ! siffla-t-elle d'un air mauvais.

Seth soupira de désespoir en se plaquant la main contre le front. Après plusieurs secondes passées à essayer de retrouver un semblant de calme, il fixa la jeune femme droit dans les yeux et déclara d'une voix monocorde :

— Ces types brassent plusieurs dizaines de millions de dollars par semaine. Est-ce que vous pensez sérieusement qu'ils laisseront une sale gamine dans votre genre compromettre leurs projets ? Est-ce que vous pensez que la mort d'un homme de main les fera reculer ? ! Avec ce type, nous aurions pu en apprendre suffisamment pour les neutraliser ! La prochaine fois ils n'enverront pas un, mais dix hommes, conclut-il en se dirigeant vers la porte, pour évaluer les dégâts.

La serrure avait explosé sous la violence de l'impact, et la prochaine ronde de sécurité ne manquerait pas de le remarquer. S'ils demeuraient ici, Colton devrait répondre à une foule de questions embarrassantes sur son identité d'emprunt, ainsi que sur la nature réelle de ses activités. De plus, la jeune femme ne serait plus protégée efficacement : il fallait vider les lieux, au plus vite...

Alors qu'il réfléchissait au meilleur moyen de quitter l'hôtel sans attirer l'attention, Steffi baissa les yeux et soupira doucement. Après quelques secondes, elle déclara :

— Je suis désolée. Vous avez raison...

Sans prêter attention à ses excuses, il traversa la suite en trombe.

— Prenez vos affaires, on s'en va, dit-il en composant un numéro sur son portable.

Seth ferma les deux mallettes qui contenaient son matériel informatique, et abandonna tout le reste.

— Conrad ?

Sanesburry était maintenant en ligne. Lui seul pouvait le sortir de là...

— Tu as des hommes à Berlin ?

Colton demeura silencieux quelques instants, alors que Steffi écoutait la conversation sans comprendre.

— J'ai besoin de quatre ou cinq types pour assurer la protection d'une jeune femme. Il faut la faire sortir d'Allemagne pour quelque temps...

A nouveau il écouta la réponse de son ami, avant de s'adresser à l'Allemande :

— Vous connaissez Le Loretta ?

— Oui. A côté du Wannsee...

— D'accord ! Dans une heure, trancha-t-il en réponse aux coordonnées fournies par Sanesburry. Merci, Conrad. Au sujet des hommes que tu m'envoies : sois sûr qu'ils ont les nerfs solides. Cette fille est une véritable catastrophe ambulante...

13

EMPLOYÉS FANTÔMES

Miami, Etats-Unis

Après son départ précipité de Berlin, Seth comptait se rendre aux laboratoires d'ANTA sous une couverture quelconque. Steffi Jungmann avait été évacuée par quatre agents israéliens appartenant aux sections de Sanesburry, vers New York puis la Nouvelle-Angleterre, dans une maison de campagne gardée par une dizaine d'hommes. Elle y demeurerait jusqu'à ce que la lumière soit faite sur les activités de la firme américaine qui semblait vouloir sa peau.

A Berlin, les hommes avaient également fourni à Seth de nouveaux papiers. Il s'était embarqué sur un vol de la Lufthansa à destination de Miami, et possédait maintenant l'identité d'un homme d'affaires américain, de retour aux Etats-Unis après un court séjour en Allemagne...

Seth était retourné à plusieurs reprises sur l'intranet des sociétés impliquées dans l'affaire. Il avait épluché ligne par ligne l'ensemble de leurs activités, et s'apprêtait maintenant à les exposer au Comité. Dans la suite de son hôtel, Anthony Daff et Mike Bradley discutaient à voix basse, en attendant Andy Brown qui arrivait de Los Angeles dans l'avion de Sanesburry, en compagnie de celui-ci.

Quelques minutes plus tard, un appel de la réception l'avertit de leur présence : les deux hommes traversèrent le gigantesque hall de marbre du Mark Hotel, empruntèrent l'ascenseur direct qui menait aux suites du dixième étage, puis pénétrèrent dans les appartements de Seth sans un mot. Lorsqu'il eut refermé la porte derrière eux, Conrad l'apostropha sur un ton amical :

— Tu ne m'avais pas menti sur la gamine : mes types n'en peuvent plus...

Son hôte sourit d'un air moqueur :

— Je te l'avais dit...

Ils s'installèrent à l'intérieur du petit salon de la suite et Bradley prit immédiatement la parole :

— J'ai bien reçu ton e-mail, et je me suis renseigné sur ANTA ces trois derniers jours. Cette société, en surface, est blanche comme neige. Elle jouit de tous les appuis possibles au sein du Pentagone. Mais il y a tout de même un détail curieux. Personne ne semble connaître ses activités en matière de recherche sous-marine. J'ai contacté le chef d'état-major interarmes : il dit tout ignorer à ce sujet, et très franchement je suis enclin à le croire. Plusieurs de mes amis qui travaillent à la NASA m'ont expliqué que les recherches sous-marines d'ANTA constituaient un volet de leurs opérations spatiales. Les sommes que tu as décrites ne les choquent pas : construire un prototype de boulon pour la navette *Challenger* coûte plusieurs centaines de milliers de dollars, m'a expliqué l'un d'entre eux.

— Tu veux dire que pour eux, les opérations sous-marines de ANTA n'existent que dans le cadre de la recherche spatiale ? demanda Seth.

— Tout à fait.

— Mais tu leur as parlé de cette filiale basée aux Caïmans ? ANTA UP Researches...

— C'est trop pointu... Tu sais, pendant longtemps, les activités de la NASA représentaient un des secrets les mieux gardés de l'Amérique. Tout ce que l'Air Force pouvait élaborer pour la « guerre des étoiles », sous l'administration Reagan, découlait du savoir-faire de cette agence en matière de satellite, de propulsion, de lancement et de matériaux 0 pression... Les sociétés qui gravitaient autour de l'agence spatiale bénéficiaient de lois sur la confidentialité que le Congrès n'a pas entièrement levées. Aujourd'hui encore, il est très difficile d'enquêter légalement sur les firmes comme ANTA. Spécialement sur elle, d'ailleurs, puisqu'elle fournit un composant aussi stratégique que l'habitacle des navettes !

— Tu veux dire que rien ne filtre sur ses activités ? Qu'il est impossible, par exemple, de connaître son actionnariat ?

Anthony Daff était loin de son domaine – l'informatique –, mais il attendait la réponse de son ami avec impatience.

— Presque impossible, répliqua Bradley. Mais j'ai réussi à obtenir une information étonnante. Sur les treize membres du conseil d'administration ANTA, huit sont en relation directe avec l'homme que tu as mentionné dans ton e-mail...

Mike Bradley s'était tourné vers Seth.

— Neumann ? Mais de quelle manière ? demanda ce dernier.

— Via des participations dans plusieurs sociétés off-shore gravitant autour du Trust qui approvisionne ANTA UP. Une manière élégante de dire qu'ils reçoivent des pots-de-vin...

— Mais pourquoi ? Pourquoi corrompre la société mère ?

— Probablement pour que rien ne filtre sur la filiale et sur ses comptes douteux. Le conseil d'administration, par un vote à la majorité, est en droit de demander un audit précis des flux financiers qui traversent ANTA UP sans jamais rapporter un sou au siège de Miami. Mais avec neuf hommes sur treize dans sa poche, ce Joachim Neumann neutralise les risques...

Conrad se servit une tasse de café et alluma une cigarette. L'assemblée demeura silencieuse quelques instants, avant que Seth ne prenne la parole :

— Quoi qu'il en soit, je vous ai réunis pour vous faire part de plusieurs nouvelles importantes... Depuis trois jours, mes recherches m'ont amené beaucoup plus loin que je ne le pensais initialement. ANTA constitue un élément important du problème, mais je doute qu'il en soit la clé. Je me suis concentré sur Neumann et l'Institut qu'il dirige.

— Et qu'est-ce que tu as trouvé ?

Conrad observait son ami d'un œil attentif, tout en inspirant une longue bouffée de tabac.

— Le Bayer Ozean Institut dispose de plusieurs caisses noires en relation directe avec le fameux Trust qui assure la trésorerie d'ANTA...

— Neumann détourne de l'argent ?

— Non. Pas du tout. Mais le trust opère au travers de plusieurs intermédiaires qui reversent leurs profits aux caisses noires de l'Institut. Avec cet argent, Neumann finance une sorte d'organisation parallèle : il recrute des biologistes, des chimistes, des géologues, des spécialistes du forage marin, des mercenaires...

— Mais dans quel but ? Quel est le rôle de tous ces hommes au sein de l'Institut ? Je pensais que son action se limitait aux campagnes de lobbying et à l'attribution de bourses pour des projets sur l'environnement, demanda Bradley, qui comprenait mal pourquoi un centre d'océanographie avait besoin de mercenaires.

— Justement : là est la question... Une fois engagés, ils disparaissent complètement de la circulation ! Impossible de retrouver leur trace ! Et pourtant, chaque mois, des sommes importantes leur sont allouées...

— Comment cela ? Tu dis qu'ils « disparaissent » ?

Andy Brown afficha une moue perplexe, tout en se servant une nouvelle tasse de café.

— Oui. Prenons l'exemple d'un de ces hommes : il s'appelle Val Horestad. C'est un Américain de trente-huit ans qui travaillait pour Elf en mer du Nord, comme chef mécanicien d'une plate-forme de forage. Il a été engagé – secrètement, car les fichiers relatifs à cet homme n'apparaissent que dans un intranet crypté – par l'Institut il y a sept mois. Il a résilié sa location d'appartement, vendu sa voiture, et il touche 7 000 dollars par mois sur un compte off-shore, aux Bermudes. Mais pas un centime ne sort de ce compte. C'est comme s'il était mort...

— C'est peut-être le cas ?

— Pourquoi continuerait-on de le payer, alors ?

— Et tu dis que ce... Horestad n'apparaît pas sur la liste officielle des employés de l'Institut ?

— Non. Ni lui, ni les trois cent cinquante autres hommes qui sont payés sur ces caisses noires...

— Combien ? ! reprit Sanesburry qui faillit s'étrangler devant l'énormité des sommes en jeu.

— Tu as bien entendu, Conrad, répliqua Seth d'une voix calme.

— Mais il s'agit d'un investissement gigantesque ! s'insurgea-t-il...

— J'ai fait les comptes de ce que l'Institut dépense avec ces employés fantômes. Cette mascarade leur coûte 7 millions de dollars par mois.

— Mais qui paie ? Ce n'est pas l'héritage de Bayer, le milliardaire mort, qui peut engendrer de tels dividendes !

— Non, admit Seth avec un geste d'impuissance. Je vous ai communiqué ce que je savais au sujet de leur trésorerie. Il récolte, via le Trust Fund, les bénéfices de plusieurs sociétés travaillant dans le domaine des métaux précieux...

Anthony Daff interrompit son collègue pour déclarer :

— Mais c'est évident ! Réfléchissez : Neumann

engage des hommes spécialisés dans le forage sous-marin. Il possède la mainmise sur une société qui fabrique du matériel permettant de travailler en grande profondeur...

Daff tourna la tête de droite à gauche, observant ses amis à tour de rôle, avant d'enchaîner :

— ... il travaille sur des gisements à grande profondeur ! Voilà la clé de tout le mystère !

Seth baissa les yeux un bref instant, puis hocha négativement la tête.

— Non, Antony. J'ai bien peur que non...

— Mais pourquoi ? C'est évident. Il a construit un...

Ce fut au tour de Colton de l'interrompre :

— Plongeons – sans jeu de mots – dans un scénario de science-fiction absolue : supposons que ce Neumann et ses hommes soient parvenus à ouvrir une mine au fond de la mer. Supposons également qu'ils aient trouvé l'ensemble des métaux et des minerais qui sont revendus par les négociants connectés au Trust. C'est-à-dire qu'ils parviennent à extraire, non seulement de l'or et de l'argent, mais également du cobalt, du lithium et du platinium. Les deux derniers sont extrêmement difficiles à obtenir, même en surface... Mais supposons qu'ils y parviennent...

— Cela expliquerait tout ! renchérit Daff, sûr de son hypothèse.

— Cela n'expliquerait rien. Quelles que soient leurs techniques, le fait d'extraire ces produits en grande profondeur impliquerait un coût de transport prohibitif. Il faudrait les remonter en surface, et finalement les acheminer sur la terre ferme...

Anthony fronça les sourcils, agacé.

— Tu es sûr de ça ?

— Je me suis renseigné auprès de grandes compagnies minières pour obtenir un relevé des coûts de production sur ces différents minerais. S'il parvenait à l'extraire au même coût que les productions de surface – ce qui est déjà virtuellement impossible ! – le transport anéantirait de toute façon leur rentabilité...

— Sans oublier, ajouta Sanesburry, que le forage d'une mine océanique n'expliquerait en rien les perturbations climatiques qui surviennent au travers de la planète...

— Seth a raison, Anthony, conclut Bradley. Quoi qu'il se passe au sein de cet Institut, Neumann fait autre chose que de la simple exploration minière...

— Mais alors, répliqua l'informaticien, de quoi s'agit-il ? Et comment le savoir ?

— Je pense avoir une solution...

Tous les regards convergèrent sur Colton avant que celui-ci n'enchaîne :

— En épluchant les rapports des employés fantômes, j'ai appris que l'Institut les sélectionnait en fonction de critères extrêmement précis. Tous sont de fervents adeptes des mouvements écologistes radicaux, à l'intérieur de leurs pays respectifs. Des mouvements qui prônent des solutions infiniment plus extrêmes que les théories modérées de l'Institut Bayer. Ils sont observés pendant de longues périodes, puis approchés par un « recruteur » au sein de leur lieu de travail. Celui-ci passe plusieurs mois à décortiquer la personnalité de son poulain, puis décide ou non de lui proposer un nouveau poste, sous les ordres de Neumann...

— Un instant..., trancha Sanesburry. Si ces hommes sont des extrémistes, pourquoi accepteraient-ils de se ranger aux thèses plus conservatrices de l'Institut Bayer ?

— Peut-être parce que, en secret, les vues de Bayer ne sont pas si douces qu'elles en ont l'air ! déclara Bradley qui commençait à comprendre le jeu secret de cet homme au double visage...

— Je le pense aussi. Toujours est-il que les seules personnes à avoir décliné l'offre qui leur était faite sont mortes. Et rien n'a été tenté pour maquiller leur disparition en suicide : on a retrouvé les corps sur le lieu de travail ou à leur domicile, abattus par balles...

— De qui s'agissait-il ?

— Il y a eu une Allemande, un Britannique et tout récemment une Italienne, biologiste, membre d'un groupe écoterroriste à Milan...

— Peut-être trouvait-elle les idées de Neumann trop molles ? conclut Andy Brown en affichant une moue désolée.

Conrad Sanesburry écrasa sa cigarette d'un geste nerveux, avant de déclarer :

— Ou peut-être était-ce le contraire ? Peut-être les trouvait-elle trop dures, carrément folles... ?

— Nous allons bientôt le savoir, déclara Seth. J'ai inséré un dossier complet dans les fichiers de l'Institut, comme si je venais de passer avec succès l'ensemble des tests de recrutement. Il comporte ma photo, une fausse identité, et un emploi fictif au sein de ton groupe, Mike...

Bradley écarquilla les yeux en affichant un sourire amusé :

— Est-ce que tu sous-entends que mes laboratoires abritent un réseau d'écoterroristes, Seth ?

— Pas un réseau, mais au moins une personne, moi... J'ai créé de toutes pièces un historique précis de mes activités militantes, qui remonte sur plusieurs années. Je suis allé jusqu'à insérer mon nom dans les fichiers de la police...

— Mais tu as parlé d'un agent recruteur ? Personne ne s'est occupé de ton cas ? Aucun membre de l'Institut ne t'a réellement approché ?

— C'est le risque... Mais je me suis basé sur l'exemple du GRU et des autres services secrets : les recruteurs ne gardent aucun contact avec les agents une fois que ces derniers deviennent opérationnels. Je pense qu'il devrait en être de même pour leur organisation...

— Tu « penses » ? demanda Anthony en fronçant les sourcils...

— Nous ne disposons d'aucune autre alternative pour percer leurs secrets. Il faut que quelqu'un entre au service de cet Institut...

Conrad fixait Colton d'un regard perçant, à l'affût de ses réactions :

— Tu sais que nous ne pourrons rien pour toi lorsque tu seras dans la peau de cet homme, n'est-ce pas ? Nous ne saurons ni où te situer, ni comment te contacter...

— Je sais. Mais c'est un risque à prendre...

*

De retour à son hôtel, l'homme qui se trouvait à la réception lui remit un message adressé à M. Preston, le pseudonyme sous lequel il s'était présenté. Il émanait de Choï, et mentionnait seulement un contact téléphonique à 20 heures. Seth consulta sa montre qui indiquait 19 h 56, et grimpa les quelques marches qui menaient aux ascenseurs.

Tout en remontant à sa chambre, il réfléchissait à la nature et au niveau de risque dans lequel l'opération qu'il venait de proposer l'entraînerait : pas de soutien, pas de communication avec l'extérieur, et surtout un ennemi dont il ne connaissait rien, pas même les objectifs. Que cherchaient à obtenir ces hommes ? Quels plans échafaudaient-ils au fond des abysses, là où personne ne s'était jamais aventuré ?

Il pénétrait dans sa chambre lorsque son portable émit une courte sonnerie. A l'autre bout de la ligne totalement cryptée, il reconnut immédiatement Choï qui s'adressait à lui en cantonnais.

— Colton Saang ?

— Salut, Choï. Que se passe-t-il ?

— Je ne suis pas seul...

Instinctivement, quelques signaux d'alerte s'allumèrent dans son esprit. Pas seul ? Téléphonait-il d'un lieu public ? Avait-il été enlevé ?

— Réponds par oui ou non, déclara Seth d'un débit rapide. Est-ce que tu es à Glennes...

— Non, non...

Le Chinois semblait amusé par la méfiance qu'il avait suscitée chez son interlocuteur.

— ... ne t'en fais pas, dit-il d'une voix apaisante. Tout va bien. Je suis seulement avec... Claire.

Malgré la distance, le visage de Colton s'illumina d'un large sourire, comme si sa fille venait d'apparaître devant lui. Avant qu'il puisse lui demander pour quelle raison Claire se trouvait en Ecosse, alors qu'elle aurait dû être en Suisse, Choï reprit :

— Est-ce que tout va bien, à Miami ?

— Oui, je quitte Sanesburry et les autres à l'instant et...

— Et à l'hôtel, aucun problème ?

La question de son ami lui parut étrange. Il marqua un bref temps d'arrêt, avant de répondre d'une voix étonnée.

— Non ? Pourquoi ? Tu as été averti de quelque chose ?

— Oui...

Choï s'exprimait d'une manière qui ne lui ressemblait pas. Lui qui était d'ordinaire franc et direct semblait évasif, esquivant les réponses aux questions que Seth lui posait.

— Tu veux dire que quelqu'un est à ma recherche dans cet hôtel ?

— Deux personnes...

Le premier réflexe de Colton fut d'empoigner le Glock 19 compact qu'il venait de poser sur la table d'entrée de sa chambre. Il accrocha l'étui à sa ceinture, cala le téléphone sur son épaule et engagea une balle dans le canon, avant de replacer l'arme sur son flanc gauche...

— Tu sais de qui il s'agit ?

— Oui. De Claire, et de moi, lâcha-t-il enfin d'une voix amusée, avant de lui expliquer qu'il en avait parlé à Conrad et que Claire était à l'origine de ce voyage surprise.

Claire était sa fille. Agée de quatorze ans, elle étudiait en Suisse et ne voyait son père que par intermittence, au hasard des rares moments de liberté que lui laissaient ses activités secrètes, dont elle ignorait évidemment tout. Sa mère, l'épouse de Colton lorsqu'il résidait encore à Hong Kong, était morte dans un accident d'avion à Taïwan : un drame qui avait brisé net le bonheur sans tache que la famille connaissait à l'époque. Même si Claire connaissait Caroline, même si elles entretenaient des relations convenables à défaut d'être cordiales, la jeune fille n'acceptait que difficilement la présence d'une étrangère aux côtés de son père...

— Tu n'aurais pas dû l'amener. Le moment est mal choisi...

— Conrad m'a garanti qu'il n'y avait aucun risque pour l'instant. De plus, il a affecté cinq hommes à la surveillance de l'hôtel.

Choï disait vrai. Il avait modifié son identité, ainsi que sa nationalité d'emprunt, moins de quarante-huit heures plus tôt. A supposer que ses mystérieux ennemis soient déjà sur sa trace, il leur était impossible de le retrouver aussi vite, quels que soient les moyens mis en œuvre, tant qu'il ne ferait pas parler de lui une seconde fois. Pour l'heure, depuis son arrivée à Miami, il avait uniquement côtoyé les membres du Comité, durant ce qui pouvait apparaître comme un banal déjeuner d'affaires. Rien ne mettait sa sécurité en péril...

— Papa !

De l'autre côté de la porte, il reconnut la voix de Claire et se précipita pour ouvrir, oubliant presque qu'il portait un pistolet à la ceinture. Il fourra l'arme au fond de sa mallette, qu'il verrouilla précautionneusement avant d'ouvrir la porte.

Claire lui sauta au cou en riant :

— Surprise !

— Comment vas-tu, ma chérie... ? Je ne m'attendais vraiment pas à te voir aujourd'hui...

— Tu n'es pas content ? demanda-t-elle d'une voix boudeuse, en affichant une mine subitement renfrognée.

Seth l'observa quelques secondes sans répondre, pour la taquiner, comme si la réponse n'était pas si évidente :

— Si, plutôt content...

Tous deux éclatèrent de rire en se dirigeant vers le canapé de la chambre, alors que Choï les saluait d'un signe de la main, près de la porte :

— Je vais aller manger un morceau en bas. Si tu as besoin de moi...

Colton acquiesça de la tête, alors que Claire lui tapotait l'épaule :

— Papa... ? Qu'est-ce que tu fabriques ici ? Encore tes affaires... ?

— Oui, ma chérie. Encore mes affaires, murmura-t-il en se détournant pour lui embrasser la joue.

— Si je n'étais pas venue, on ne se serait même pas vus pour l'anniversaire de maman...

Il avait complètement oublié à quoi correspondait cette date. A vrai dire, il l'avait volontairement occultée car il ne s'agissait pas réellement de l'anniversaire de sa femme. Il s'agissait de l'anniversaire de sa mort, la date à laquelle l'avion de ligne Taipei-Hong Kong avait encaissé de plein fouet une rafale descendante à quelques mètres du sol, juste après le décollage, pour s'écraser à près de 300 km/h, avec trente tonnes de kérosène, dans les marais alentour...

Les psychologues considéraient que, pour Claire, cette volonté de mémoire relevait d'un processus de deuil tout à fait classique. Mais Seth s'inquiétait du caractère morbide de cette démarche. Il espérait chaque année que sa fille oublierait cette date. En vain...

— Ce n'est pas l'anniversaire de maman, ma chérie...

La fillette détourna les yeux.

— Je sais, mais...

— Claire, tu sais à quel point j'aimais ta maman. Mais il faut que tu comprennes qu'en ce jour, il n'y a rien à célébrer. Il n'y a rien à se remémorer. C'est la pire date de notre existence et nous ne voulons pas nous souvenir de maman ainsi. Pas dans le malheur et la tristesse, parce qu'elle nous a toujours apporté le contraire...

La jeune fille se tortilla quelques instants sur le canapé, visiblement embarrassée, puis lâcha du bout des lèvres :

— Maintenant que tu as Caroline, tu veux l'oublier, c'est ça...

Instinctivement, sans y réfléchir, il la serra contre lui.

— Non, ne crois pas ça. Caroline ne remplacera jamais maman et elle n'en a pas l'intention. Maman restera toujours à sa place dans notre cœur. Dans le tien, mais aussi dans le mien, crois-moi. Et personne n'y changera rien. Le fait que j'éprouve des sentiments pour Caroline ne m'empêchera jamais de me souvenir que ta mère était la femme de ma vie, celle que j'aimerai jusqu'à la fin de mes jours... Mais la vie doit continuer, et je suis sûr qu'elle serait d'accord : si nous demeurons figés dans le souvenir de notre douleur, alors cela voudra dire que nous sommes morts, nous aussi, dans cet accident. Crois-tu que c'est ce qu'elle aurait désiré ?

Claire ne répondit pas. Elle se blottit contre l'épaule de son père et ferma les yeux.

— Je t'aime, papa...

14

LA MISSION

Quartier général des Services secrets militaires.
23 h 30 GMT

Au troisième sous-sol des bâtiments austères de la DIA, le colonel Nancy Predgard prit place dans la salle de réunion avec une légère appréhension. Son poste au sein de la Navy n'était qu'une couverture qui masquait ses véritables attributions : la jeune femme travaillait pour les services secrets de l'armée. Devant elle, le général Dyer, patron de la Navy américaine, s'entretenait avec le chef du contre-espionnage militaire. Au bout de la table, en compagnie d'un amiral et de deux autres généraux, un homme en costume bleu marine l'observait d'un œil froid, dénué de toute expression.

— Qui est-ce ? demanda-t-elle au capitaine Werner, un assistant, qui déposait une pile de dossiers sur la table.

Sans parler, en remuant simplement les lèvres alors qu'il tournait le dos à l'assistance, le sous-officier répondit.

— Air Force. Groupe Majestic...

Nancy fronça les sourcils en dévisageant l'inconnu un bref instant. Lorsqu'elle croisa son regard dur et glacé, elle baissa immédiatement les yeux. Immobile dans la pénombre, l'homme scrutait la jeune femme avec une fixité presque inhumaine. C'était la première fois qu'elle rencontrait un homme du projet Majestic. Comme tous les militaires, amiraux et généraux compris, elle ne savait rien de leurs activités. Mais les rumeurs qui traînaient dans les couloirs du Pentagone et de la DIA à leur sujet donnaient froid dans le dos...

— Messieurs, merci de vous être déplacés. Je vais commencer par...

— Venez-en au fait, colonel. Nous avons peu de temps, trancha Dyer sur un ton légèrement agacé.

Agé de soixante-trois ans, Dyer était un homme de grande taille à la carrure athlétique. Son visage était traversé par une cicatrice épaisse, depuis la pointe de son menton jusqu'à l'oreille droite. Blessé par un shrapnel au cours d'une opération au Nord-Viêt-nam, alors qu'il appartenait aux escadrons des Eclaireurs de la marine, les fameux Navy Seals, Dyer était un des hommes les plus décorés de l'armée américaine...

— Très bien... Vous êtes tous au courant de la double explosion qui a conduit à la perte de l'un de nos sous-marins. La version officielle au sein de l'armée stipule qu'il s'agit d'un simple accident, dû à une explosion d'hydrate de méthane. Un phénomène extrêmement rare, mais théoriquement possible. En fait, il n'en est rien. Nous savons qu'il y avait bel et bien une activité humaine à 7 500 mètres de profondeur. Depuis plusieurs jours, nos spécialistes travaillent sans relâche afin d'obtenir plus d'informations sur le sujet : nos satellites sont inopérants à cette profondeur, et les sous-marins dépêchés sur zone ne détectent rien d'anormal. Il faut reconnaître qu'ils ne s'aventurent pas au-delà de 2 000 mètres...

— Ce qui laisse pas mal de champ à ces fils de pute pour se planquer ! ajouta Dyer.

— Comme vous dites, général. Quoi qu'il en soit, il apparaît que cette activité pourrait être orchestrée par un groupe écologiste européen. Nous ne savons encore rien de leurs motivations, ni de leur maîtrise technologique des environnements d'ultrapression, mais...

— Colonel, permettez-moi de vous interrompre un moment, trancha Dyer en se levant. Les « informations » relatives à ce groupe m'ont été transmises par M. Axley ici présent..., dit-il en désignant l'homme de Majestic. Cette opération engagera les services secrets militaires, mais elle sera placée sous le contrôle direct de l'Air Force.

— Je ne vois pas ce que l'Air Force vient faire dans une opération sous-marine menée par la DIA, répliqua Nancy Predgard en foudroyant son chef du regard.

— On se fiche pas mal de ce que vous voyez, colonel, lança l'homme de Majestic en se levant pour s'approcher de la jeune femme. (L'homme au physique banal, de petite taille, alluma une cigarette en contournant la table de conférence.) Vous allez m'écouter très attentivement. Je décide de ce qui doit être fait, et vous exécutez : c'est comme ça que les choses doivent se passer, alors ne cherchez pas à m'imposer vos opinions. Vous le regretteriez amèrement. Et je ne parle pas d'une sanction militaire...

Pour une raison inexplicable, elle n'arrivait pas à soutenir le regard de ce type. L'homme demeura immobile, à quelques centimètres d'elle, pendant plusieurs secondes, bien décidé à la faire plier. Finalement, le colonel Predgard s'avoua vaincue :

— C'est entendu, monsieur...

— Très bien, dit-il en s'éloignant. Un cadavre criblé de balles a été découvert ce matin – heure européenne – dans la chambre d'un palace berlinois. Cet homme se nommait Blake Sodderington : il s'agissait d'un mercenaire britannique mort en Angola lors d'une mission dans la région diamantifère de Huambo, aux côtés des troupes de l'Unita, douze ans plus tôt. Au vu des photos...

Il déposa quelques clichés sur la table à l'attention des militaires présents : on y voyait le corps de Sodderington fraîchement abattu, au milieu d'une mare de sang...

— ... au vu de ces photos, il est plutôt bien conservé ! En fait, Sodderington a disparu depuis douze ans sans laisser la moindre trace : beaucoup de gens font croire à leur mort, la plupart du temps, il s'agit de gangsters minables qui partent finir leurs jours en Amérique du Sud. Ils ne nous intéressent pas... Mais ce Sodderington nous a réellement échappé : suite à cette affaire, nous avons mené une enquête pour découvrir son passé, ce qu'il avait fait de ces années. Nous n'avons rien...

— Vous n'êtes pas infaillibles ! ironisa Nancy d'une voix mal assurée.

— Si, colonel. Nous le sommes...

La pièce demeurait plongée dans un silence épais. L'officier de Majestic enchaîna :

— Bref... Tout ce que nous avons découvert concerne ces dernières semaines : via un système de boîtes aux lettres virtuelle, sur le web et dans l'intranet de plusieurs sites-écrans, Sodderington était en contact avec un dénommé Joachim Neumann. Avec la complicité du BND, les services secrets allemands, nous sommes même parvenus à retrouver la trace de plusieurs coups de fil entre ces deux personnages.

— Et que disaient-ils ?

Il se tourna en direction de Nancy :

— Rien qui vous regarde. Neumann dirige une sorte de fondation écologique dont les activités couvrent un spectre étonnamment large : recherche, lobbying, mécénat. Ils disposent de sommes gigantesques, et la structure de cet institut représente une véritable nébuleuse. Nous pensons qu'il n'est pas étranger aux activités sous-marines qui viennent de nous coûter l'USS *Ohio*...

— Qu'attendez-vous de nous autres ? demanda le général.

— Il va falloir que nous nous emparions de ce Neumann. Je veux qu'il nous explique ce qui se passe au fond du Pacifique. Quel rôle joue son institut... ? Après cela, s'il est bien impliqué dans cette affaire, comme je le crois, nous prendrons le contrôle des... « installations » qui ont causé les éruptions d'hydrate de méthane. Puisque la DIA vous a chargé de cette mission, colonel Predgard, vous travaillerez sous mes ordres directs.

— Qu'est-ce que je dois faire ? demanda-t-elle d'une voix froide, mais résignée...

— Débrouillez-vous pour que Neumann nous fournisse un maximum de renseignements sur les motifs et les moyens de cette organisation. Ensuite, dès que nous le jugerons nécessaire, nous ferons appel à vos services une seconde fois.

— C'est-à-dire ?

— Si, comme nous le soupçonnons, ces hommes ont développé une technique permettant d'évoluer en milieu d'ultrapression, alors...

Les officiers présents dans la salle observaient l'homme de Majestic en silence.

— ... alors vous conduirez un escadron des Forces spéciales dans leurs installations, où qu'elles soient. Vous aurez tous les supports logistiques que vous réclamerez. Vous devrez ensuite prendre le contrôle de tout ce qui peut présenter un caractère stratégique, puis...

— Et que fera-t-on de ceux qui gèrent ces installations ? demanda Nancy.

— Vous les tuerez, répliqua froidement l'homme de Majestic. Mais ce n'est pas tout : le colonel Predgard sera le seul officier dans l'escadron. Lorsque le secteur sera nettoyé, mes hommes prendront le relais. Et autant vous prévenir tout de suite : tous les commandos de cette mission devront être... neutralisés.

— Vous voulez tuer des soldats américains ! s'insurgea Dyer en frappant du poing sur la table.

— Vous n'imaginez pas ce que représente une telle découverte. Celui qui maîtrise les ultrapressions, maîtrise les richesses infinies de l'océan, mais également tous les mystères qu'on y a enfouis. Et il y en a certains que l'humanité ferait mieux de ne jamais découvrir...

Conelly fronça les sourcils, intrigué.

— Expliquez-vous. Quels mystères ?

— Il vaut mieux que vous n'en sachiez pas plus. Croyez-moi sur parole...

— Mais pourquoi tuer les soldats ? reprit Dyer.

— Parce que l'enjeu est trop important. Personne, à part nous, ne doit jamais savoir qu'une telle technologie existe.

— Tous les secrets éclatent un jour ou l'autre, monsieur Axley ! déclara Nancy d'une voix haineuse.

— Nous ferons en sorte que non. Par tous les moyens...

Cette conclusion sonnait à nouveau comme une menace.

— Mais qu'est-ce qui vous fait si peur, nom de Dieu ! L'Air Force a largué des armes chimiques en mer ou quoi ? insista Dyer...

— Il y a... (Axley semblait hésitant, comme s'il pesait chaque mot avec soin, en évitant soigneusement de divulguer une part trop importante de vérité.) Il y a des choses au fond. Des choses effrayantes qui nous dépassent. Priez pour ne jamais les connaître.

Une telle remarque émanant d'un autre homme aurait pu prêter à sourire. Mais pas dans la bouche d'un officier de Majestic. Sa déclaration fut suivie d'un long silence, à la fois embarrassé et inquiet.

— Pourquoi ne pas utiliser vos hommes pour cette mission ? demanda Conelly. Vous disposez de commandos tout à fait capables, dans l'armée de l'air...

— Nous sommes trop voyants. Si la mission devait

échouer, si nos hommes étaient identifiés, cela entraînerait des conséquences catastrophiques...

— Pour qui ?

— Pour le monde entier. Notre groupe a des ennemis. Mais pas ceux auxquels vous pensez... Nous ne voulons pas de cette technologie pour battre les Russes ! lança-t-il d'une voix méprisante. Nous la voulons pour qu'elle ne tombe jamais entre d'autres mains. Ce qui vit, ce qui se développe au fond, doit y rester. Sans quoi nous sommes tous perdus...

A nouveau, les officiers demeurèrent silencieux jusqu'à ce qu'il reprenne la parole :

— Colonel Predgard : tenez-vous prêt à agir. Mettez deux escadrons de Navy Seals en alerte opérationnelle. Sur un simple coup de téléphone, je les veux disponibles sous treize heures en n'importe quel point de la planète. Me suis-je bien fait comprendre ?

Nancy acquiesça en silence. L'homme de Majestic s'apprêtait à sortir lorsqu'il se figea un court instant.

— Colonel... Quoi que vous puissiez penser à mon sujet, il est impératif que vous compreniez l'importance stratégique de cette mission. Il en va de la survie de notre espèce...

A nouveau, la jeune femme secoua la tête en affichant une mine grave. En lieu et place d'une réunion de routine, elle venait de rencontrer un homme appartenant au groupe le plus secret de l'armée américaine. Majestic travaillait sur des projets dont personne ne savait rien, sinon qu'ils étaient étroitement liés à la recherche spatiale et aux travaux de biologie militaire entrepris durant la guerre froide...

« La survie de notre espèce... » Les derniers mots prononcés par ce mystérieux personnage la faisaient rêver des abysses sous un angle moins rassurant. Et si, tout au fond, il y avait autre chose que de l'eau... ?

15

DESCENTE

Pacifique Sud, latitude 25°, longitude 34°, secteur Lisa 8

— Jusqu'ici, tout va bien...

Cette phrase était devenue le leitmotiv de Seth depuis son départ de Panama. Tout avait commencé sur un site Internet canadien traitant des problèmes écologiques et climatiques liés à l'océan. Seth y avait été « accroché » par un internaute, soi-disant océanographe, qui l'avait convié à une réunion virtuelle sur le même site, le lendemain. Celle-ci n'était pas autorisée à tout public, et Colton s'était vu communiquer un mot de passe spécial pour y accéder. Dès le début du dialogue, il avait été assailli de questions, et pas seulement sur les problèmes liés à l'environnement. Parmi la quinzaine d'intervenants présents – en fait, Seth soupçonnait que toute cette mascarade avait été montée pour évaluer la nouvelle recrue potentielle qu'il représentait –, certains se cantonnaient à des remarques banales, tandis que d'autres l'interrogeaient de manière moins voilée sur des sujets totalement hors de propos. Lorsque l'un d'entre eux lui demanda s'il concevait l'écologie comme un instrument au service de l'humanité, il comprit immédiatement le piège. S'il répondait « oui », tout serait terminé. Sachant pertinemment où ses interlocuteurs voulaient en venir, il pianota sur son clavier et envoya la réponse suivante : « Au risque de choquer beaucoup d'entre vous, je ne pense pas que l'on puisse lier la lutte écologique à la préservation ou au bien-être de l'humanité. Ces deux points sont même souvent antinomiques : l'augmentation de la démographie liée aux progrès de la science, par exemple, a engendré la plus grande menace environnementale que la planète ait jamais connue...

« A l'inverse d'une mission humanitaire, je considère l'écologie comme le devoir que nous avons tous de restaurer la pérennité de l'écosystème auquel nous appartenons, et que nous bafouons chaque jour au nom du mieux-être égoïste de notre espèce. »

Pour toute réponse, il reçut une invitation pour Miami, tous frais payés, afin de rencontrer un « groupe de scientifiques partageant ces mêmes idées ». Les choses, ensuite, s'étaient déroulées comme un véritable jeu d'enfant. Rencontres, nouvelles évaluations, puis départ de la Floride pour Panama, jusqu'à ce navire...

Mais dans ce cargo étrangement conçu, doté d'un équipage trois fois plus nombreux qu'à l'ordinaire, en plus d'une quinzaine de passagers, il perdait graduellement tout contact avec la réalité. Il n'y avait aucun téléphone à bord. Du moins pas un auquel il puisse avoir accès...

Le *Sea Mistress*, un porte-containers de 250 000 tonnes

appartenant au groupe OCCEN, semblait s'être immobilisé depuis plusieurs heures, sans la moindre côte en vue. Les mouvements à l'intérieur du navire étaient soigneusement contrôlés, et les contacts entre les différentes « recrues » se limitaient au strict minimum. L'équipage n'y était pour rien : les hommes et les femmes embarqués à bord semblaient méfiants, même si tous mouraient d'envie de connaître la prochaine étape. Car, Seth l'avait compris au cours des rares discussions qu'il avait pu engager durant les repas pris en commun : personne ne savait rien sur la destination finale de leur voyage. Il s'agissait d'écologistes extrémistes, à qui l'on avait proposé de travailler au sein d'un mouvement radical et secret, dont l'objectif était la restauration d'un écosystème terrestre perturbé par les excès de notre société industrielle. Mais personne ne semblait réellement connaître les moyens utilisés dans cette lutte, du moins pour l'instant : les recruteurs avaient insisté sur le secret qui devrait entourer leur travail, en expliquant qu'ils obtiendraient plus de détails une fois sur place. Où ? Ils n'en avaient pas la moindre idée...

Certains supposaient qu'il devait s'agir d'une île, d'un centre de recherche discrètement installé au milieu du Pacifique Sud. Mais le bateau était maintenant immobile, en pleine mer...

Soudain, une voix nasillarde s'éleva dans les couloirs, au travers des mégaphones nichés tout le long du *Sea Mistress*. Seth et les autres comprirent que le voyage n'avait pas encore commencé...

— Tous les passagers sur le pont, s'il vous plaît. Emportez vos bagages et préparez-vous à débarquer...

Le capitaine s'exprimait d'une voix calme et monocorde, comme si cette manœuvre ne constituait pour lui qu'un simple exercice de routine.

Colton empoigna ses deux valises et quitta la cabine étroite où il logeait depuis quatre jours. Sanesburry avait mis au point un procédé de secours – ou plutôt d'alerte – dans le cas où un événement imprévu perturberait sa couverture. Si les hommes, pour tuer le temps, avaient la possibilité d'utiliser Internet, alors Colton devait se rendre dans un casino virtuel chaque soir, afin de vérifier que rien d'imprévu ne venait perturber son enquête. Si un message l'informait que son compte se trouvait en débit de 15 dollars, il devrait quitter le complexe par tous les moyens, au plus vite... Seth devait également, dès que possible, envoyer un rapport concis sur les coordonnées des installations qu'il partait espionner. Pour cela, il utiliserait un code où chaque numéro parié à la roulette possédait un équivalent en lettres. Après quelques jours de paris, il aurait fourni au Comité suffisamment d'informations pour que ceux-ci connaissent la position de cette base, mais également le nombre d'hommes présents, sa surface et son activité. Un travail minutieux, qui constituait son unique fil d'Ariane avec le reste du monde...

Il gravit les escaliers métalliques rouillés du cargo, pour accéder au pont en empruntant la passerelle du mess. En arrivant à l'air libre, son visage fut fouetté par des rafales de vent glacé. Le *Sea Mistress* se trouvait dans les Quarantièmes Rugissants, au sein d'une région particulièrement inhospitalière et peu fréquentée par les navires commerciaux. Les seuls marins à descendre aussi bas, si près du continent antarctique, appartenaient soit à des missions scientifiques ou militaires en route pour la banquise, soit aux traversées en solitaire qui sillonnaient de temps à autre le Pacifique Sud. Les cargos, les tankers et les paquebots, quant à eux, rasaient le cap de Bonne-Espérance et s'aventuraient rarement dans cette mer en furie...

L'avant du bateau disparaissait de temps à autre sous une vague, enseveli par un torrent d'écume qui balayait les passerelles désertes. Au pied de la tour de pilotage, qui mesurait plus de 30 mètres de haut, l'ensemble des passagers était maintenant réuni devant le capitaine et deux de ses lieutenants. Le capitaine Tanner était un homme de soixante-trois ans, à la barbe épaisse et impeccablement taillée. Sa stature imposante et son visage aux traits volontaires accentuaient encore l'autorité qui émanait de sa personne. Il observa sa montre un bref instant, puis balaya l'assistance d'un regard circulaire, comme un maître devant de jeunes élèves.

— Vous allez venir avec nous ! hurla-t-il pour couvrir le bruit assourdissant des vagues. Ce que vous allez voir va certainement vous étonner, et peut-être vous effrayer. Mais ne foutez pas la merde sur mon bateau ! Si vous avez peur : serrez les dents. Si vous hésitez : poussez-vous le train, parce qu'il est trop tard pour faire demi-tour. J'ai pour mission de ramener un cargo vide. Fret et passagers compris. Alors si l'un d'entre vous refuse de quitter le navire, il vaut mieux qu'il sache dès maintenant ce qui l'attend ! conclut-il en pointant un doigt menaçant vers la mer en furie...

Les hommes et les femmes, jusqu'alors méfiants les

uns envers les autres, échangeaient maintenant des regards à la fois curieux et inquiets. Qu'est-ce qui était censé leur faire peur ? Sans un mot, ils suivirent le capitaine et ses lieutenants, qui descendaient le long d'un escalier métallique, à l'intérieur de la gigantesque soute. A quelques mètres d'eux, l'empilement d'une quinzaine de containers de quarante pieds dépassait largement la hauteur du pont où ils se trouvaient, mais plongeait également jusqu'aux entrailles du bateau. Du moins le croyaient-ils...

Après s'être enfoncé à l'intérieur de la soute, environ 10 mètres sous le niveau du pont, le capitaine commanda une ouverture magnétique qui lui permit de s'engouffrer à l'intérieur d'un container, par une porte dérobée. Seth, qui observait la scène, venait de tout comprendre : voilà pourquoi les bateaux de cette compagnie de transport ne partaient jamais pleins. Les cinq ou six premières rangées de containers qui tapissaient le fond de la cale n'étaient qu'un habile maquillage. Il s'agissait en fait d'un espace gigantesque, alloué à autre chose que le fret maritime. Mais à quoi ? Il était en passe de le découvrir...

La structure du bateau était totalement réaménagée. Les carénages classiques d'un porte-containers avaient disparu. Au fond du navire, les parois métalliques de la coque qui séparaient le *Sea Mistress* de l'océan étaient reliées à deux gigantesques bras hydrauliques. Devant une console de commande située au bas des marches par lesquelles le groupe arrivait, une équipe de quatre hommes s'affairait sur plusieurs écrans de contrôle. L'un d'entre eux murmura quelques mots au capitaine, qui acquiesça de la tête.

Quelques instants plus tard, les bras hydrauliques se replièrent pour ouvrir les entrailles du bateau. Sous la lumière crue des néons, une eau noire et glacée déborda de l'orifice béant pour se répandre dans la soute à une vitesse étonnante. Mais il ne s'agissait que d'un mince filet, profond d'à peine une dizaine de centimètres : la gravité empêchait l'océan de pénétrer à l'intérieur du bateau. Le trou d'une quinzaine de mètres sur dix ressemblait à une piscine taillée dans le métal. La piscine la plus profonde du monde...

— Vous allez maintenant former trois groupes de cinq, ordonna le capitaine, alors que l'eau commençait à bouillonner étrangement à l'intérieur du bassin.

Les recrues de Neumann fronçaient les sourcils en reculant. Privé de la lumière du soleil, le trou liquide et obscur était particulièrement angoissant. Autour, la peinture blanche de la coque et des appareils de commande, vivement éclairés, conférait un côté rassurant et paisible au cargo. Personne n'avait envie de s'aventurer où que ce soit. La peur l'emportait de très loin sur la curiosité, sauf dans le cas de Seth. Il était venu pour percer les mystères des travaux sous-marins de Neumann. Mais jamais il n'avait suspecté le millième de ce qu'il commençait à entrevoir. Une sorte de longue cheminée, radicalement différente de celle d'un sous-marin militaire, commençait à émerger des profondeurs. Elle mesurait cinq à six mètres de diamètre, et sa longueur semblait démesurée. Une sorte de long tuyau métallique argenté, composé d'un métal qu'il ne parvenait pas à identifier...

— Cinq personnes à bord ! déclara le capitaine en désignant la passerelle spécialement adaptée que ses hommes fixaient à la coque du bateau et au sous-marin.

Il n'y avait ni hublot, ni système d'évacuation pour le ballast. « Une conception révolutionnaire », pensa-t-il en se remémorant les paroles du colonel Predgard. Colton embarqua dans le premier groupe, alors que la trappe d'entrée de l'engin s'ouvrait dans un silence presque absolu. Aucun système de verrouillage classique à l'extérieur, semblable à ceux utilisés par les sous-marins actuels. Seth en comprit immédiatement la raison. A la différence des submersibles classiques, celui-ci ne remontait jamais en surface : personne ne l'ouvrait de l'extérieur...

— Montez, commanda une voix masculine à l'intérieur de l'habitacle, plongé dans une semi-obscurité, éclairé seulement par un panneau de voyants lumineux, et quelques écrans informatiques.

Il se glissa à l'intérieur, étonné par la structure interne de l'engin. Il s'agissait d'un tube cylindrique vertical dont l'intérieur était traversé par une échelle. Scindée en huit niveaux distincts, chacun d'entre eux ne disposait que d'un volume minuscule, avec un siège arrimé aux parois métalliques, sans autre équipement qu'une ceinture semblable à celles utilisées dans les avions de chasse. Si le diamètre total de l'engin dépassait bien les 5 mètres, celui de la structure habitable en mesurait le tiers. Le reste était probablement composé d'un alliage inconnu : à l'aide de ces structures étranges, Neumann avait vaincu l'ultrapression...

— Réglez les ceintures à vos mensurations et attachez-les solidement. C'est votre commandant de bord qui vous parle, déclara une voix détendue et avenante dans le système audio du sous-marin... Vous vous trouvez en ce moment à bord de ce que nous appelons familièrement « le téléphérique ». Il s'agit en fait d'un module T-10 composé de titane, d'acier et d'argent. Nous allons descendre à une profondeur de presque 9 500 mètres en à peine plus de sept minutes. Vous pensez peut-être que ce n'est pas rapide, mais cela inclut la phase d'approche : en fait, dans quelques secondes, le téléphérique va parcourir 7 000 mètres en trois minutes. Et n'oubliez pas que nous nous déplaçons dans le sens de la gravité. Autant vous prévenir que la descente est souvent mal supportée...

— Mais où est-ce qu'on va ? cria l'une des recrues à l'attention du pilote, qui se trouvait quelques mètres au-dessus de lui.

— J'ai entendu la question. Rassurez-vous, dans 9 200 mètres, on vous expliquera tout, conclut-il en débranchant le système audio, alors que la trappe d'entrée se refermait.

Quelques instants plus tard, sans un bruit, l'engin fut brusquement aspiré vers le bas. Face au siège, un compteur affichait la vitesse de déplacement et la profondeur. Il constituait l'unique aménagement de ces cabines minuscules et spartiates.

« 90 km/h linéaires — 112 mètres... »

S'il n'avait pas été attaché solidement, Seth aurait certainement décollé de son siège au départ. Mais l'accélération ne diminuait pas. Bien au contraire, elle s'amplifiait...

« 130 km/h linéaires — 575 mètres... »

« Incroyable ! » pensait-il, alors que l'excitation l'emportait maintenant sur tous les autres sentiments.

Il ne pensait plus au risque d'être percé à jour, ni même aux impératifs de sa mission. Pendant ces instants, il était tout entier concentré sur la prodigieuse aventure qu'il était en train de vivre, alors que le téléphérique augmentait encore sa vitesse de plongée.

« 234 km/h linéaires — 2 345 mètres... »

L'engin fonçait comme une fusée, sans un bruit. La poussée des moteurs – mais d'ailleurs quels moteurs ? il n'avait pas la moindre idée du mode de propulsion utilisé... – le plaquait à son siège.

« 387 km/h linéaires — 5 012 mètres... »

Le téléphérique s'enfonçait toujours plus vite au fond de l'océan. Dans un domaine que le monde entier pensait inaccessible. Dans le monde du silence et de la nuit éternelle...

« 450 km/h linéaires — 7 994 mètres... »

Personne ne parlait à l'intérieur du submersible. Ses compagnons avaient probablement, comme lui, les yeux rivés sur le compteur de vitesse... Soudain, une inversion brusque de la poussée lui coupa la respiration. Il fut écrasé sur son siège avec une violence qu'il n'avait connue qu'à l'intérieur d'un avion de chasse, plusieurs années auparavant. Pendant plusieurs secondes, alors que le téléphérique passait de presque 500 à 0 km/h, il lui fut impossible de reprendre son souffle. Lorsque la décélération s'acheva, les nouvelles recrues de Neumann demeurèrent silencieuses, subjuguées par cette prodigieuse descente au sein d'un monde inconnu...

Le sous-marin évoluait maintenant à moins de 10 km/h. Il pivotait sur lui-même et s'inclinait légèrement, accélérait à nouveau, puis reprenait sa position verticale. La manœuvre était orchestrée avec une précision parfaite : elle visait à encastrer le tube dans les sas qui jonchaient le centre sous-marin. Un sas semblable à celui dans lequel était mort Marrey...

— Le voyage est terminé. Vous pouvez détacher vos ceintures et descendre de long de l'échelle, déclara le pilote alors qu'une légère secousse, suivie d'un bruit métallique sec, venait perturber le silence absolu qui régnait sous la carapace d'alliage depuis leur départ du *Sea Mistress*...

Le fond du téléphérique s'ouvrit pour laisser filtrer un rayon de lumière. L'un après l'autre, les passagers descendirent les barreaux de l'échelle pour se laisser glisser le long d'une rampe métallique, jusqu'à l'intérieur du sas. Lorsque le dernier d'entre eux eut quitté le sous-marin, la porte se referma pour les abandonner dans un tube métallique de quelques mètres de longueur. Serrés les uns contre les autres, certains commençaient à ressentir les premiers signes d'une claustrophobie naissante...

— Mesdames et messieurs, bienvenue au complexe Bayer, déclara une voix grave qui semblait surgir de nulle part...

Les passagers bloqués dans le sas aperçurent avec angoisse les filets de gaz verts qui se répandaient dans l'habitacle depuis le plafond.

— Ce que vous voyez actuellement est une simple douche de décontamination, rassurez-vous...

— Mais pourquoi est-ce qu'ils font ça ? s'insurgea une jeune femme d'origine asiatique.

— Vous vous trouvez en ce moment au seuil du plus gigantesque et du plus audacieux complexe sous-marin jamais imaginé par l'homme, reprit la voix invisible. La profondeur de cette fosse est de 10 600 mètres. Nous sommes sur l'avant-dernier palier, à l'intérieur de la faille, à une profondeur de 9 212 mètres. On estime à 30 milliards le nombre de bactéries inconnues qui séjournent dans les abysses. En ouvrant les portes de nos sous-marins pour accéder au sas, on ne sait pas ce que les gouttes d'eau qui ruissellent en ce moment autour de vous peuvent charrier comme agents pathogènes. Nous préférons simplement ne pas tenter le diable : cette décontamination élimine tous les risques possibles.

Les nouveaux venus n'ajoutèrent pas un mot, trop abasourdis par le monde incroyable qui les entourait. Ces scientifiques écologistes convaincus pensaient travailler dans un complexe discret – ou même secret – à l'abri des regards. Mais pas un n'avait envisagé ce scénario. Même dans leurs rêves les plus fous...

Quelques instants plus tard la porte métallique, épaisse de plusieurs mètres, s'ouvrit pour laisser passer les nouveaux arrivants. A l'autre bout du couloir, Ludwig Bayer, que tout le monde croyait mort en plongée depuis quinze ans, les observait d'un regard étrange, semblable à un berger contemplant son troupeau.

16

DANS LES GRIFFES DE MAJESTIC

Koenigsallee, Grunewald. 23 h 30 GMT

Joachim Neumann se trouvait dans la bibliothèque de sa villa depuis une heure environ. A l'intérieur de cette splendide demeure du XIXe siècle, il aimait tout particulièrement cette pièce, dans laquelle régnait un calme et un silence propices à la réflexion. Plongé dans l'analyse des comptes secrets de l'Institut, il ébaucha un léger sourire de satisfaction. S'il avait eu la moindre idée de ce qui allait suivre, il aurait probablement pris ses jambes à son cou, en direction de n'importe quelle cachette. Mais il ignorait tout des terribles forces que ses travaux venaient de déclencher. Joachim Neumann continuait de lire paisiblement, assis dans son fauteuil préféré. Feuilletant les dossiers d'une main, il tenait un verre de cognac dans l'autre. L'alcool le plongeait dans une légère euphorie, encore accentuée par les rendements stupéfiants de leurs activités. Les sociétés de négoce en minerai qui se trouvaient sous son contrôle enregistraient, en ce mois de mars, des bénéfices records...

Ces résultats étaient dus, en partie, à la remontée du prix de l'or sur les marchés financiers de la planète. Mais plus largement, les...

Un bruit de vaisselle brisée aux cuisines attira son attention :

— Karl ! lança-t-il à haute voix, en direction de son secrétaire particulier, dont le bureau était attenant à la bibliothèque.

Celui-ci se trouvait toujours dans la villa, malgré l'heure tardive. Chaque mois, durant quelques jours, les deux hommes épluchaient les comptes secrets des sociétés off-shore afin de vérifier le bon fonctionnement du système qui approvisionnait la trésorerie ANTA UP. Ces jours-là, ils travaillaient souvent jusqu'aux premières lueurs de l'aube, puis s'accordaient un repos de quelques heures avant de poursuivre leur analyse...

La mort de Sodderington l'ennuyait fortement. Il fallait former une nouvelle équipe. De toute urgence... Cette Steffi Jungmann était protégée, mais il ne savait pas encore par qui, et ce détail le contrariait plus encore que l'échec de la mission. Blake était un pro. S'il avait été terrassé par les protecteurs de la fille, ceux-ci devaient constituer des adversaires redoutables. Alors pour le compte de qui opéraient-ils ? Qui protégeait la gosse en échange de ses secrets ? Toutes ces questions le hantaient, mais Torman avait promis d'y mettre un terme dans les plus brefs délais. Il ne remonterait pas, mais formerait une équipe en surface qui trouverait et tuerait cette jeune idiote. De plus, l'équipe en question ramènerait l'assassin de Sodderington au fond, pour qu'il puisse être interrogé, et pour que Ludwig Bayer connaisse enfin les noms de ceux qui le traquaient...

En se levant pour rejoindre le bureau de son secrétaire, il pensa que, de toute façon, rien ne pouvait plus modifier le cours des choses. ANTA UP et ses ateliers de fabrication étaient graduellement démantelés depuis un an, et répliqués à quelques kilomètres de la base, au fond... Bientôt, celle-ci pourrait elle-même produire les matériaux nécessaires à son entretien et à son expansion, sans plus rien devoir acheminer depuis la surface. Si quelqu'un connaissait les plans de Bayer, il était trop tard pour les contrecarrer. Quand bien même s'agirait-il du Pentagone ou du Kremlin... Aucun de leurs sous-marins n'avait la moindre chance de pouvoir approcher – sans même parler de destruction ! – le complexe créé par Ludwig Bayer. Il était le roi des abysses. Il y régnait en maître et personne ne pouvait se mesurer à lui...

— Karl est-ce que tu as ent...

Le bureau était désert. Son secrétaire pouvait se trouver à l'étage du dessous, en train de savourer un café, ou tout simplement en train de séduire la nouvelle cuisinière, pensa Neumann. Mais sa chaise était renversée. Peut-être ce détail ne signifiait-il rien d'important, pourtant un réflexe d'alerte s'alluma instinctivement dans le cerveau de l'Allemand.

Il retourna sur ses pas pour traverser la bibliothèque aux étagères croulantes sous les livres et les dossiers, puis pénétra rapidement à l'intérieur de son bureau. Dans l'un des tiroirs, fermé à clé, il prit son pistolet et engagea un des trois chargeurs posés à côté, sous une pile de feuilles vierges. Il tira la culasse en observant la balle de 9 mm qui s'engageait dans le canon, puis bloqua le cran de sûreté avant de passer l'arme dans sa ceinture.

Aux étages inférieurs, il ne percevait toujours pas le moindre signe de vie. Pourtant, trois domestiques résidaient en permanence dans cette villa. Il descendit les escaliers quatre à quatre. Quelque chose ne tournait pas rond, il en était maintenant convaincu...

— Jürgen ? Klaus ? hurla-t-il en arrivant au rez-de-chaussée, alors qu'il marchait d'un pas rapide en direction des cuisines.

Pas de réponse. Le silence total...

— Est-ce que quelqu'un m'entend ? Rép...

Il aperçut les jambes d'une femme allongée sur le sol – probablement cette nouvelle cuisinière que Karl semblait tant apprécier – alors qu'il se trouvait à une quinzaine de mètres du cadavre. Il sortit son pistolet et pivota sur lui-même en un éclair, persuadé de trouver un ou plusieurs assaillants autour de lui. Mais il n'y avait personne...

Sa respiration venait brusquement de s'accélérer. Il pointait l'arme devant lui, alors que ses yeux balayaient les environs. Lorsque Neumann pénétra dans la cuisine, il aperçut le cadavre de la jeune femme. Elle gisait sur le carrelage, les yeux ouverts, dans une mare rougeâtre parsemée de débris de vaisselle. Un mince filet de sang commençait à sécher à la commissure de ses lèvres entrouvertes et le long de son cou.

A nouveau, le patron de l'Institut Bayer se retourna brusquement pour s'assurer que personne ne le prenait à revers. Le long couloir d'entrée sur lequel donnaient les cuisines était désert...

Il dépassa le cadavre et se prit soudain à espérer qu'il pouvait s'agir de rôdeurs, disparus après avoir commis leur forfait. Mais en observant le corps et ses blessures, cette hypothèse s'évanouit immédiatement. Un vagabond ne tire pas au fusil-mitrailleur. De plus, Neumann n'avait entendu aucune détonation. Les petits voyous qui cherchent à voler un ou deux chandeliers n'utilisent certainement pas de silencieux. Par ailleurs, les alarmes de la propriété nécessitaient un matériel extrêmement sophistiqué pour être désactivées...

Il ouvrit la porte de la remise avec violence, prêt à faire feu sur tout ce qui bougeait. Si un survivant s'y était terré, pensa-t-il alors, il l'aurait certainement abattu par mégarde.

Mais en lieu et place, il trouva Karl et Klaus. Son secrétaire avait toute la partie gauche du visage arrachée : visiblement, il avait reçu une balle à l'arrière du crâne ou dans la tempe droite. L'impact d'entrée était invisible, noyé sous une couche de sang déjà coagulé qui maculait sa chevelure noire. Il gisait sur le sol dans une position totalement insolite, replié sur lui-même comme un pantin emballé dans un colis trop étroit, et que l'on aurait été obligé de désarticuler...

Neumann observa son secrétaire et ami pendant moins d'une seconde, alors que de grosses gouttes de sueur perlaient maintenant de son front. Dans la pénombre de la remise, la semi-obscurité conférait aux cadavres des allures encore plus inquiétantes. Les yeux entrouverts de Karl semblaient fixer les ténèbres. Parfois, ils semblaient fixer Joachim Neumann...

Klaus, le majordome, avait été transporté jusqu'au fond du réduit. On l'avait certainement abattu à l'entrée de la maison, car une longue traînée de sang indiquait le trajet du corps jusqu'à sa destination finale. Il avait été criblé de balles, tout comme la jeune femme laissée dans la cuisine. Les assassins avaient voulu couvrir leur arrivée, mais l'irruption de Neumann au rez-de-chaussée avait dû perturber leur entreprise macabre. Maintenant, ces hommes devaient se tenir tout près. Dans les pièces adjacentes ou dans les étages...

Joachim Neumann fixait les cadavres depuis une quinzaine de secondes, sans observer les cuisines. Il ne vit pas l'homme qui se tenait à l'entrée du couloir, et qui épaulait un pistolet de conception étrange. L'individu tira et atteignit Neumann à l'épaule gauche. Le petit harpon se ficha dans ses muscles deltoïdes et libéra une décharge de plusieurs milliers de volts qui l'assomma en une fraction de seconde. Le bras droit de Ludwig Bayer s'effondra lourdement sur le sol, alors que quatre hommes s'approchaient déjà pour le droguer et l'évacuer...

Joachim se réveilla pour la première fois dans une berline aux vitres fumées qui fonçait à toute allure sur l'autobahn n° 3, en direction de Stuttgart. Il fut neutralisé à nouveau, à l'aide d'une décharge électrique, avant que ses mystérieux agresseurs ne lui injectent une autre dose de somnifère...

Il émergea brièvement de cette léthargie quelques

heures plus tard, ranimé par le vent glacial qui balayait la base de l'OTAN où ses ravisseurs l'avaient conduit. Neumann sombra de nouveau dans un sommeil profond, alors que les hommes de Majestic l'embarquaient à l'intérieur d'un jet de l'US Air Force, sous couverture d'un transfert diplomatique. Le biréacteur décolla quelques minutes plus tard et quitta l'espace aérien de l'Allemagne après seulement 30 minutes de vol. Dès cet instant, Joachim Neumann était perdu...

Il reprit graduellement connaissance le lendemain, après un voyage de douze heures trente qui l'avait amené de sa villa jusqu'aux sous-sols du quartier général de Majestic, au cœur de l'Arizona. Joachim Neumann avait cessé d'être le pape de l'écologie mondiale, prisé par les dîners mondains, et admiré par toute une génération de jeunes Allemands. Depuis la décharge électrique reçue dans la remise de son domicile, il était devenu un « client à traiter », dans le jargon de ses geôliers. Et maintenant, comme tous les « clients » passés dans cette pièce avant lui, il devait parler pour espérer mourir...

Il ouvrit les yeux dans un gémissement inconscient, pour découvrir une pièce exiguë aux murs et au sol carrelés de blanc. La lumière trop vive des néons l'obligea à plisser fortement les paupières pendant plusieurs secondes, alors que la douleur de son épaule ankylosée par l'électricité se ravivait progressivement. Il observa le mur qui lui faisait face, décoré d'un miroir qu'il devinait sans tain. Sur sa droite, une porte métallique blanche, sans poignée ni serrure apparentes, conférait au prisonnier l'atroce sensation de ne pas être simplement enfermé, mais plutôt emmuré vivant. Il s'endormit à nouveau, victime des résidus de somnifères encore présents dans son organisme...

— M. Axley m'a ordonné de me placer à votre entière disposition, et de vous assister dans l'interrogatoire de M. Neumann. Qu'est-ce que vous voulez savoir exactement, mon colonel ?

L'homme qui se tenait face à Nancy Predgard, derrière le miroir, attendait les instructions de son supérieur avec un sang-froid absolu. Agé d'une petite trentaine d'années, son nom n'avait aucune importance et Nancy ne le connaissait même pas. Ce jeune homme aux cheveux rasés, absolument fixe devant la jeune femme qui s'apprêtait à lui confier son ordre de mission, représentait un produit parfait du groupe Majestic. Et cette perfection donnait froid dans le dos...

— J'ai bien étudié le profil de cet homme, mon colonel, déclara-t-il d'une voix parfaitement calme, comme un chirurgien qui observe des clichés radiographiques avant une opération.

— Et qu'est-ce que vous en avez déduit ?

— Sa personnalité semble... extrêmement solide. Je pense qu'il y a un risque de le perdre avant de l'avoir fait parler en utilisant des méthodes trop...

Il leva les yeux, comme pour observer le plafond de la pièce, au loin, puis fixa de nouveau son regard sur Nancy. Ses jambes, son buste et ses bras demeuraient toujours parfaitement figés, « comme s'il vivait au garde-à-vous ! » pensa la jeune femme.

— ... trop violentes physiquement, conclut-il.

— Dans ce cas, à quelles méthodes comptez-vous avoir recours ? demanda-t-elle.

— Je propose une privation de sommeil ou un vide sensoriel.

A nouveau, il paraissait semblable à un jeune interne, prescrivant un traitement médical à son patient.

Le colonel Predgard déglutit avec difficulté, sachant ce que le vide sensoriel impliquait. Elle détestait les interrogatoires, et celui qui débutait maintenant – sous sa responsabilité – s'annonçait particulièrement scabreux. Mais elle devait le mener à son terme. Et surtout, il y avait autre chose...

Cette mission devait aboutir à un succès total, coûte que coûte. Elle se souvenait des mots que le responsable de Majestic avait prononcés pendant la réunion : « La survie de notre espèce... »

Tout en sachant ce qu'une telle décision impliquait, le colonel Predgard acquiesça de la tête en déclarant :

— OK, pour le vide sensoriel. Préparez-le et commencez tout de suite.

Elle s'éloigna alors qu'il lui adressait un salut militaire impeccable. Il demeura ainsi jusqu'à ce que la porte se soit refermée derrière Nancy.

17

LE CENTRE

Secteur Lisa 8, profondeur : 9 200 mètres.
23 h 45 GMT

— Je suis ravi de vous accueillir dans ce centre. Considérez-le comme votre nouvelle demeure, déclara Bayer alors que les nouveaux arrivants sortaient de la douche de décontamination.

D'un geste ample, il désignait l'immense couloir où les sas d'accès aux submersibles s'alignaient à perte de vue.

— La salle d'embarquement... Nous disposons de deux cent cinquante-huit engins. Transport, excavation, gros œuvre, forage et surveillance géophysique. Sans oublier les sentinelles qui assurent la tranquillité de nos travaux. Vous allez découvrir, dans ce nouveau monde, une technologie plus performante que vous n'avez jamais osé l'imaginer. Nous nous sommes immergés, il y a quinze ans, dans un univers à la fois fascinant et hostile. Dans cet univers où la pression écrase tout ce que nous connaissons, nous avons dû nous adapter rapidement afin de survivre. Il s'est ensuivi des découvertes étonnantes, dans tous les domaines de la science.

Ainsi, le complexe avait vu le jour quinze ans plus tôt. Largement assez pour être à l'origine des dérèglements climatiques actuels, pensa Colton, qui ne pouvait s'empêcher d'être admiratif devant le travail de Bayer. L'endroit était plus que futuriste : il était parfait. Tout semblait pensé au millimètre près, afin d'obtenir une fonctionnalité optimale sans jamais sacrifier l'harmonie des lignes. Les structures en alliage argenté qui sous-tendaient la « charpente » métallique de l'enceinte étaient d'une beauté envoûtante, comme si le complexe venait d'être taillé au sein d'un gigantesque diamant.

Les sas informatisés disposaient chacun d'une petite console de contrôle externe commandant la pression et les systèmes de décontamination.

— ... Mais les avancées technologiques que vous allez découvrir ici ne doivent pas faire oublier l'essentiel. Toutes ces découvertes ne sont qu'accessoires. Ce qui vous importe à tous, je le sais bien, c'est la concrétisation du projet ultime pour lequel vous venez de quitter le monde des hommes. Et ce projet, mes amis, nous en approchons à grands pas. L'humanité a transformé la Terre en un gigantesque dépotoir qui se remplit chaque jour un peu plus, au détriment de l'équilibre biologique planétaire. Aussi aberrant que cela puisse paraître, personne ne semble réaliser que la saturation de ce monde est proche. Nous rejetons nos déchets nucléaires et nos combustibles dans l'atmosphère et dans l'eau. Nous appauvrissons la biomasse de nos océans pour nourrir une population qui s'accroît sans cesse...

L'homme s'exprimait sur un ton calme et posé. Mais dans le timbre de sa voix, on pouvait deviner une détermination absolue, sans faille...

— Dans ce centre secret, perdu au fond d'un océan qui compte parmi les plus hostiles du monde, nous avons décidé de changer cet état de fait. La clé de tous les maux qui érodent graduellement les richesses de notre Terre tient en un mot : la surpopulation...

Après le magnifique voyage qui l'avait conduit ici, Colton reprenait lentement contact avec la réalité : ce qu'il pressentait, la suite du discours de Bayer, le terrifiait d'avance...

— ... Pour que l'humanité profite pleinement de l'univers qui l'entoure, elle doit cesser de considérer la science comme un outil de pouvoir lui permettant les pires arrogances à l'égard de la nature. Elle doit rester humble, sans jamais se départir du rôle qui lui a été attribué au sein de son écosystème. Mais aujourd'hui, elle s'octroie une place qui ne lui revient pas : elle prétend dicter quelles espèces, et selon quelle répartition géographique, doivent subsister sur la planète. Elle prétend également définir des normes de progrès qui après avoir profité à quelques générations, annihileront toute existence biologique sur cette planète. Je parle des centrales nucléaires dites « civiles », et de leurs déchets que l'on enterre, en sachant pertinemment qu'ils pollueront nos nappes phréatiques dans quelques milliers d'années...

Bayer demeurait d'une fixité étonnante. Immobile depuis leur arrivée dans ce couloir, il assenait son discours d'une voix monocorde et lente. Personne, dans l'assemblée, n'avait encore posé la moindre question. Ce discours de bienvenue prenait rapidement des allures de briefing militaire...

— Alors, comme vous le savez déjà, nous préparons ici le bouleversement qui remettra l'humanité à sa véritable place. L'ère glaciaire a vu la fin des dinosaures. Celle qui se prépare ne verra certainement pas la fin de notre espèce, mais une baisse démographique suffisamment importante pour que les différentes formes de vie de cette planète puissent vivre en bonne intelligence...

Un silence épais régnait toujours dans l'assemblée. Colton ne parvenait pas à savoir si les visages de ses compagnons reflétaient de la peur ou de la fascination. Derrière Bayer, deux hommes vêtus d'uniformes bleu marine venaient de pénétrer dans la salle d'embarquement.

— Mais ce que vous ignorez, c'est comment nous allons parvenir à cet objectif..., poursuivit le vieil homme.

— Monsieur...

Torman s'approcha de son chef pour lui murmurer quelques mots à l'oreille, avant de faire demi-tour sans ajouter quoi que ce soit. Bayer demeura pensif un bref instant, puis observa le petit groupe des nouveaux arrivants.

— Mesdames et messieurs, je dois vous abandonner, mais j'aurai le plaisir de revoir chacun d'entre vous très prochainement. Mme Baker ici présente vous servira de guide. N'hésitez pas à lui poser toutes les questions qu'il vous plaira, conclut-il en désignant une jeune femme d'environ trente ans qui se tenait à ses côtés...

Laura Baker était une jolie brune de taille moyenne. Ses cheveux sagement coupés au carré lui conféraient un air strict, qu'une lueur malicieuse au fond de ses yeux semblait pourtant démentir.

— Je m'appelle Laura. Suivez-moi afin que je vous indique vos chambres...

— Dites... Tous vos sous-marins vont à cette vitesse ? demanda l'un des hommes qui venait de faire le voyage en compagnie de Seth.

— Vous êtes ? demanda-t-elle avec une pointe de malice.

— Oh pardon... Je m'appelle Kevin Mac Gregor. Hydrobiologiste à Princeton. Je travaille sur les chimiosynthèses opérées par les hyperthermophiles...

Ces minuscules formes de vie, les hyperthermophiles, constituaient une énigme pour la science : elles vivaient dans les sources d'eau chaude, par 300 °C, à plus de 4 000 mètres de profondeur. Mais surtout, la découverte de ces organismes présageait un formidable espoir pour la science de demain. Ils synthétisaient une enzyme capable de détruire les rejets de soufre à haute température. Les recherches menées sur le sujet étaient aujourd'hui en pleine expansion, et elles permettaient la mise au point de filtres révolutionnaires destinés, entre autres, aux cheminées d'usine. Un marché encore embryonnaire qui représentait déjà plus de 1 milliard de dollars, et que toutes les firmes de biotechnologie tentaient de s'arracher.

— Oui... Nos sous-marins sont très rapides car ils utilisent un système de propulsion basé sur l'eau. Je ne saurais vous l'expliquer en détail, mais les pilotes que vous rencontrerez s'en chargeront à merveille...

— Ces engins filent à 500 km/h ! répéta Mac Gregor à l'intention de ses compagnons, comme si ces derniers n'avaient pas fait partie du voyage.

— Oui, ajouta la jeune femme. Ce que je peux vous dire, c'est que nos modules d'interception, les A-2, dépassent le mur du son...

L'hydrobiologiste ne trouvait rien à répondre.

— Ce sont des sous-marins... militaires ? demanda Seth qui se trouvait près d'eux.

— Et vous êtes ? répéta-t-elle comme elle l'avait fait pour Mac Gregor...

— Dean Roberts. Hydrogéologue...

— Ne le prenez pas mal, mais ainsi nous nous connaîtrons plus vite, n'est-ce pas ?

Il acquiesça de la tête en pensant que la jeune femme éludait la question. En fait, elle enchaîna immédiatement :

— Oui. Ils sont chargés de la protection du centre, mais très franchement ils ne servent pas à grand-chose, si ce n'est à tester de nouvelles propulsions ou la résistance des alliages à haute vitesse. Les hommes que l'on place aux commandes de ces engins sont tous d'anciens pilotes de chasse. Malheureusement, commander un module A-2 à 1 500 km/h sous l'eau s'avère infiniment plus complexe que dans le cas d'un avion de combat. Nous disposons d'une quinzaine de chasseurs. Mais depuis la mise en service de cette dernière version, six pilotes sont morts durant des vols supersoniques...

— Comment est-ce arrivé ?

Elle grimaça un court instant, avant de répondre :

— ... Si la surface connaissait les alliages que nous utilisons, alors les avions de chasse voleraient à Mach 8. Vous savez que les métaux utilisés par l'Air Force fondent à Mach 2.8, n'est-ce pas ?

A nouveau, Colton hocha la tête en observant les pièces qu'ils traversaient. Partout, cette même perfection architecturale...

— Eh bien, nos alliages résistent à Mach 2 sous l'eau, ce qui équivaut, en terme de frottement, à Mach 8 dans l'atmosphère...

— Et contre qui se battent-ils ?

— Contre personne. Personne n'est jamais parvenu aux profondeurs où nous nous trouvons actuellement. Mais dans le cas où une telle chose surviendrait, il faudrait bien entendu...

— Et quelles armes utilisez-vous ? demanda Mac Gregor qui paraissait excité comme un gosse.

— Les A-2 sont équipés de torpilles infiniment plus rapides que celles des énormes sous-marins nucléaires. Nos torpilles se déplacent à plus de 800 km/h, et elles ne ratent jamais leur cible. Elles peuvent être placées sur mode manuel – elles fonceront en droite ligne sur le point que vous visez –, en mode thermoguidé – sur la chaleur du moteur adverse –, en mode sonoguidé – les ondes basse fréquence émises par le sous-marin... Mais est-ce que vous n'êtes intéressé que par nos armes, monsieur Mac Gregor ?

Le savant, un petit homme rondouillard aux cheveux roux frisés, parut légèrement embarrassé. Laura posa sa main sur l'épaule du nouveau venu en lui adressant un clin d'œil indulgent :

— Ne vous en faites pas : tout le monde réagit ainsi, les premiers temps...

— Quelles sont les dimensions de ce complexe ? demanda la jeune femme qui s'était plainte de la décontamination.

Cette jolie Eurasienne d'environ vingt-cinq ans expliqua, comme Colton et Mac Gregor avant elle, ses attributions professionnelles. Elle se prénommait Sarah Lee et travaillait pour l'Institut océanographique de Monterrey, en Californie, également comme hydrobiologiste. Immédiatement, Laura lui fournit la réponse qu'elle attendait :

— Ce complexe s'étend sur 125 hectares, sans compter les hangars sous-marins, situés en pleine eau. Il comporte cinq niveaux de superficies égales. Le 5e étage comprend les appartements de M. Bayer, la direction opérationnelle, le service de sécurité et le contrôle du serveur informatique qui dirige ce complexe. Le 4e regroupe tous nos appartements, ainsi que les différents mess et le bar. Au 3e étage, vous trouverez le centre de commande opérationnel, sous contrôle de la direction opérationnelle, au 5e.

— A quoi sert ce... centre opérationnel ? demanda la jeune Californienne.

— Il est chargé de superviser les opérations extérieures et regroupe différents services : sauvetage, mécanique, électricité, artificiers, géologie et hydrophysique. Chacun de ces services délègue plusieurs représentants dans la salle de commande, et tous sont chargés de fournir une assistance permanente aux équipes travaillant sur le rift, à 350 kilomètres d'ici...

— Pourquoi sommes-nous si loin du lieu des travaux ?

— Vous n'avez pas envie de vivre près du rift, croyez-moi... Il ne se passe jamais plus de six heures sans qu'un tremblement de terre et une éruption de lave survienne aux alentours...

Sarah Lee demeura silencieuse, alors que Laura Baker reprenait son explication.

— Au 3e, vous trouverez également les bureaux de plusieurs chefs de projets. Ces hommes et ces femmes peuvent ainsi demeurer en liaison directe avec le centre. Nous y avons aussi placé nos centres de recherche théorique en physique : dynamique des fluides et physique mécanique... Le 2e étage est occupé par les systèmes de conversion électrique, et surtout par les énormes compresseurs qui fournissent l'oxygène que nous respirons. Le niveau 1 comporte les ateliers de réparation, pour les sous-marins et pour les pièces endommagées de la base, ainsi que la salle d'embarquement et le contrôle du recyclage de nos déchets.

— Y a-t-il une cave ? plaisanta Mac Gregor...

— Ne riez pas ! Les produits marins que vous consommerez ici sont des substrats. C'est-à-dire des apports caloriques enrichis, obtenus à partir de masses planctoniques développées dans un environnement basse pression qu'on ne trouve que dans les eaux de surface. En dépressurisant l'atmosphère marine, nous parvenons à cultiver assez de plancton et d'algues pour nourrir la base : au fond, l'eau de mer est incroyablement riche : toutes les matières organiques mortes plongent vers les abysses, ne l'oubliez pas...

— Et c'est bon ?

— Franchement, non ! fit-elle en riant. Mais on s'habitue. La gastronomie n'est malheureusement pas le point fort de la maison, j'en ai peur, plaisanta la jeune femme en précédant le petit groupe dans un nouveau couloir.

— Tout est concentré dans ce bâtiment ?

— Il existe également trois laboratoires, disséminés à quelques kilomètres d'ici, dans trois bâtiments distincts.

— De quelle superficie ? demanda Seth, alors que le groupe pénétrait dans un gigantesque ascenseur aux parois argentées, comme l'ensemble des matériaux qui composaient le centre.

— Une vingtaine d'hectares, au total...

— Et pourquoi sont-ils excentrés ?

— On y introduit des particules « chaudes ». Dans le langage des biologistes, il s'agit de bactéries et de microbes qui accompagnent la roche ou l'eau de mer qui pénètre dans ces laboratoires. Il s'agit d'un monde où rien n'est fait pour nous : ne l'oubliez jamais... Comme vous l'a expliqué M. Bayer, il existe des milliards d'agents pathogènes inconnus autour de cette base...

— Sur quoi travaillent ces laboratoires ? demanda la jeune Eurasienne d'une voix timide.

— Géologie, biologie marine, et biochimie. Les unités d'hydrophysique sont basées à l'intérieur du complexe : leur travail est uniquement théorique...

— Biochimie ? répéta Colton.

— Oui. Nous sommes parvenus à développer de nouveaux procédés pharmacologiques. Par exemple, vous connaissez certainement la squalamine, ce produit testé au Texas pour les traitements du cancer ?

— Pas moi..., répondit Mac Gregor.

En effet, ce genre de découverte dépassait largement son domaine d'activités.

— Les cellules cancéreuses, pour survivre, envoient des messages hormonaux à nos vaisseaux sanguins pour qu'ils tissent de nouvelles ramifications jusqu'à elles. Vous savez certainement que les tumeurs sont de grosses consommatrices d'oxygène : elles ont besoin d'une circulation sanguine abondante pour survivre... La squalamine est une hormone sécrétée par le foie du requin, qui inhibe la réaction des vaisseaux sanguins autour de la tumeur. Ainsi, au bout de quelque temps, elle meurt de faim. Un hôpital de San Antonio pratique déjà des tests sur une trentaine de malades. Mais son efficacité est optimale seulement quand on la conjugue à plusieurs autres chimiothérapies lourdes...

— Et alors ?

— Nous avons trouvé un équivalent de la squalamine au sein de plusieurs types d'éponge évoluant à partir de 7 000 mètres de profondeur...

— Un peu comme la trichochlamine ? demanda Seth à la jeune femme, qui parut surprise par un géologue possédant de telles connaissances médicales.

La trichochlamine est un produit développé à partir de plusieurs éponges, qui détruit l'ensemble des cellules cancéreuses au-delà d'un certain dosage. Mais ses effets secondaires dévastateurs la rendent inutilisable en pratique...

— Un peu comme ce produit, oui... A la différence qu'il ne présente pas les mêmes risques pour la santé humaine. Il agit selon les mêmes principes, mais certaines éponges des grandes profondeurs autorégulent les effets des hormones qu'elles produisent, en inhibant volontairement certaines de leurs protéines...

Elle jeta un rapide coup d'œil à son auditoire médusé, avant d'enchaîner en riant :

— Beaucoup d'autres choses vont vous étonner : nous avons perfectionné le T-22, le sérum extrait du sang de la limule, et qui jusqu'à présent constitue le seul produit capable de protéger la membrane des cellules Cd 8 investies par le virus HIV.

— Mais ça n'est pas votre découverte : plusieurs laboratoires travaillent déjà sur ce projet, répliqua Colton en scrutant les réactions de la jeune femme.

— Je le sais. Mais le T-22 possède des effets secondaires indésirables que ces laboratoires tentent de contrôler. Or, la limule appartient à une famille de véritables fossiles vivants taillés pour les ultrapressions. Dans notre univers, nous disposons d'un gigantesque vivier naturel d'espèces proches, mais sensiblement différentes. Nos biologistes ont mis au point un produit nommé le T-23 – pour la blague ! –, qui est merveilleusement mieux toléré par l'organisme humain.

— Il est parfaitement au point ?

— Presque. Le mélange sanguin comporte de l'azote dont les propriétés sont parfaitement stables à 800 atmosphères. Nous connaissons le problème inverse à celui des plongeurs : lorsque nous amenons ce T-23 à une pression normale, les propriétés de l'azote se modifient et bouleversent la structure sanguine : nous travaillons sur des animaux qui, à la différence des limules, ne quittent jamais les abysses...

Colton, subjugué par cette myriade de découvertes, aurait écouté la jeune femme parler pendant des heures. Mais Mac Gregor, lui aussi, se posait nombre de questions au sujet de cet incroyable complexe :

— D'où vient l'électricité que vous employez ici ? demanda Mac Govern.

Laura esquissa un léger sourire en se tournant vers lui.

— Tout marche sur piles...

Face à la mine déconfite de son interlocuteur, elle émit un petit rire bref que Colton jugea tout à fait charmant...

— Je plaisante ! Cette base marche au lithium, comme celui utilisé dans les piles longue durée que vous trouvez dans le commerce. Mais dans des quantités infiniment plus importantes, bien sûr...

— Mais d'où vient-il ?

— De nulle part. Il vient du monde qui nous entoure. Savez-vous que l'eau de mer représente une fantastique source de richesse et d'énergie ?

— Vous..., bredouilla Mac Gregor. Vous synthétisez le lithium à partir de l'eau de mer ? !

Le Britannique semblait si étonné que Colton songea à le soutenir quelques instants, de peur qu'il ne s'évanouisse. Laura s'en aperçut et lorsqu'elle croisa le regard de Seth, elle lui adressa un sourire énigmatique.

— Mais comment faites-vous ?

— Il n'y a rien d'extraordinaire à tout cela : en 1930, les alliés réclamaient à l'Allemagne des quantités d'or absolument astronomiques. Or ce pays ne les possédait plus. Le gouvernement avait alors décidé de dépêcher Fritz Faber, un des plus grands savants du siècle dernier, dans l'Atlantique Sud... Cet homme avait réussi, quelques années plus tôt, à isoler l'azote de l'atmosphère pour le convertir en explosif... Il devait cette fois synthétiser l'or à partir de l'eau de mer. Le professeur Faber a presque réussi. S'il avait simplement disposé un microscope à balayage électronique, il serait parvenu à faire de l'Allemagne un pays si riche que...

— Que je ne serais pas là ! déclara timidement un homme d'une quarantaine d'années. David Steinberg. Hydrophysicien au MIT...

De taille moyenne, les cheveux bruns en bataille, Steinberg était le prototype du savant égaré dans son monde de chiffres et de démonstrations. Il esquissa un sourire timide avant de déclarer :

— Faites comme si je n'étais pas là. Je vous en prie...

Laura lui sourit quelques instants puis enchaîna :

— Nous ne sommes pas des adorateurs d'Hitler. Très loin de nous cette idée. Je voulais simplement attirer votre attention sur le fait que l'extraction de métaux précieux à partir de l'eau de mer est un projet que les savants du siècle dernier ont failli réussir en 1930... D'ailleurs aujourd'hui, les Japonais parviennent à extraire du lithium de l'océan. Nous n'avons fait que développer leurs techniques...

— Comment procédez-vous ?

— Nous utilisons le manganèse des nodules océaniques. La pierre est percée de milliards de trous au laser, et ces derniers sont du diamètre exact des atomes de lithium. Par une réaction chimique, nous les attirons sur le manganèse, et ils se fixent dans les cavités prévues à cet effet...

— Ils font ça à Kyoto, déclara Steinberg. C'est fascinant. Est-ce que je pourrais... parler avec les chercheurs qui travaillent sur ce dossier ?

— Bien sûr, professeur. Dès ce soir, si vous le désirez...

— Et vous parvenez également à obtenir de l'or ? demanda Colton d'une voix innocente.

Il repensait aux sociétés de négoce en métaux précieux qui assuraient la trésorerie ANTA. Tout s'expliquait : le centre prospérait grâce à la vente des produits synthétisés à partir de l'eau de mer. Une manne de richesse inépuisable... Mais la jeune femme sembla marquer une courte hésitation, comme si la question dépassait le seuil de tolérance invisible fixé par les maîtres du complexe...

— Vous voulez faire un hold-up ? plaisanta-t-elle d'une voix sans chaleur.

Il lui sourit alors que le petit groupe arrivait au 4e étage, au niveau des appartements privés. Colton n'ajouta plus un mot, mais Laura l'avait déjà remarqué. Elle était là pour ça...

18

DISSENSIONS INTERNES

Secteur Lisa 8, profondeur : 9 200 mètres,
4e niveau du complexe. 2 h 34 GMT

Seth constatait avec soulagement qu'il n'était pas le seul être doué de raison dans cette base. Il se trouvait dans l'appartement qu'on venait de lui attribuer depuis une quinzaine de minutes. Après le dérapage de tout à l'heure, qui semblait avoir attiré l'attention de la trop charmante Laura sur sa personne, il avait parcouru brièvement le dossier de quinze pages déposé sur sa table de nuit. La couverture bleu nuit ne portait qu'une seule mention : DEAN ROBERTS, le nom d'emprunt qu'il avait utilisé pour accéder à la base.

Les informations contenues dans le fascicule étaient tout simplement atterrantes : elles détaillaient le « projet » de Ludwig Bayer. Criminel et insensé... Seth fut pris pendant quelques secondes d'un sentiment de panique, semblable à celui que ressentirait un homme enfermé dans un asile de fous dangereux. Cette peur était moins due aux projets de Bayer qu'au sentiment d'être entouré par trois cent cinquante hommes et femmes chez qui toute forme de lucidité semblait avoir disparu.

Bayer, fidèle à son laïus concernant les problèmes de surpopulation, voulait résoudre les maux de cette planète en créant le cataclysme qui bouleverserait les équilibres climatiques mondiaux. Comme il le reconnaissait dans son rapport – presque à regret... –, l'humanité survivrait à une glaciation brutale, ou au contraire à un réchauffement global de notre atmosphère... Mais les projections extrêmement sérieuses établies par des scientifiques et des spécialistes en géographie humaine acquis à sa cause stipulaient qu'une baisse de la température moyenne de 40 °C, accompagnée de divers phénomènes météorologiques extrêmes, entraînerait en une décennie la mort des quatre cinquièmes de l'humanité. « Principalement ceux dont les nations ne possèdent pas les structures technosociales appropriées... », expliquait le rapport sur un ton mesuré qui inspira à Colton un profond dégoût. En bref l'Afrique, l'Amérique latine et l'Asie seraient les premiers – voire les seuls – à être frappés de manière mortelle par la folie d'un tel projet.

Lorsque David Steinberg cogna timidement à sa porte, puis sollicita la permission d'entrer en se tortillant avec gaucherie, Seth comprit qu'il n'était pas seul. Steinberg, tout comme lui, était glacé d'effroi par ce qu'il venait de lire...

— On ne m'a jamais parlé de ça ! s'insurgeait-il à voix basse, assis sur le rebord du lit, en feuilletant l'exemplaire que l'on avait remis à Colton. C'est le même que le mien...

— Que vous avait-on dit avant de partir ?

— Qu'il s'agissait de mener des recherches à crédit illimité sur les domaines de géophysique auxquels je me consacre depuis des années. On m'a proposé de venir travailler dans un centre secret, créé depuis plusieurs décennies par un groupement d'écologistes bien décidés à faire triompher leurs thèses le moment venu !

— Quelles thèses ?

— Des changements radicaux sur les règles en matière de pollution et de consommation... Je crois profondément que nous devons modifier notre manière de vivre. La Terre ne tiendra plus longtemps avec les pratiques qu'on lui inflige, à tous les niveaux. Mais on ne réglera pas le problème en détruisant près de cinq milliards d'êtres humains... Jamais je n'aurais approuvé une chose pareille si on m'en avait parlé ! D'autant que tout cela est insensé. Jamais il ne parviendra à... Et puis, non ! Je vais aller leur dire moi-même ce que j'en pense ! Vous m'accompagnez ? demanda-t-il en se levant.

— Ne faites pas ça...

Seth le retint par le bras, mais David Steinberg se dégagea tout de même. Alors qu'il ouvrait la porte de la chambre, il déclara simplement :

— Ce sont des scientifiques. Outre le côté moral de la chose, il y a aussi des aberrations physiques et mathématiques dans leur projet. Ils m'écouteront !

Steinberg sortit sans ajouter un mot.

En effet, pensa Seth, les aberrations étaient nombreuses. Bayer voulait dévier les courants océaniques profonds qui circulaient dans les abysses. Pour y parvenir, depuis quinze ans, le milliardaire fou s'évertuait à créer de gigantesques canaux de dérivation, de manière à détourner le flux de ces courants et à les interrompre pendant plusieurs années. Il espérait, en altérant leur parcours naturel, bloquer la remontée des eaux qui avait lieu dans le Pacifique Nord. Pour cela, à 2 000 kilomètres de sa destination finale, Bayer avait stoppé ce courant pour le dévier vers la dorsale médio-océanique. L'eau se déversait maintenant dans le canyon situé tout au long de cette gigantesque chaîne, et quittait sa trajectoire initiale.

Vu le rythme extrêmement lent de ce courant, qui se déplaçait à moins de dix centimètres par seconde, celui-ci mettrait plusieurs décennies pour regagner le terrain perdu, interrompant pour une durée équivalente la régulation planétaire du climat : « Un véritable Armaggedon météorologique... », pensait Colton. Les perturbations qui commençaient à se faire sentir sur les climats découlaient directement de cette entreprise démentielle, qui menaçait non seulement la survie de l'humanité, mais également celle de toute la planète...

Car depuis ce succès remporté contre les éléments et contre la nature, plus d'une décennie auparavant, le contrôle du nouveau tracé de ce courant avait échappé à Bayer. S'il avait été facile de faire « plonger » cette rivière sous-marine dans le canyon de la dorsale, pour l'éloigner de son parcours naturel, il était maintenant beaucoup plus difficile de lui trouver une porte de sortie, de manière à ce qu'elle réintègre finalement sa route initiale...

Quinze ans auparavant, à l'aide d'un appareillage beaucoup plus rudimentaire qu'aujourd'hui, il avait bloqué le passage du courant océanique en provoquant de gigantesques éboulements sous-marins, près de l'Antarctique. A cet endroit, le courant traverse un défilé rocheux dans les contreforts de la dorsale médio-océane. A l'aide d'explosifs, il avait affaissé le ravin et bloqué le passage naturel du courant, qui avait été dirigé vers le rift médio-océanique... Le rift, comparable à un canal, acheminait maintenant l'eau de ce courant vital vers une destination inconnue. Les plans de Bayer stipulaient qu'après une déviation de quelques dizaine de kilomètres, le courant devait réintégrer son tracé originel. Tout ce que voulait l'Allemand, c'était provoquer une interruption de quelques dizaines d'années dans la remontée des eaux froides en plein Pacifique. Ainsi, les altérations climatiques détruiraient le « surplus » d'humanité (c'était le terme employé dans le rapport), avant de retourner rapidement à la normale. Mais durant ce bref laps de temps, l'Europe connaîtrait des températures moyennes avoisinant les – 40 °C, la forêt tropicale gèlerait, et les récoltes céréalières disparaîtraient totalement.

Il s'ensuivrait des famines atroces, irréversibles et, en effet, l'extinction d'une grande partie de l'humanité. Environ un siècle plus tard, les températures grimperaient à nouveau : il ne resterait que quelques centaines de millions d'individus. Un niveau de population que la biomasse terrestre pouvait aisément nourrir, sans être menacée par une prolifération humaine anarchique, comme elle l'était aujourd'hui.

Mais tous ces projets omettaient juste un détail : détruire est un rêve toujours facile à concrétiser. Construire, en revanche...

Bayer avait détruit le tracé originel du courant qui assurait la stabilité climatique de la Terre avec une facilité étonnante. Il lui avait suffi, pour y parvenir, de quelques tonnes d'explosifs et de robots télécommandés. Construire un passage pour ramener les choses en l'état représentait, en revanche, un défi titanesque... presque impossible.

L'écologiste fanatique pensait construire un canal d'écoulement au travers de la chaîne médio-océane, permettant au courant de réintégrer son trajet naturel à peine vingt kilomètres après l'avoir quitté. Cela représentait un « détour » qui rallongeait son périple d'une cinquantaine de kilomètres. Une distance dérisoire, et pourtant... Sachant que ce dernier progressait de dix centimètres linéaires par seconde, son flux s'en trouverait perturbé pour les quinze années suivantes.

Mais les choses tournaient mal. Bayer comptait faire sauter un pan de montagne pour ramener le courant hors du rift. Or, ses brillants calculs omettaient un point essentiel : la structure minérale de la montagne qu'il voulait abattre était tout à fait différente de ce que les artificiers de la base avaient connu jusqu'alors. Ces hommes travaillaient depuis des dizaines d'années dans les mines et les carrières du monde entier : ils maîtrisaient la dynamite mieux que personne... Mais la roche volcanique de cette région abyssale était si compacte qu'elle était virtuellement impossible à désintégrer en utilisant des charges classiques.

Il fallait donc forer les parois du rift, pour y enfoncer très profondément l'explosif... Mais tous leurs essais, depuis six ans, échouaient lamentablement. Leurs engins et leurs hommes disparaissaient dans les éruptions de lave sous-marine ou bien ils étaient ensevelis vivants par les tremblements de terre qui secouaient quotidiennement la zone. Parfois pire...

Les explosions que les artificiers provoquaient régulièrement libéraient d'importantes coulées de lave, qui se dégageaient à une vitesse stupéfiante. La lave rebouchait les tunnels et emprisonnait les équipages dans le magma, pour toujours... En pénétrant dans l'eau froide, ces coulées qui n'étaient pas des éruptions se figeaient instantanément, comme de la glu que l'on verserait dans un verre. Certains hommes pris dans ce cercueil de lave refroidie purent ensuite reprendre le contact radio avec la base, pendant près de vingt heures, jusqu'à leurs derniers râles d'asphyxie...

Malgré les centaines de tonnes d'exogène utilisé jusqu'alors, les versants sud de la dorsale médio-océanique demeuraient indestructibles...

Pendant ce temps, le courant du Groenland poursuivait sa progression vers le Nord, en s'éloignant chaque seconde un peu plus de son trajet initial. Et rien – apparemment pas même l'exogène – ne pouvait y changer quoi que ce soit...

Seth ne cherchait pas encore de solution. Il tentait plutôt de cerner la véritable nature du problème : l'homme à qui il faisait face ne voulait ni argent, ni pouvoir, ni reconnaissance. Il voulait détruire le monde des hommes en brandissant comme prétexte son amour de la planète. D'ailleurs, à bien y réfléchir, il ne s'agissait pas d'un prétexte, mais d'une conviction profonde qui, doublée d'un indéniable génie, lui avait permis de construire ce fascinant univers sous-marin.

Mais la mer et la nature avaient triomphé de ses prétentions absurdes au sujet des courants océaniques profonds : Bayer perdait la partie, et son inconséquence entraînait toute l'humanité avec elle...

Comment avait-il pu, d'ailleurs, espérer réussir une telle folie ? Malgré sa technologie surpuissante dans le domaine des ultrapressions, qui lui permettait de faire vivre trois cent cinquante personnes au sein d'un monde que même le bathyscaphe ne pouvait atteindre, Bayer occultait un grand nombre de variantes dans son projet final. Le compte rendu destiné à Colton expliquait avec force détails comment, une fois le deuxième canal d'écoulement terminé, la cinétique de la masse plus dense des eaux froides conduirait le courant au fond d'une vallée où ce dernier pourrait retrouver son trajet naturel.

Mais une projection de la cinétique d'un fluide sur douze kilomètres, à travers une surface non linéaire, sur un sol constamment perturbé par les éruptions et les secousses séismiques, était une donnée sans la moindre valeur scientifique : les anfractuosités du sol et les écoulements de lave constituaient des variables statistiques ingérables, capables de fausser les calculs les plus pointus...

En bref, Ludwig Bayer n'avait plus la moindre idée de ce qu'il faisait. En projetant le courant du Groenland à l'intérieur du rift de la dorsale médio-océanique, au sein d'un bunker de roche volcanique indestructible, il avait totalement perdu le contrôle de son projet. Et les calculs irréalistes visant à ramener le courant sur son trajet initial témoignaient de cette incapacité à ressusciter ce qu'il avait détruit.

Colton devait neutraliser Bayer. « Pour le reste, pensa-t-il, pour rétablir les flux océaniques perturbés par ce dément, que la Nature ou que Dieu nous viennent en aide... »

19

ÉVACUATION

Secteur Lisa 8, profondeur : 9 200 mètres.
8 h 00 GMT

Seth feuilleta son ordre de mission quotidien en avalant un café au mess des chercheurs. Comme toutes les autres pièces du centre, celle-ci était composée d'une structure métallique argentée et brillante qui conférait à la cantine l'allure d'un vaisseau spatial. Le sol, lui aussi, était d'une couleur identique, taillé dans le même matériau. Il savait maintenant pourquoi : fidèles aux lois de la physique la plus élémentaire, les concepteurs géniaux de ce complexe savaient que plusieurs modules rivés les uns aux autres résistaient de manière moins satisfaisante à la pression qu'un seul bloc, indivisible. Les soudures ou les jonctions créaient des « zones critiques » sur lesquelles se concentrait une poussée de plusieurs millions de tonnes par centimètre carré, pour une résistance plus faible. Chacun des cinq niveaux de la base avait été formé par de gigantesques plaques d'alliages superposées, afin d'obtenir une résistance maximale aux ultrapressions.

« *Prof. Dean Roberts :* Centre de recherche géologique. 8 h 30 GMT. Programme 8226-71. »

Seth fourra l'ordre de mission dans sa poche et monta dans les ascenseurs qui se trouvaient à la sortie du mess. Quelques instants plus tard, il pénétrait dans la salle d'embarquement...

Le complexe était abrité sous un surplomb montagneux, renforcé par des piliers en titane pour prévenir tout risque d'éboulement. Vu de la surface, le centre n'était décelable par aucun des outils de recherche habituels de l'armée. Même *Géogale...* Ce satellite à impulsion laser était utilisé pour définir les courbures de l'océan afin d'établir la topographie du fond. En effet, la surface de l'eau, que l'on croit plane, se bombe en présence de montagnes sous-marines et, inversement, se creuse au-dessus des fosses. Basé sur le principe de la gravité, *Géogale* fut le premier engin capable de dresser une cartographie océanique globale, sans la moindre erreur possible...

Mais cette merveille ne pouvait rien déceler du complexe de Bayer. Le milliardaire fou était semblable à une murène : terré dans une anfractuosité de roche, noyé sous une masse d'eau si colossalement lourde qu'elle écraserait n'importe quel submersible tentant de s'aventurer si bas...

Seth pénétra dans le sas 28 et referma la porte de titane derrière lui. Dès leur première journée dans le centre, on leur avait appris à se servir de plusieurs modules. Colton faisait partie de l'équipe scientifique et, par conséquent, il devait pouvoir accéder aux laboratoires librement. Comme ces derniers se trouvaient en « pleine eau », à plusieurs kilomètres de la base, l'aptitude au pilotage des modules de transport était une absolue nécessité. Curieusement, au sein des nouveaux arrivants, personne ne semblait ressentir la moindre peur. Lorsqu'il pensait aux autres résidents du complexe, une question le tourmentait. Le naïf David Steinberg était « remonté », leur avait-on annoncé. Laura Baker, tout sourires, était venue dès le premier soir – quelques heures après que le malheureux se fut entretenu avec Seth – pour leur annoncer que David était sujet à des crises de claustrophobie, qu'il avait préféré retourner en surface. Pour Colton le savant était mort, victime de sa franchise...

Il pénétra dans un module T-1, le plus petit des submersibles de transport, pouvant accueillir seulement deux personnes. Il activa le circuit électrique, vérifia la check-list de départ, sans laquelle il était impossible de se défaire du sas pressurisé, puis commanda la fermeture automatique de la porte. Devant lui, sur des panneaux LCD semblables à ceux de Nick Allisson, il apercevait le paysage lunaire des grands fonds. Le tableau de bord était réduit à sa plus simple expression : une manette semblable à celle des avions de ligne réglait la puissance, alors qu'une autre commandait la direction. Ces engins pouvaient, eux aussi, atteindre plus de 300 km/h. Mais pas avec un scientifique à bord. Pour prévenir tout accident, leur vitesse était limitée à 65 km/h. Utiliser le submersible à pleine vitesse demandait une reconfiguration des coordonnées par l'ordinateur central, un gigantesque serveur qui contrôlait l'ensemble des submersibles et des sas.

Le module se détacha sans un bruit et Colton

poussa la manette des gaz pour atteindre la vitesse maximale autorisée. Il « survola » le gigantesque plateau océanique qui formait une vallée aux dimensions étonnantes, pour se rapprocher des contreforts montagneux situés à plusieurs kilomètres. En observant sa montre, il décida de prendre quelques minutes supplémentaires pour quitter sa trajectoire. Il tira la commande de direction vers lui et l'engin, très maniable, prit immédiatement de l'altitude. La sensation était prodigieuse, semblable à celle d'un avion et pourtant plus douce, plus fluide...

Il s'approchait maintenant des montagnes. Devant lui se profilaient les masses sombres et inhospitalières de la chaîne Alpha 2, baptisée ainsi par les cartographes du complexe. Il naviguait à une centaine de mètres au-dessus des sommets, et il pouvait à présent apercevoir, comme à travers une véritable fenêtre, les pics et les parois abruptes, semblables en tout point à un paysage terrestre, mais totalement dénués de végétation...

Il piqua brutalement vers le fond pour apercevoir, au-delà des montagnes qui s'étendaient sur une largeur d'environ deux kilomètres, les eaux ténébreuses de la faille. Il se trouvait à 9 112 mètres, et l'à-pic vertigineux qu'il commençait à entrevoir plongeait sur près d'un kilomètre et demi. La fosse était semblable à un escalier, et le complexe se trouvait sur la dernière marche. En dessous, 1 500 mètres d'eau noire et glacée, presque totalement dépourvue de vie. La profondeur ne semblait effrayer personne mais la vision de ces abysses apparemment sans fond, qui s'ouvraient comme la gueule de l'enfer, provoquait chez Colton une certaine angoisse : un malaise diffus...

— Vous êtes sorti du périmètre de sécurité : reprenez immédiatement la direction des laboratoires ! commanda une voix dans la radio, alors qu'un engin aux formes effilées, à peine plus gros que le T-1, se plaçait sur sa trajectoire à quelques dizaines de mètres.

C'était un intercepteur, un A-2... Malgré les discours prétendument ouverts de la jeune Laura Baker, ni lui ni aucun des autres arrivants n'avaient pu voir un de ces véhicules jusqu'à présent. Quant aux pilotes, ils semblaient ne pas exister.

L'engin mesurait environ sept mètres. Sa forme était exactement celle d'une balle de revolver, bien que plus effilée... Seule entorse à la pureté de ses lignes : deux petites capsules, chacune de la taille d'un extincteur, étaient arrimées à l'arrière de l'engin. Il s'agissait probablement de la propulsion, pensa Colton. Ces réacteurs dégageaient un puissant courant que les capteurs de SONAVISION enregistraient dans leurs images. Dès que l'A-2 obliquait légèrement, les panneaux LCD affichaient une traînée grise qui témoignait d'une expulsion brutale d'eau de mer à travers les turbines.

— Obéissez ! Vous êtes hors de la zone autorisée, reprit la voix autoritaire du pilote, qui venait de l'obliger à s'arrêter pour éviter la collision.

Colton remit le casque radio qu'il avait enlevé quelques secondes après son départ de la base. Dans le microphone, il déclara :

— Désolé. Je voulais simplement faire un tour avant d'aller au...

— Eh bien, ne le faites plus ! La base est construite

sur un terrain stable, loin des volcans et des tremblements de terre. Tout autour, vous risquez d'être englouti par la lave ou par des projections de roche. Restez dans les zones autorisées.

Il fit demi-tour et observa l'A-2 qui évoluait maintenant près de lui, à sa droite. Seth quitta la zone montagneuse qui longeait la fosse. Lorsqu'il pénétra dans la vallée marine qui faisait face au complexe, l'engin accéléra pour disparaître en un instant de son écran, à une vitesse prodigieuse. Sans qu'il ait le temps d'apercevoir quoi que ce soit, son module T-1 fut secoué par des turbulences extrêmement violentes. Au-dessus de lui, comme deux balles traçantes tirées dans l'obscurité des profondeurs, un duo d'intercepteurs venait de le dépasser...

Seth tenta d'estimer leur vitesse : au moins 1 500 km/h, pensa-t-il sans parvenir à réaliser pleinement ce qu'il venait de voir. Dans cet espace tridimensionnel infiniment plus hostile que l'atmosphère terrestre ou le vide sidéral, Ludwig Bayer était parvenu à contrôler le déplacement supersonique. Colton fut parcouru d'un frisson d'effroi en pensant à la maîtrise totale dont ce dément disposerait sur la terre ferme. Comme l'avait dit Laura Baker : faire « voler » un sous-marin à Mach 2 équivalait à un déplacement Mach 8 dans l'atmosphère...

Si Ludwig Bayer le désirait, il pouvait créer une escadrille d'avions quatre fois plus rapides que les meilleurs chasseurs russes ou américains. Fort heureusement, une telle option ne semblait pas l'intéresser. Mais qu'en serait-il lorsque Colton et ses amis du Comité tenteraient de le détruire ou lorsque le milliardaire fou serait acculé dans ses derniers retranchements ? Ne tenterait-il pas de profiter de sa terrible technologie pour parvenir à ses fins ?

Il pénétra dans le laboratoire de géologie quelques instants plus tard. La manœuvre qui plaçait le submersible en position d'arrimage contre les parois de l'installation était contrôlée par informatique. Il suffisait au pilote de positionner l'appareil suivant un angle prédéfini, à 20 mètres de la paroi. Après, les logiciels de guidage amenaient eux-mêmes le sous-marin à l'entrée du sas. Celui-ci était ramené à la pression du complexe – 1 atmosphère, contre 9 200 à l'extérieur – avant que l'ouverture du module de transport ne devienne possible...

Seth demeura plusieurs secondes immobile, sous la douche de décontamination, en pensant aux intercepteurs qu'il venait de croiser. La rapidité de ces engins dépassait tout ce qu'il pouvait imaginer. Leur capacité d'accélération, quant à elle, était tout simplement phénoménale. Le module A-2 qui l'avait escorté durant son retour vers le laboratoire se déplaçait à la même vitesse que le petit transporteur T-1 de Seth, avant de disparaître de son champ de vision en quelques secondes : une accélération de 60 à 600 km/h. Une poussée que seuls les cosmonautes pouvaient expérimenter, dans les premières minutes qui suivaient le décollage des navettes. Colton comprenait maintenant pourquoi ces hommes étaient recrutés parmi les pilotes de chasse...

— Entrée accordée. Bienvenue, professeur Dean

Roberts, lui annonça une voix anonyme lorsqu'il inséra sa carte d'accès à la sortie du sas.

A la différence du complexe principal, la salle d'embarquement débouchait directement sur le centre névralgique de l'installation. A l'intérieur, une quinzaine d'hommes et de femmes s'activaient sur des programmes informatiques complexes, reliés en permanence aux capteurs sismiques du chantier, à trois cent cinquante kilomètres de là. L'équipe de géologues qui travaillait au centre de commande opérationnel tentait de prévoir les éruptions et les séismes dans les minutes ou les heures suivantes, de manière à épargner la vie des foreurs, et à éviter que des drames comme celui d'Allisson ne se répètent trop souvent. Les chercheurs de ce groupe, par contre, élaboraient des programmes de prévision qui visaient à découvrir les cycles sismiques et volcaniques du rift. Ils travaillaient sur le long terme, afin de mettre en place des modèles théoriques permettant de comprendre et de planifier les colères de la croûte océanique, bien avant que celles-ci ne se produisent.

Le bâtiment, de forme parfaitement carrée, taillé dans le même alliage que le complexe principal, comportait deux étages aux attributions bien distinctes. Dans la seconde section, celle à laquelle Colton avait été affecté, on travaillait sur les « passages » du courant : les chercheurs de ce département élaboraient le plan de bataille si cher à Ludwig Bayer. Ils tentaient de mettre en place le chenal d'écoulement par lequel le courant du Groenland devait retrouver son trajet initial...

— Salut, Roberts ! lâcha Bobby Henders.

Agé de trente-sept ans, Henders dirigeait ce département et jouissait, disait-on, d'une oreille extrêmement attentive auprès de Bayer. Ce Berlinois au physique fluet faisait l'unanimité contre lui. Arrogant et désagréable avec ses collaborateurs, il déployait pourtant des trésors de courtoisie auprès de ses supérieurs. Ce matin, il semblait euphorique...

— Venez, Roberts, commanda-t-il avec un clin d'œil.

Les deux hommes traversèrent une série de petits bureaux avant d'arriver dans une salle plus vaste où se concentraient les travaux de recherche. Sur un écran informatique, reconstitué par SONAVISION et reparamétré sur des logiciels d'analyse géologique, on pouvait apercevoir un paysage marin dont l'ordinateur spécifiait qu'il se trouvait à 7 132 mètres de fond.

— Voilà par où on va le faire passer...

C'étaient les abords du rift, à 50 kilomètres de l'endroit où se déroulaient les travaux actuels, qui piétinaient depuis plusieurs mois. Le détour causé par la folie de Bayer s'élevait maintenant à 300 kilomètres, contre les 50 prévus initialement.

— Ici, enchaîna Henders, la paroi de la dorsale est plus basse et plus fine. Et surtout, nos engins de reconnaissance ont détecté une grotte naturelle, qui semble traverser la montagne de part en part. Inespéré, non ?

— Que comptez-vous faire ?

L'Allemand fronça les yeux un bref instant, comme si la réponse était évidente.

— On va faire sauter le rift à cet endroit. Ici, ça devrait marcher...

Seth observa le paysage plus attentivement. En effet, l'endroit se prêtait parfaitement au projet de Henders. Après la montagne, si celle-ci pouvait être détruite et dégagée, une pente abrupte s'étendait sur plusieurs kilomètres jusqu'à un dénivellement soudain. L'eau du courant océanique s'y trouverait bloquée, et coulerait ensuite vers le nord, à l'aide d'une inclinaison favorable qui guiderait le flux marin jusqu'à son passage naturel. Jusqu'au chemin qu'il empruntait depuis plus de quatre milliards d'années, et qu'il n'aurait jamais dû quitter.

— Roberts ? demanda l'Allemand en se tournant vers Colton... Je veux un modèle d'écroulement pour la paroi du rift. Il faut qu'on pose les charges de manière à ce que les éboulements bloquent le canal après la brèche. Sinon, tout serait à recommencer. Vous pouvez contacter les artificiers et travailler sur un modèle cartographique pour demain ?

— Très bien. Quand commencerons-nous les travaux ?

— Dès que j'en aurai parlé à Ludwig. Je suis sûr qu'il va être enthousiasmé...

Henders pensait certainement que le fait d'appeler Bayer par son prénom lui conférait un prestige supplémentaire. Il observait maintenant Colton, à l'affût d'une marque quelconque d'admiration devant l'intimité qu'il semblait entretenir avec leur chef suprême. Finalement, il détourna les yeux en s'éloignant...

— Ne déconnez pas, Roberts : ce projet, c'est notre dernière chance...

20

VIDE SENSORIEL

Quartier général du groupe Majestic, Etats-Unis.
8 h 30

Alors que Seth remplissait son rôle d'hydrogéologue à la perfection, élaborant des modèles théoriques sur l'affaissement des parois du rift après l'explosion, un homme se trouvait – à 15 000 kilomètres de là – dans des abîmes encore plus insondables. Joachim Neumann goûtait aux délices du silence. Il ne souffrait pas. Il n'entendait rien. Il ne pouvait plus parler. Il ne pouvait plus bouger. Et bientôt, il ne pourrait plus penser.

Attaché sur une chaise métallique, semblable au condamné à mort qui attend la décharge fatale, Joachim Neumann plongeait dans les ténèbres insondables du vide sensoriel. Avant qu'il ne se réveille, les hommes de Majestic l'avaient « préparé ». Minutieusement...

A l'aide d'une rapide intervention chirurgicale, on lui avait cousu les paupières et bouché les tympans à l'aide d'un produit appelé Chevgat, une sorte de pâte blanche qui ressemblait à du mastic, utilisée dans la construction de prothèses auditives internes... Pas pour le faire souffrir : l'intervention avait eu lieu sous anesthésie générale, et l'Allemand n'avait rien senti. C'était d'ailleurs précisément le but...

Incapable de voir, d'entendre ou de parler, il était totalement immobilisé par le curare qui circulait continuellement dans ses veines. Il respirait sous assistance mécanique, car le poison paralysait les mouvements pulmonaires réflexes. Si la quantité augmentait d'un milligramme, il mourrait foudroyé en quelques instants. Mais le dosage était soigneusement contrôlé. Immobile, Joachim Neumann ne ressentait rien, plus rien. Et cette torture était bien pire que n'importe quelle douleur...

Il fallait maintenant attendre. Douze heures, peut-être vingt, peut-être même plus, avant que les barrières de sa raison ne cèdent totalement, avant que la confusion mentale qui s'emparait déjà de lui n'en fasse un véritable mort-vivant, prêt à livrer tous ses secrets. Neumann ne pouvait pas voir ce qu'il était devenu : vêtu d'un simple caleçon, il était attaché dans une position qui n'avait rien d'inconfortable. D'ailleurs, tout cela ne revêtait plus la moindre importance : le mélange anesthésiant qu'on venait de lui injecter engourdissait tout son corps. Si quelqu'un lui avait arraché le bras à l'aide d'une tronçonneuse, il n'aurait rien senti...

Chacun de ses yeux morts était recouvert d'une compresse blanche, imbibée de bétadine pour prévenir tous les risques d'infection éclair et ne pas le perdre avant qu'il ne livre les secrets recherchés. Ses oreilles, devenues sourdes, étaient bandées avec la même application. Neumann était intubé comme n'importe quel patient comateux arrivant aux urgences, près d'un énorme appareil d'assistance respiratoire qui insufflait de l'air à ses poumons. Mais à la différence d'un hôpital ou d'un service de réanimation, la seule issue possible dans son cas était la mort…

Nancy Predgard observait la scène avec dégoût. Elle aurait aimé pouvoir confier cette partie du dossier au jeune homme qui se tenait en face d'elle.

— Nous pensons pouvoir commencer demain matin, déclara le bourreau d'une voix toujours aussi calme et neutre. Nous lui ferons un électroencéphalogramme à 9 heures, mon colonel. Si les tracés sont conformes à ce que j'en attends, nous débuterons à 9 h 30…

— Et sinon ?

— Nous recommencerons à 12 heures, puis ainsi de suite, pour ne pas rater la phase grise…

— La quoi ?

— La « phase grise » constitue le moment durant lequel nous pourrons l'interroger. Quatre ondes électromagnétiques circulent dans le cerveau et commandent la pensée. Alpha, bêta, gamma, thêta… Chacune d'entre elles correspond à un degré de conscience et commence à une certaine période de la vie. Au stade de l'embryon pour les ondes alpha, quelques mois après la naissance pour les ondes bêta, ainsi de suite… Elles s'accumulent en produisant les systèmes de raisonnement, d'imagination et de rêve qui constituent les caractéristiques propres de l'être humain. Le vide sensoriel entraîne une régression rapide de ces ondes.

Le cerveau redevient de plus en plus primitif, et ces perturbations entraînent d'abord la folie, puis la mort. Nous devons accrocher le client au moment opportun.

— Comment cela ?

— Nous possédons tous trois cerveaux distincts. Celui que l'on appelle le cerveau du singe autorise des raisonnements complexes. Plus profondément enfoui, le cerveau du rat commande des réactions instinctives : la fuite, l'esquive devant un coup, la reproduction... Le troisième cerveau, nous l'appelons le cerveau reptilien : il commande les mouvements réflexes basiques comme la respiration.

— Alors Neumann a déjà perdu son cerveau reptilien ? demanda Nancy en désignant du doigt l'appareil d'assistance respiratoire, au travers de la glace sans tain...

— Non. C'est le curare que nous lui injectons qui provoque cette paralysie de certains organes internes. S'il avait déjà perdu son cerveau reptilien, il n'y aurait plus rien à en tirer...

— Alors qu'attendez-vous ?

— Pour l'instant, Neumann en est encore à se dire : « Il faut que je tienne, car mes révélations pourraient mettre en péril un groupe d'intérêts puissant, auquel je suis particulièrement attaché. » Peu importe qu'il soit convaincu ou corrompu par les hommes que nous cherchons à découvrir : pour dissimuler les informations que nous voulons, il a besoin d'un raisonnement élaboré par le cerveau du singe. Lorsque nous l'aurons suffisamment affaibli, le cerveau du rat prendra le relais. C'est la zone grise : il ne pourra plus penser de manière aussi complexe, et ses réactions seront dictées par des réflexes beaucoup plus primitifs. Il sera devenu totalement incapable de concevoir que des hommes à des milliers de kilomètres dépendent de ses réponses. Il réfléchira comme un rongeur : « J'ai peur, on me fait mal ou on me tue si je ne réponds pas, alors je livre tout... »

— Mais il sait que nous le tuerons de toute façon après ?

— Non. Il s'agit d'une projection dans un futur hypothétique. Le cerveau du rat est incapable de concevoir ce genre de raisonnement, déclara le jeune tortionnaire, qui conservait toujours cette apparence étrangement calme et neutre.

— Nous sommes donc en mesure de savoir exactement ce qu'il pense ?

— Tout à fait. Et surtout, nous savons ce qu'il est capable de penser avec un champ cérébral aussi restreint : aucun mensonge possible.

— Et après la zone grise ?

— Après, c'est le cerveau reptilien : les ondes alpha et bêta...

— On ne peut plus l'interroger ?

L'homme hocha négativement la tête.

— Impossible. Vous feriez tout aussi bien d'interroger le respirateur artificiel, parce qu'à ce moment-là, Neumann ne sera plus autre chose qu'une machine programmée pour soulever la poitrine et faire battre le cœur à intervalles réguliers...

Involontairement, Nancy Predgard fronça les sourcils en esquissant une imperceptible moue de dégoût. Sur la chaise qui se trouvait dans la petite pièce, face à elle, au travers du miroir sans tain, le cerveau de

Joachim Neumann se désagrégeait progressivement, comme neige au soleil. Dans quelques heures, cet homme subtil et brillant serait redevenu un lézard. Après la phase grise...

*

Quartier général du groupe Majestic, niveau – 6.
9 h 30

Les ondes de son encéphalogramme étaient parfaites. C'était le moment. Encore quelques heures, et personne ne pourrait plus rien tirer de l'Allemand. Le jeune officier pénétra dans la pièce en compagnie de deux infirmiers et d'un médecin. Le personnel médical défit rapidement les sutures de ses yeux et liquéfia la solution gélatineuse qui le rendait sourd, à l'aide de Coton-Tige imbibés d'alcool. Quelques instants plus tard, le programme de dosage IV qui faisait circuler le curare et l'anesthésique dans son organisme fut neutralisé. Le militaire amena un tabouret et se plaça à moins d'un mètre de son client. Toujours parfaitement calme...

Il s'écoula environ cinq minutes avant que l'homme ne reprenne pied dans le monde réel. Il ne s'agissait pas d'un réveil postopératoire, dans lequel le patient émergeait d'un sommeil profond, en plusieurs heures. Joachim Neumann était maintenu, depuis son arrivée, dans un état de conscience permanente : sans cela, le vide sensoriel ne produisait aucun effet. Lorsque le curare cessa d'affluer dans son organisme, il fut capable de bouger un doigt, puis une main... Les infirmiers débranchèrent l'assistance respiratoire et désintubèrent l'Allemand.

— Bonjour, Joachim Neumann... Je veux savoir qui est Blake Sodderington, demanda l'officier d'une voix calme et lente, en choisissant les mots et les tournures de phrases les plus simples possibles : il s'adressait maintenant à un homme qui possédait les capacités de raisonnement d'un rongeur...

— Il travaille pour Joachim Neumann, répondit le « client » d'une voix sans timbre.

Le jeune militaire lança un coup d'œil anxieux au médecin.

Les troubles de la personnalité posaient un problème sérieux dans ce type d'interrogatoire. Un vide sensoriel excluait toute possibilité de mensonge, mais un délire schizophrène pouvait parfois survenir et fausser les réponses. Le responsable du petit groupe médical qui assistait à l'opération s'approcha du client.

— Quel est votre nom ? demanda-t-il doucement.

— Joachim Neumann. Il s'appelle Joachim Neumann.

Dans son univers chaotique où la réalité devenait une sorte d'enfer silencieux, l'Allemand observait le monde qui l'entourait par points de vue intermittents. Parfois depuis son propre corps, parfois comme s'il s'agissait d'un cauchemar auquel il ne faisait qu'assister, en tant que spectateur. Les troubles schizophréniques ne pouvaient plus être contenus : ils s'amplifieraient jusqu'au stade terminal de l'interrogatoire, jusqu'à la sortie de la phase grise, là où Joachim

Neumann n'aurait même plus assez de cerveau pour être fou...

— Où habitez-vous ?

— Grunewald, j'habite à Grunewald...

Le médecin se pencha à l'oreille du militaire pour murmurer...

— Je pense que ça ira, mais faites vite...

Immédiatement, ce dernier reprit la liste de questions qu'il avait soigneusement préparées depuis la veille. Il connaissait la réponse à certaines d'entre elles, de manière à évaluer les perturbations mentales qui pouvaient survenir à tout moment et fausser les réponses...

— Pour qui travaillez-vous ? Pour qui travaille Joachim Neumann ?

— Pour Ludwig Bayer. Je travaille pour Ludwig Bayer...

Le client fixait le vide d'un œil totalement absent. Comme si, face à lui, en lieu et place de son tortionnaire et des murs blancs, il contemplait un monde qu'il était seul à entrevoir. Un monde qui n'avait rien de beau...

Le militaire ne connaissait rien du dossier. Il se bornait à exécuter l'aspect technique de l'interrogatoire. Le colonel Nancy Predgard, elle, savait que Ludwig Bayer était mort depuis quinze ans. Assise derrière le miroir sans tain, un micro devant la bouche, Nancy contacta le jeune homme par l'oreillette qui le reliait à la pièce voisine.

— Il ment. Ludwig Bayer est décédé, déclara-t-elle alors que son interlocuteur marquait une pause dans l'interrogatoire pour écouter le message.

Il reprit de la même voix calme et monocorde...

— Ludwig Bayer est vivant, aujourd'hui ?

— Oui...

Dans l'autre pièce, Nancy fronça les sourcils...

— Ce n'est pas possible, ajouta-t-elle dans le micro.

— Où est-il ? demanda le militaire, qui savait déjà que son client ne mentait pas.

— Au fond...

— Au fond de quoi ?

— Dans la faille 893. Dans la base...

Derrière le miroir, le colonel Predgard notait scrupuleusement les informations transmises par le mort-vivant. Elle connaissait la faille 893. Il s'agissait de la topographie militaire de l'US Navy. L'armée de terre donnait des numéros aux montagnes et aux collines. La marine, quant à elle, classifiait les failles, les plaines et les chaînes sous-marines à l'aide de ces mêmes numéros. Rien d'étonnant à ce que Neumann s'exprime à l'aide du codage américain : celui-ci était unanimement reconnu comme le plus fiable et le plus simple : tous les océanographes du monde l'utilisaient aujourd'hui...

— Demandez-lui ce qu'il fait au fond...

L'officier de la DIA s'exécuta immédiatement.

— Que fait Ludwig Bayer, dans la faille 893 ?

— Il travaille...

— Et quel est ce travail ?

— Il change les courants océaniques, déclara-t-il d'une voix d'outre-tombe.

Nancy demeura bouche bée. Elle arrêta de prendre des notes et lâcha même son stylo...

— Dema...

Tout s'enchaînait avec une rapidité fulgurante dans son esprit. Les questions se bousculaient, nombreuses et urgentes, face à l'ampleur de cette révélation. « Mon Dieu... ! » pensa-t-elle, terrifiée par la perspective que ces hommes puissent interférer sur des points aussi stratégiques et essentiels de l'équilibre terrestre.

Nancy repensa aux bouleversements climatiques. Elle repensa aux inondations, aux sécheresses, aux tornades. A toutes les anomalies météorologiques sérieuses qui se produisaient depuis quelque temps à travers la planète...

— Demandez-lui pourquoi il les change, ordonna-t-elle dans le micro.

— Pourquoi est-ce qu'il change les courants ? demanda l'homme de la DIA qui ne comprenait plus grand-chose aux questions qu'il posait...

— L'humanité est...

Neumann s'immobilisa pendant quelques instants, alors que le militaire répétait la question à plusieurs reprises : toujours aucune réponse. Il sortit une petite matraque électrique et la posa sur le genou de son client, avant de lui administrer une légère décharge. Le voltage minuscule la rendait presque indolore. Mais la contraction brutale du muscle plongea l'Allemand dans une panique instantanée. Il ne s'agissait plus d'un homme, capable de traiter l'information et d'en déduire qu'il s'agissait d'un minuscule courant électrique. Neumann était devenu un rat qui ressentait une sensation anormale : il avait peur...

— Répondez, Joachim Neumann, ou je recommence...

Celui-ci scrutait les alentours comme s'il cherchait

une issue, la bouche entrouverte, dégoulinante de salive. Ses yeux hagards se promenèrent pendant quelques instants sur la surface uniforme des murs, puis se figèrent sur la matraque que le jeune homme brandissait à nouveau...

— Répondez, Joachim Neumann : pourquoi change-t-il les courants ? Pourquoi est-ce que Ludwig Bayer fait ça ?

— Parce que la population doit être limitée : il faut faire disparaître le surplus...

Même le professionnel de la torture qui lui faisait face ébaucha un léger mouvement de recul. Dans la pièce voisine, le colonel Predgard composait déjà un numéro de téléphone : celui du responsable de la mission, l'homme de Majestic...

21

ALERTE !

Secteur Lisa 8, profondeur : 9 200 mètres, niveau 4 du complexe. 10 h 00 GMT

L'appartement de Laura Baker était légèrement plus spacieux que celui de Seth. Elle possédait une chambre, un salon et une salle à manger, pour une surface d'environ soixante-dix mètres carrés. Il avait reçu son invitation par le circuit informatique interne de la base quelques heures plus tôt, alors qu'il se trouvait encore au laboratoire de géologie marine.

— On dit que tu aurais parlé avec Steinberg, avant son départ ? demanda-t-elle en l'invitant à prendre place sur un des sièges du salon.

Une pointe de méfiance traversa l'esprit de Colton. Sans rien laisser paraître, il répondit :

— Oui. Il est venu me voir le premier jour : il trouvait que certaines choses clochaient dans les projections cinétiques du courant...

Elle lui adressa un regard curieux, puis fronça les sourcils à la manière d'une enfant.

— Et il ne t'a rien dit d'autre ?

— Non. Mais il avait l'air... bizarre.

— Comment cela bizarre ?

— Il était paniqué. Je ne sais pas... Peut-être la claustrophobie, déclara Colton qui savait pertinemment où la jeune femme voulait en venir.

Elle parut satisfaite par sa réponse.

— Et à toi, Laura, qu'est-ce qu'il t'a...

Le bip du pager de Colton retentit dans la pièce. Il se pencha pour l'attraper, sur la ceinture de son pantalon, et observa le message : il venait de recevoir un e-mail...

— Tu veux utiliser mon terminal ? demanda-t-elle en apercevant l'annonce du *pager*.

Seth hocha la tête pour signifier que oui, alors qu'il se levait paresseusement pour suivre la jeune femme. Malgré son apparence débonnaire, tous ses sens étaient maintenant en alerte maximale : il ne pouvait recevoir qu'un message sur cette adresse électronique. Le code d'alerte du Comité...

Il se connecta et entra son code personnel. La base possédait des accès au web, via le serveur central dont tous les employés pouvaient profiter. Bien sûr, toutes ces communications devaient être soigneusement filtrées par la sécurité. Lorsqu'il avait demandé des renseignements sur l'accès Internet, il avait eu droit à un briefing de dix minutes : aucun renseignement sur le lieu où il se trouvait, sur le type de travail qu'il exécutait...

Colton s'était contenté de jouer sur le site d'un casino virtuel, comme il en fleurissait maintenant sur tout le web. Mais en fait de paris sur les tables de black-jack, il fournissait la longitude et la latitude de la base au travers d'un code préétabli avec Sanesburry. Ce dernier pouvait maintenant localiser le complexe avec une exactitude parfaite.

Pourtant il ne comprenait pas comment le Comité, maintenant informé de l'emplacement et de la profondeur de cette base, pouvait lui envoyer un ordre d'évacuation. Une évacuation vers où ? Tout autour de Colton, les abysses s'étendaient sur des milliers de kilomètres. S'il remontait en surface, il se trouverait au cœur d'une mer déchaînée, loin des routes commerciales empruntées par la majorité des navires. A supposer qu'il parvienne à s'échapper, où devait-il se rendre ? Les plans d'évacuation avaient été conçus par Sanesburry dans le cas où, comme les hommes du Comité le présageaient, le repère des écoterroristes se trouverait sur la terre ferme. Mais que devait-il faire en présence d'un ordre qui le contraignait à se lancer seul en plein milieu du Pacifique ?

« Conrad doit certainement savoir ce qu'il fait... » pensa-t-il en cherchant déjà un moyen d'écourter sa visite chez Laura Baker. Il parcourut rapidement l'e-mail : « Nous vous informons que votre compte vient d'être crédité de la somme obtenue sur nos tables de black-jack lors de la partie 72 783 783. Merci de votre confiance... » FValentina@Cashsgamesandlots !.com

C'était le message d'alerte : Seth était repéré, ou sur le point de l'être. Il lui fallait quitter cet endroit, avant que le piège ne se referme sur lui...

— Il y a un problème ? demanda la jeune femme d'une voix apparemment détachée.

Colton se tourna vers elle.

— Non. Au contraire. Mais je vais devoir te laisser... Est-ce que tu veux que nous dînions ensemble ? demanda-t-il.

Elle hocha la tête et déclara :

— Tu en as pour longtemps ?

— Une demi-heure, maximum...

*

Seth quitta le 4e étage après avoir récupéré son ordinateur, en direction de la salle d'embarquement. Il devait retourner en surface. Si Sanesburry s'était montré imprudent, si rien ni personne ne l'attendait en haut, alors il y mourrait sous le feu des intercepteurs qui ne manqueraient pas de le poursuivre. A moins que...

En arrivant au niveau de la salle d'embarquement, il scruta longuement le couloir. Colton cherchait les A-2 : s'il parvenait à s'emparer de l'un d'entre eux, la tâche des engins qui se lanceraient derrière lui serait plus ardue. Il pourrait, lui aussi, « voler » en mode supersonique, se défendre et peut-être les semer...

Au cours d'une mission en Russie, deux ans plus tôt, il s'était fait engager comme pilote d'essai dans un centre de recherche aéronautique : Seth connaissait les avions de chasse et leur maniement, surtout les modèles russes comme le Mig-29 ou le bombardier Black Jack. Il espérait trouver des consoles de commande identiques, et des sensations similaires. Sinon, il était perdu...

Au fond du couloir long de plusieurs centaines de mètres, une porte blindée moins épaisse que celle des sas marquait l'entrée d'un périmètre protégé, auquel ni lui ni les autres scientifiques n'avaient accès. Vu de l'extérieur, lorsqu'il abordait la base dans les petits modules de transport qu'il utilisait, son système SONAVISION dévoilait la présence de plusieurs autres sas dans la partie interdite du couloir d'embarquement. Sur certains d'entre eux, des modules très différents des engins classiques étaient arrimés en attente : beaucoup plus longilignes, visiblement taillés pour la vitesse, il s'agissait d'intercepteurs « militaires » et d'autres submersibles dont Seth ignorait l'utilisation...

Installé dans l'angle de la pièce où se trouvaient les ascenseurs, à l'entrée du couloir, il décrocha l'un des combinés de connexion interne qui tapissaient les différents niveaux de la base. Ces téléphones muraux permettaient à tous ceux qui le désiraient d'obtenir un poste à l'intérieur du complexe. Colton brisa le boîtier d'un coup de poing et commença à en extraire les arêtes de plastique coupant. Ses phalanges saignaient abondamment, alors qu'il achevait de dégager les câbles et les circuits intégrés. Il ouvrit sa mallette et plaqua deux pinces minuscules sur les terminaisons électriques, de manière à créer la dérivation qui lui manquait...

Une fois l'installation reliée à son modem, il prit quelques secondes supplémentaires pour établir, sur son ordinateur portable, les paramètres de connexion du gestionnaire de communication. Une fois l'opération achevée, son modem pénétra le serveur via le circuit de liaison téléphonique interne. Lorsque le central informatique du complexe lui demanda une identification, il entra LauBaker. Colton avait vu la jeune femme utiliser ce pseudo pour vérifier son e-mail. Selon toute probabilité, elle utilisait également ce diminutif dans l'intranet du complexe...

Gagné.

Lorsqu'on lui demanda le mot de passe correspondant, il activa son logiciel de décryptage et perça le code extrêmement simple – trois chiffres seulement – en quelques dizaines de seconde...

Une fois au sein de l'intranet, il éplucha rapidement les différentes sections qui le composaient : pour la lettre S, Colton obtint : Sanitisation, Security, Staffing, Stability (Geological), Structure...

Il surligna ce dernier mot et appuya sur Enter, alors que l'ascenseur qui se trouvait près de lui commençait à clignoter en émettant un petit bruit discret. Quelqu'un venait d'embarquer au 5e, et descendait vers les étages inférieurs. Peut-être vers lui...

Sur son écran, les plans de la base apparaissaient maintenant en dessin tridimensionnel. A l'aide des outils proposés par le serveur, il zooma sur le niveau des couloirs d'embarquement, et cliqua précisément sur la porte de secteur où on entreposait les A-2. Son portable émit un léger bip, alors qu'une icône d'alerte bloquait le programme pour quelques instants :

« ACCÈS INTERDIT. MOT DE PASSE SVP »

Il utilisa de nouveau son logiciel, alors que l'ascenseur s'immobilisait au 3e. Seth observait les cadrans lumineux pour vérifier que personne ne descendait plus bas, tout en attendant que le système de décodage lui fournisse un accès automatique. Mais une clé à cinq chiffres possédait 99 999 possibilités, et plusieurs millions d'autres si le code utilisait des lettres : le logiciel pouvait mettre plusieurs minutes pour en venir à bout.

L'ascenseur émit le même petit bip que tout à l'heure : il descendait à nouveau. Vers le 2e étage. Puis vers le 1er. Il arrivait devant Colton, maintenant. Celui-ci posa le portable à terre, sans interrompre le logiciel dans son travail de décodage, et s'approcha de la porte. Qui que ce fût, il devait le neutraliser...

L'ascenseur s'ouvrit sur Bayer et Torman. En l'apercevant, le milliardaire que l'humanité croyait disparu esquissa un sourire, mais le responsable de la sécurité remarqua immédiatement son poing ensanglanté. Il s'approcha en fronçant les sourcils, devançant le vieil homme en lui signifiant de rester à l'intérieur. Torman était un ancien mercenaire : il ne s'embarrassa d'aucune explication et frappa Colton d'une manchette à la nuque avant de déclarer quoi que ce soit. Ce dernier chancela quelques instants, en reculant de plusieurs mètres pour parer la pluie de coups qui s'abattaient sur lui. L'homme projeta son pied en direction de la gorge de son adversaire, sans succès. Il l'agrippa ensuite à la nuque, afin de lui administrer un coup de genou en plein visage, mais Seth répliqua de manière fulgurante, en assenant son poing dans le plexus solaire de Torman qui s'écroula près du portable. Incapable de reprendre son souffle, il aperçut néanmoins l'installation qui reliait l'ordinateur au téléphone interne, et il tenta d'arracher les fils du modem. Mais son adversaire se jeta sur lui avant qu'il n'y parvienne.

Colton tentait d'attraper le menton de Torman pour

lui briser les vertèbres. Ce dernier roula sur lui-même et parvint à plaquer son adversaire au sol, avant de lui administrer une série de coups de poing d'une extrême violence. Seth demeura immobile pendant plusieurs secondes, attendant le moment opportun. La cadence de frappe de Torman diminuait, persuadé que l'autre avait son compte. Alors qu'il levait le bras plus lentement, prêt à cogner une nouvelle fois, Colton le frappa sur le bout du nez à l'aide de la paume de sa main : l'os nasal ne fut pas fracturé, mais il s'enfonça de plusieurs millimètres dans le lobe frontal du cerveau. Les yeux de Torman se révulsèrent immédiatement : il s'effondra lourdement sur le sol de la base, foudroyé. Sa tête heurta le plancher dans un bruit métallique, alors que les réflexes pulmonaires survivaient quelques instants à la mort cérébrale : il expira l'air de ses poumons dans un ronflement sonore et grotesque. Son pied droit semblait battre un rythme qu'il était seul à entendre. Quelques instants plus tard, les tremblements post mortem diminuèrent avant de cesser complètement. Colton, également allongé sur le sol, observait son portable en reprenant son souffle. Une icône venait d'apparaître :

« ACCÈS ACCORDÉ. AFFICHAGE CODE FERMETURE ? »

En quelques secondes, il modifia les paramètres du code et referma précipitamment son portable. L'ascenseur était maintenant au 5e étage. Bayer s'apprêtait certainement à déclencher l'alerte.

Colton s'empara de l'arme qui se trouvait à la ceinture du cadavre. Il vérifia le chargeur et s'aperçut qu'une balle était déjà engagée dans le canon. Il courut ensuite jusqu'à la porte blindée, puis composa le code et pénétra à l'intérieur. Le sas n'était pas différent de la zone « civile », sinon qu'il comportait des casiers sans porte, à l'intérieur desquels il pouvait apercevoir des combinaisons anti-G. Ces dernières paraissaient semblables à celles qu'utilisaient les pilotes de chasse à travers le monde, mais elles étaient fabriquées en matériau isothermique : en plus de leur effet palliatif sur la force gravitationnelle, elles servaient également de combinaison de survie...

Il enfila l'une d'entre elles en balayant la pièce du regard. Beaucoup plus petite que la salle d'embarquement qu'il connaissait, elle mesurait environ 300 mètres carrés, et possédait moins d'une dizaine de sas. Sur chacun d'entre eux, une lumière verte indiquait la présence d'un appareil prêt à embarquer. Au fond de la pièce, une autre porte sans codage permettait d'accéder à des parties inconnues de la base, « probablement réservées aux hommes de la sécurité et aux pilotes », pensa Colton qui commandait déjà l'ouverture d'un sas. Il se glissa à l'intérieur, verrouilla la porte derrière lui, puis pénétra dans l'un des intercepteurs. Il fronça les sourcils en observant le tableau de bord et la complexité de son appareillage.

Devant lui, sous les panneaux LCD – plus larges que dans les véhicules civils –, on trouvait une dizaine de cadrans lumineux, indiquant la profondeur (l'altitude !), l'inclinaison verticale, l'assiette, et d'autres informations que Colton ne comprenait pas. Il était bien loin du tableau de bord d'un Mig 29, même si le principe de déplacement était certainement semblable...

A l'intérieur du sas, il entendit une sirène d'alerte qui résonnait par intermittence, probablement à travers toute la base. Le serveur était certainement capable de bloquer les départs en commandant aux sas de demeurer ouverts. Si tel était le cas, dans quelques secondes, il lui serait définitivement impossible de s'enfuir...

Il repéra la manette des gaz, puis ferma le tube de sortie de la même manière que sur un submersible de transport classique. L'engin se libéra de ses attaches sans problème, et commença à dériver vers le fond. Colton n'avait pas eu le temps d'attacher sa ceinture : lorsqu'il commanda l'accélération, l'engin bondit dans une direction aléatoire, avant de s'écraser à une centaine de mètres, au fond. La vélocité des intercepteurs les rendait presque impossibles à piloter sans un entraînement complet.

Le choc fut d'une violence extrême et le visage de Colton s'écrasa sur les manettes du tableau de bord. L'angle métallique de la console lui déchira la joue, alors qu'il se relevait déjà pour évaluer les dommages : les panneaux LCD fonctionnaient, et l'ordinateur de bord n'envoyait aucun signal d'alerte.

« Je ne dois toucher qu'à ce que je connais ! », pensa-t-il à haute voix. Il ferma les yeux en crispant la mâchoire quelques secondes : s'il ne parvenait pas à se concentrer, l'engin dériverait jusqu'à ce qu'il tombe entre les griffes des autres pilotes. Dans quelques secondes, Bayer les enverrait certainement à la poursuite de l'espion. Et s'il continuait à naviguer ainsi, leur travail serait un jeu d'enfant...

Il identifia le manche de direction et remarqua, sur la manette des gaz, une série de trois boutons frappés de la légende « Speed Level ». Le deuxième était enclenché, ce qui devait logiquement produire des accélérations de forces intermédiaires. En sachant que l'engin pouvait atteindre plus de 2 000 km/h, une poussée intermédiaire était bien trop puissante pour le départ. Il enclencha le premier bouton et pria le ciel pour ne pas se tromper.

Convenablement harnaché, le visage en sang, il tira le gouvernail vers lui et poussa doucement les gaz. Il se déplaçait maintenant avec une vélocité semblable à celle du module de transport T-1 qu'il utilisait depuis plusieurs jours... Colton quitta le sol des abysses pour s'élever à 100, puis 200 mètres. En observant le fond qui s'éloignait, il éprouva une étrange sensation de vertige. Mais Seth n'eut pas le temps de s'appesantir sur ce qu'il ressentait. Un radar de proximité indiquait la présence de trois engins derrière lui.

Instinctivement, il enclencha le troisième niveau de vitesse alors que son engin n'évoluait qu'à 50 km/h. Lorsqu'il poussa la manette des gaz, un voyant rouge clignotant, accompagné d'une sonnerie stridente, l'avertit du danger.

« AFFICHAGE INCORRECT : PRESSION D'EAU/RATIO D'ACCÉLÉRATION › NIVEAU SÉCURITÉ. AUGMENTER LA VITESSE AVANT DE PASSER EN PROGRAMME SUPERSONIQUE. »

Il devait d'abord accélérer avant d'enclencher la vitesse maximale. L'ordinateur venait de l'avertir qu'en cas d'accélération trop brusque, l'alliage de la coque se briserait dans la pression environnante. Il engagea le niveau intermédiaire de vitesse et poussa la manette des gaz à fond.

Colton fut plaqué sur son siège avec une force qu'il n'aurait jamais crue possible. Il pensa un instant que la puissance des G allait lui provoquer une hémorragie interne ou une rupture d'anévrisme, mais l'accélération ne dura que quelques secondes. Sur un des compteurs qui affichait la vitesse linéaire, il s'aperçut que l'engin remontait vers la surface comme une flèche, à plus de 670 km/h. Il poussa la manette et perdit à nouveau le contrôle de sa respiration, alors que l'intercepteur atteignait maintenant la vitesse incroyable de 850 km/h. Tout autour de lui, le vide lui conférait une liberté de manœuvre absolument prodigieuse. Il obliqua légèrement sur la gauche, redressa l'appareil pour que celui-ci évolue en position horizontale, à une profondeur constante de 7 300 mètres. Une nouvelle sonnerie d'alarme retentit, et Seth balaya la console du regard, sans parvenir à identifier la provenance du bruit. Finalement, sur l'ordinateur de bord, il remarqua une nouvelle icône rouge et grise, qui clignotait à intervalles réguliers...

« AQUA-MACH : 2,9 SURCHAUFFE DES CIRCUITS. RÉDUIRE VITESSE OU ACTIVER NIVEAU 3. »

Le cerveau du submersible l'avertissait d'une surchauffe des moteurs. Il indiquait une vitesse presque trois fois supérieure à celle du son. Mais il s'agissait d'Aqua-Mach. Seth savait que la vitesse du son dans un environnement d'ultrapressions était considérablement réduite. Si les particules sonores se déplaçaient à 1 105 km/h en surface, l'écrasement de l'eau portait leur vitesse à 300 ou 400 km/h dans les abysses. L'ordinateur indiquait la vitesse en équivalence terrestre.

Il engagea le troisième bouton de la commande des gaz et poussa sa machine au maximum. Après quelques secondes, le compteur afficha un déplacement linéaire de 1 600 km/h.

« 3 CHASSEURS DÉTECTÉS. CHOISIR MODE : PATROUILLE ? EXERCICE ? COMBAT ? »

Cette nouvelle alerte émanait des radars de proximité. L'ordinateur lui demandait de choisir entre le mode patrouille, qui ignorerait les appareils alentour, le mode exercice, qui simulerait une attaque, ou le mode combat. Il cliqua sur la troisième option, et un inventaire des ressources disponibles apparut sur l'écran. Il disposait de deux types de torpille, d'un « Sup 4 » dont il ignorait la signification, et d'une panoplie de leurres miniatures qui n'avaient rien à envier aux sous-marins nucléaires modernes. En haut de ses panneaux LCD, une petite croix virtuelle était apparue. Une manette clignotante qui se trouvait à côté du gouvernail commandait le déplacement de ce système de visée. Le bouton rouge qui trônait au sommet du petit manche déclenchait probablement la mise à feu, comme sur un avion de chasse...

Il abandonna l'écran pour se concentrer sur la position de ses trois poursuivants : ils se trouvaient à environ 500 mètres, et semblaient évoluer à la même vitesse que lui. D'un geste rapide et précis, il dévia de sa route horizontale pour opérer un gigantesque looping qui faillit lui faire perdre connaissance. Durant la manœuvre, une nouvelle sirène retentit. Cette figure portait la résistance de la coque à son extrême limite. La tête en bas, incapable de respirer et complètement déformé par les G, Colton ne pouvait même plus lire ce qui apparaissait sous ses yeux...

Finalement, lorsqu'il réintégra sa position horizontale, il cliqua sur le mode torpille en cadrant son système de visée sur l'un des sous-marins qui naviguait maintenant devant lui.

Un message d'erreur l'informa que les torpilles ne pouvaient être tirées en mode supersonique. « Nos torpilles se déplacent à 800 km/h » avait déclaré Laura le premier jour... S'il évoluait à une vitesse supérieure, le projectile exploserait dans le tube dès sa libération. Mais alors comment faire pour abattre ces...

Les trois intercepteurs disparurent de son champ de vision. Il les récupéra sur le radar, et s'aperçut que, eux aussi, exécutaient la même manœuvre de looping : ils se trouvaient à nouveau derrière lui. L'un d'entre eux lança quelque chose, et le détecteur de proximité retentit aussitôt. Colton se crispa un instant, furieux de ne pas maîtriser un peu mieux l'engin qu'il pilotait. Les hommes surentraînés qui le pourchassaient n'avaient aucun mal à le tenir en échec.

Le projectile s'approchait de lui : il ne s'agissait pas d'une torpille ni d'un leurre. C'était probablement ce fameux système Sup 4 dont il ignorait tout. Sur l'écran de l'ordinateur qu'il venait de placer en mode combat, il effleura du doigt la touche des leurres et une nouvelle fenêtre apparut :

« LARGAGE CONTRE-MESURES : ARRIÈRE ? AVANT ? »

L'engin qui se précipitait vers lui arrivait de l'arrière : il toucha les lettres REAR de l'écran digital et poussa la manette des gaz encore plus loin. Il atteignit la vitesse incroyable de 2 100 km/h, alors que son submersible commençait à être secoué par les turbulences alentour. En Aqua-Mach, proportionnels au frottement de l'eau et à la pression environnante, il évoluait à près de 8 300 km/h. Une vitesse qu'aucun avion expérimental ne pouvait espérer atteindre dans un futur proche...

S'il opérait le moindre changement de direction à cette allure, il risquait d'être brisé par la résistance de l'eau. Mais son inclinaison de 14 degrés le précipitait vers la surface. Derrière lui, le leurre avait détourné et certainement détruit le projectile adverse. Il observait la profondeur qui déclinait à une vitesse prodigieuse, alors que la gravité l'écrasait tout au long de cette ascension fulgurante : 2 300 mètres, 1 600 mètres, 1 100 mètres... S'il ne ralentissait pas immédiatement, il atteindrait la surface dans quelques instants. Sa vitesse prodigieuse le propulserait jusqu'à des centaines de mètres de hauteur, avant qu'il ne s'écrase à nouveau dans les profondeurs, aux commandes d'un engin qui serait alors probablement hors d'usage.

Il ramena la manette des gaz à 0 et la décélération lui coupa le souffle un bref instant. La vitesse chuta brutalement à 800 km/h, et il vira de bord immédiatement. Ses instruments de mesure indiquaient 120 mètres... L'intercepteur s'enfonçait de nouveau dans les profondeurs et Colton reprit de la vitesse, en cherchant les engins ennemis sur son radar. L'un d'entre eux le croisa pour se tenir devant lui quelques secondes avant de replonger, alors que les deux autres émergeaient des profondeurs où ils s'étaient tapis jusque-là. D'un geste totalement instinctif, Seth empoigna la manette de visée et « accrocha » le submersible qui venait de lui couper la route : il posa son doigt sur le module Sup 4 de l'ordinateur de bord et un message de confirmation apparut :

« ENVOYER ? »

Il enfonça violemment la touche Enter, et une sonnerie stridente retentit pendant quelques secondes. Sur le panneau LCD, il aperçut un petit objet qui fusait de la carlingue : Sup 4 était probablement un modèle avancé de torpille, une arme capable d'agir en vitesse supersonique, pensa-t-il en suivant la trajectoire du projectile. Comme prévu, son adversaire lança un premier leurre qui neutralisa le Sup 4, mais Seth se tenait juste derrière, à la même vitesse que sa victime. Toujours verrouillé sur la cible, il lança un deuxième, puis un troisième projectile. Le leurre du sous-marin arriva trop tard. L'intercepteur explosa dans l'eau noire, alors que Colton plongeait dans les profondeurs pour éviter l'onde de choc...

Derrière lui, le radar de proximité détecta un Sup 4 qui fonçait sur l'intercepteur de Seth. En piquant vers le fond, ce dernier venait de prendre de la vitesse : il se déplaçait à plus de 1 300 km/h, et aucune manœuvre de dégagement ne pouvait être tolérée par le fuselage : s'il se redressait, la coque se briserait immédiatement. La torpille supersonique se rapprochait sur l'écran radar. Il projeta un leurre, mais le stratagème échoua : le petit objet destiné à tromper la torpille s'activa trop tard ; de plus, la vitesse de son sous-marin et de l'explosif qui le poursuivait était trop importante. Le leurre entama ses manœuvres de diversion alors que le Sup 4 l'avait déjà dépassé. Il n'était plus qu'à 100 mètres de la carlingue, 90...

Le bruit de l'alarme de proximité emplissait le poste de pilotage d'une sonnerie stridente, alors que le radar indiquait la présence d'un submersible adverse dans l'axe de sa trajectoire, 2 000 mètres devant Colton. Seth accéléra pour foncer sur son ennemi. Les deux engins se croisèrent à une vitesse prodigieuse, à quelques dizaines de mètres l'un de l'autre. Sur le panneau LCD, le sous-marin lancé par Bayer à sa poursuite n'apparut que quelques millièmes de seconde, puis disparut derrière l'intercepteur de Colton. La torpille Sup 4 qui s'approchait dangereusement de son fuselage dévia brusquement pour frapper l'A-2 qu'il venait de croiser à pleine vitesse. Seth, qui piquait toujours vers le fond à plus de 2 000 km/h, ne fut même pas secoué par l'onde de choc : le remous se déplaçait à la vitesse du son, soit 700 km/h à cette profondeur...

Il tira lentement la commande du gouvernail pour stabiliser l'appareil au niveau actuel. A cette allure, la moindre erreur serait fatale à sa carlingue, malgré la solidité phénoménale de l'alliage. Il ramena l'inclinaison de –12° à 0° en manipulant la commande avec une douceur infinie. Lorsque l'opération fut achevée, Colton observa le profondimètre : il filait dans l'eau noire et vide du Pacifique, à plus de 7 500 mètres de la surface, dans un silence absolu. Vers où ? Il n'en avait pas la moindre idée...

Seth prit quelques secondes pour observer la console de commande plus avant, et tenta d'identifier sa position et sa trajectoire : après quelques manipulations, l'ordinateur afficha les coordonnées du sous-marin. Latitude 12°, longitude 456°. Il était maintenant à plus de 350 kilomètres de la base...

Nouvelle sonnerie d'alarme. Sur sa gauche un appareil – le dernier des trois – vint se ranger à sa hauteur : sans réfléchir, Seth réduisit immédiatement les gaz et se retrouva derrière son poursuivant. Il effleura de nouveau l'icône Sup 4 et tapa sur Enter avant même que le message de confirmation n'apparaisse. Comme précédemment, la cible qu'il venait d'accrocher à l'aide du système de visée tenta de larguer un leurre, mais à leur vitesse la manœuvre était inutile. Colton s'attendait à ce que l'intercepteur saute d'un instant à l'autre, mais le pilote se déroba avec un talent prodigieux. Il ébaucha un looping qui modifia la trajectoire de la torpille, et plongea sur son aile droite dans une accélération vertigineuse. Cette figure en lacet était digne des plus grands pilotes d'essai, et un instant Colton se demanda à qui il avait affaire. Peut-être un des top gun de l'Air Force ou de la NASA... ?

Seth plongea à la verticale pour rattraper le virtuose et accentua encore son angle de descente pour revenir sur ses pas. La tête en bas, il fonçait maintenant vers le fond dans une oblique étrange, retenu simplement par le harnachement de sécurité qui l'empêchait de s'écraser au plafond. Nouvelle sirène d'alerte :

« RATIO VITESSE/PROFONDEUR › NIVEAU DE SÉCURITÉ. CORRIGER MAINTENANT ! TEMPS IMPACT : 11 SECONDES. »

La tête en bas, il déchiffra le message avec peine, mais comprit immédiatement ce qui était en train de se produire. Sa descente vers le fond était infiniment trop rapide. S'il ne corrigeait pas l'angle ou la vitesse dans les secondes suivantes, il s'écraserait sur le plancher océanique...

Il poussa la manette de direction sur la droite et relâcha immédiatement. L'engin effectua un demi-tour sur lui-même et ramena le pilote dans le sens de la gravité : Colton enfonça le niveau intermédiaire de vitesse en tirant le gouvernail en arrière...

L'appareil remontait et ralentissait, mais l'ordinateur affichait toujours :

« RATIO VITESSE/PROFONDEUR › NIVEAU DE SÉCURITÉ. CORRIGER MAINTENANT ! TEMPS IMPACT : 5 SECONDES. »

En l'état actuel de sa vitesse et de son assiette, l'A-2 s'écraserait dans 5 secondes. Colton ramena les gaz à 0 et tira encore plus fort. Il était maintenant à moins de 200 mètres du fond, et sa vitesse n'était plus que de 250 km/h. Il enfonça le bouton qui commandait les vitesses minimales et décéléra de nouveau : 98 mètres du fond, 80 km/h. Sur son écran LCD, il aperçut la paroi rocheuse contre laquelle il allait s'écraser : 40 km/h, 50 mètres du fond.

Seth se cala dans son siège en crispant la mâchoire. Le sang qui s'était écoulé de sa joue et de son arcade sourcilière ne parvenait pas à sécher tant son visage demeurait inondé par la sueur, au sein de cet habitacle étroit et mal climatisé...

« Merde ! » pensa-t-il alors que le choc était désormais inéluctable... 25 km/h, 3 mètres du fond...

Cette collision au ralenti se fit de manière presque inaudible, tant l'épaisseur de la coque en alliage était importante. Mais la roche endommagea les capteurs-sonars du système SONAVISION. Les panneaux LCD cessèrent de transmettre les images virtuelles du monde qui l'entourait : Seth était devenu aveugle, par 8 000 mètres de fond...

Le système électrique, les commandes de propulsion et l'ordinateur de bord fonctionnaient toujours. Il devait maintenant se guider au radar pour remonter vers la surface, alors que l'alarme de proximité retentissait une nouvelle fois...

Accidentellement, dans la lumière aveuglante retransmise par la neige des écrans endommagés qui lui faisaient face, il actionna l'ouverture du sas. Un message apparut sur l'écran principal :

« PROCÉDURE NON VALIDE : ARRIMER LE SUBMERSIBLE À UN MODULE DE SECOURS OU REVENIR EN SURFACE POUR DÉGAGEMENT D'URGENCE. »

Sa maladresse venait de lui fournir une information capitale. En surface, il pourrait ouvrir le sas et quitter le sous-marin : sa combinaison de survie lui permettrait de tenir quelques heures dans l'eau glacée du Pacifique. Il ne disposait d'aucune autre solution pour échapper à ses poursuivants...

Le dernier des trois appareils fonçait maintenant vers lui à une allure stupéfiante. Il quitta le fond en heurtant une nouvelle fois les rochers, puis bloqua son assiette sur un angle de remontée extrêmement rapide. Une deuxième sonnerie se greffa sur la première pour produire un vacarme assourdissant.

« TORPILLE IDENTIFIÉE : ENVOYER CONTRE-MESURES ? »

Il n'envoya aucun leurre et décida de prendre de la vitesse : il ne s'agissait pas d'un modèle Sup 4, mais d'un engin classique ne dépassant pas les 800 km/h. Cela pouvait lui être utile...

Lorsqu'il fut à une centaine de mètres du fond, il activa le niveau intermédiaire de vitesse en poussant la manette des gaz au maximum. La torpille venait de la gauche, et elle demeurait parfaitement dans sa trajectoire. L'impact était proche : s'il perdait un dixième de seconde, il exploserait dans les abysses, pour y disparaître à jamais...

La torpille était à présent à 700 mètres alors que la vitesse de l'intercepteur avoisinait les 600 km/h.

« DISTANCE DE LA TORPILLE : 500 MÈTRES. »

Colton remontait presque à la verticale, contre la gravité : les sensations étaient celles d'un cosmonaute dans les premiers instants du décollage : un écrasement terrible et étouffant. Son intercepteur était maintenant lancé à 900 km/h. Il obliqua légèrement sur la gauche puis redressa l'engin en le stabilisant sur un angle de 70°.

1 200 km/h...

A partir de maintenant, aucune correction de cap n'était possible. La vitesse trop importante ne permettait plus qu'un déplacement rectiligne...

Il enclencha le niveau d'allure maximale en poussant les gaz à mi-puissance : l'indicateur de vitesse grimpa à 1 800 km/h en quelques secondes. Il accéléra encore, pour dépasser les 2 000 km/h linéaires. Le submersible fut ballotté dans les mêmes turbulences que précédemment. Derrière lui, sur le radar, il aperçut le pilote adverse qui se tenait à plusieurs kilomètres. Colton allait beaucoup plus vite que la torpille, mais son ennemi devait penser qu'il s'arrêterait tôt ou tard. Il avait raison...

Il tenta de ralentir, mais la vitesse folle de son engin, mal maîtrisé, le fit heurter la surface à plus de 200 km/h. Le sous-marin sortit de l'eau en s'élevant à plusieurs dizaines de mètres, avant de retomber dans un vacarme infernal. Les lumières s'éteignirent, et l'ordinateur de bord passa immédiatement sur le système électrique auxiliaire. Seth commanda l'ouverture des portes et frappa nerveusement sur Enter pour que l'ordinateur enregistre la confirmation : la torpille n'était plus qu'à 3 kilomètres...

Lorsque le sas s'ouvrit, une eau glacée s'engouffra à l'intérieur de la cabine sans même laisser à Colton le temps de retenir sa respiration. Le submersible commençait déjà à couler. Il sombrait lentement vers les profondeurs. Mais cette fois, il ne s'agissait plus d'un A-2, l'intercepteur sous-marin supersonique, capable de ridiculiser n'importe quel autre engin construit à ce jour : c'était simplement une épave, qui s'abîmait comme tant d'autres au fond de cette mer déchaînée...

Tout en nageant vers la lumière, Seth tira sur les ficelles de sa combinaison de survie pour gonfler le gilet de flottaison. Lorsqu'il atteignit la surface, il fut agréablement surpris de trouver une mer calme qui clapotait sous un ciel ensoleillé. Mais ce répit fut de courte durée : lorsque la torpille atteignit sa cible, quelques dizaines de mètres sous lui, la mer sembla entrer en ébullition...

Si Colton avait été en plongée au moment de l'explosion, il aurait perdu ses tympans et probablement son oreille interne. Heureusement, il fut simplement projeté à plusieurs mètres de la surface par la déflagration, au milieu d'une gerbe imposante. Il retomba dans l'eau glacée du Pacifique, heureux de voir que son stratagème avait marché...

Une fois le sous-marin détruit, les hommes de Bayer abandonneraient certainement les poursuites. De plus, Seth pensait que les systèmes de repérage radar installés sur les intercepteurs ne permettaient pas d'identifier un homme en surface. Du moins l'espérait-il...

Colton gelait lentement. Sa combinaison lui permettait, si ses souvenirs étaient exacts, de tenir une douzaine d'heures dans une eau à 0 °C. Celles du Pacifique austral étaient à peu près à cette température. Pour parfaire le tout, de gros cumulus arrivaient dans sa direction. Une tempête sous ces latitudes lui serait fatale. Malgré la combinaison, il grelottait, et redoutait le passage d'un banc de requins dans la zone. Ces animaux étaient doués d'un flair redoutable, capables de détecter une proie à plusieurs kilomètres...

Il pensait à Claire. Comment réagirait-elle à l'annonce de sa mort ? Que deviendrait-elle s'il disparaissait en plein Pacifique ? Conrad et les autres s'en occuperaient certainement, mais Seth la savait fragile. Il n'avait pas peur de mourir. Depuis qu'il travaillait pour le Comité, depuis qu'il accomplissait les missions qu'on lui attribuait, il était préparé à cette éventualité. Mais pour la première fois, comme s'il avait sciemment ignoré cette évidence depuis de longues années, il pensait au drame que Claire allait vivre une seconde fois, en apprenant sa mort. Susan, sa mère, avait disparu dans des circonstances dramatiques alors qu'elle n'avait que cinq ans. La jeune fille en était toujours très affectée.

Ils se trouvaient tous trois en vacances à Taiwan lorsqu'un appel urgent de la banque pour laquelle il travaillait alors avait contraint Seth à écourter son séjour. Claire, elle aussi, voulait revenir à Hong Kong. Ils étaient rentrés tous les deux et, une fois le soir venu, avaient trouvé l'appartement bien vide sans « leur » Susan. Alors ils l'avaient appelée, à Kaoshiung, en la suppliant de venir les rejoindre...

Susan avait vingt-quatre ans, et tous trois s'aimaient à la folie. Aucun d'entre eux ne pouvait supporter de vivre sans les deux autres. Dès le lendemain, elle avait pris le premier avion pour Hong Kong. Les orages de mousson provoquèrent une rafale descendante au décollage : le petit avion de la CAAC, de fabrication soviétique, s'écrasa quelques instants après avoir quitté le sol : ses réservoirs bourrés de kérosène s'enflammèrent immédiatement.

Claire et Seth reçurent un appel de la compagnie à 9 h 57, dans le vestibule de leur appartement de Mid-Level. Seth ne craignait plus la mort : il l'avait déjà rencontrée ce jour-là...

A l'annonce de la nouvelle, il se souvenait parfaitement de ce qu'il avait ressenti : l'impression étrange et irréelle d'entendre le bruit de son propre cadavre qui tombait sur le sol, à côté de lui. Claire avait demandé, en s'approchant :

— C'est maman ?

Et il avait hoché la tête comme une marionnette cassée, pendant plusieurs secondes, la bouche entrouverte, alors que de grosses larmes coulaient le long de ses joues. A cet instant, en se rappelant sa discussion avec Susan, la veille, quand il l'avait contrainte à prendre cet avion, il aurait aimé s'arracher les doigts et les yeux, s'infliger les pires tortures.

« Claire... pardon », murmura-t-il au travers de ses lèvres bleuies par le froid, alors que la nuit commençait à tomber...

Lorsque l'USS *Alabama* émergea des profondeurs, dans une vague gigantesque, pour s'immobiliser à quelques centaines de mètres, Colton était totalement inconscient. Les plongeurs qui le hissèrent à bord du sous-marin nucléaire américain dépêché par Steward Welsh pensèrent d'abord qu'ils arrivaient trop tard. Mais Seth vivait toujours. On le déshabilla avant de l'envelopper dans une couverture thermique et de lui prodiguer les premiers soins. Quelques minutes après que la trappe de tourelle se fut refermée, le bâtiment de guerre emplit à nouveau ses ballasts pour atteindre sa base à 700 kilomètres de là...

22

RIPOSTE

Secteur Lisa 8, profondeur : 9 200 mètres, niveau 4 du complexe. 15 h 10 GMT

« Un espion », murmura Bayer entre ses dents...

Seul dans son bureau du 5e étage de la base, il avait suivi par radio la traque des intercepteurs. Les soupçons de Laura Baker s'étaient donc avérés exacts. Steinberg, avant que Torman ne l'exécute d'une balle dans la nuque, avait donc bel et bien parlé avec ce Dean Roberts, si tel était véritablement son nom... Le vieil homme regrettait sa décision : il avait préféré attendre, laisser la jeune femme mener sa propre enquête, au lieu d'agir directement, comme il l'avait fait de si nombreuses fois auparavant. Lorsque le pilote lui avait annoncé la destruction de l'appareil ennemi, il avait pensé un instant être à l'abri. Mais au même moment, un e-mail l'avait averti que Joachim Neumann, son bras droit, avait disparu depuis plusieurs jours, enlevé à son manoir. Il ne savait toujours pas qui s'était lancé à sa recherche, mais son instinct lui faisait pressentir une menace capable de détruire le projet qui absorbait toute son existence. Ici, dans les profondeurs, Ludwig Bayer travaillait sur la durée : le temps s'étirait pour se plier aux règles de la nature, et les contingences humaines n'avaient jusqu'à présent joué aucun rôle dans ses prises de décision. Mais aujourd'hui, que faire ? Abandonner un projet qui devait à tout prix être achevé pour que la Terre ne sombre pas dans un cataclysme climatique aux conséquences inconnues... ? Non. Il devait maintenant accélérer les choses : il avait toujours prévu d'attendre le rétablissement des flux océaniques pour faire sa déclaration au monde et déclencher les bouleversements radicaux qui devaient secouer l'humanité pour sa propre survie. Mais aujourd'hui, il était temps d'apparaître enfin au grand jour : si des espions pénétraient à l'intérieur du complexe, il devait avertir les dirigeants de la planète du caractère inéluctable des événements qui allaient suivre...

A chaque seconde qui passait, le courant du Groenland s'éloignait un peu plus de son tracé originel. Si Henders et son équipe d'hydrogéologues parvenaient à détruire le flanc du rift là où ce dernier présentait les signes de faiblesse les plus évidents, alors tout rentrerait dans l'ordre. Mais s'ils échouaient, si une fois de plus la nature et la mer gagnaient la partie, l'homme qui voulait sauver la planète savait qu'il porterait la responsabilité de sa destruction prochaine. Ça, les gouvernements n'avaient pas à le savoir...

Les travaux de Henders, d'ailleurs, se déroulaient plutôt bien. Les foreurs avaient entrepris, sur ses ordres, l'ouverture d'une première coulée qui semblait correspondre aux prévisions du géologue. Malheureusement, depuis quelques heures, les excavatrices avaient dû cesser leur travail face à un nuage de bactéries surgies des entrailles de la Terre, libérées par les explosions d'exogène à forte puissance. Il en allait souvent ainsi : les éruptions volcaniques elles-mêmes libéraient, une fois sur deux, ces étranges nappes blanchâtres qui ressemblaient à des cumulus atmosphériques, et s'étendaient sur plusieurs dizaines de kilomètres carrés. Bien que leurs formes soient identiques, il s'agissait toujours de bactéries différentes. Et celles-ci provenaient d'une région encore inexplorée des hommes de Bayer. Durant ces périodes, le vieil homme ne regrettait pas d'avoir installé des systèmes de décontamination dans les sas.

Bayer méditait sur tous ces sujets en attendant les informations émanant de la salle de commande : les travaux commençaient à peine dans le nouveau secteur, et les premières équipes de forage entamaient la percée de plusieurs galeries, à l'intérieur du rift, afin de placer l'exogène dans les « zones d'appuis » qui soutenaient l'ensemble de la montagne. Henders avait garanti à son chef que jamais les artificiers n'avaient disposé d'un site aussi prometteur. L'explosif, répandu en quantité suffisante à l'intérieur même de la roche, ne pouvait manquer de produire l'effet escompté : le flanc de montagne s'affaisserait sur l'aval, dans un angle qui dirigerait l'eau du courant océanique vers la vallée, en contrebas. Plus loin, à moins d'une vingtaine de kilomètres, il s'engouffrerait dans une pente douce qui le ramènerait à l'intérieur de son tracé initial. Avec beaucoup de chance...

— Vous m'avez demandé, monsieur ? interrogea Greg Austin en frappant à la porte entrouverte.

Cet homme de trente-huit ans était un ancien officier de l'US Air Force, que l'armée employait comme pilote d'essai. Il se trouvait à bord de l'A-2 qui venait de torpiller Colton, quelques heures auparavant...

— Vous savez que Torman est mort, n'est-ce pas ?

Le pilote, presque au garde-à-vous, hocha la tête d'un air grave, alors que Bayer enchaînait immédiatement :

— Je pense que nous allons bientôt avoir de la visite, et je voudrais vous poser une question : pensez-vous que nous soyons totalement hors d'atteinte, dans le cas d'une attaque sous-marine coordonnée par plusieurs nations industrialisées ?

Sans la moindre hésitation, l'homme répondit :

— Absolument, monsieur. Les performances de ce Roberts étaient dues au fait qu'il pilotait l'un de nos intercepteurs. Si la Navy, la marine russe et les grandes nations européennes nous attaquent, il est impossible qu'ils parviennent à quoi que ce soit. Sans prétention, je pourrais, seul, faire face à une escadrille de dix sous-marins d'attaque dotés d'une propulsion nucléaire. Ces engins ne sont absolument pas conçus pour des combats sous-marins à grande vitesse. Leur équipement de très haute technologie leur permet de s'approcher d'un périmètre donné pour y lancer un missile surface-sol. Mais leurs torpilles ne dépassent pas les 150 km/h, et eux-mêmes bougent avec une lenteur désespérante. C'est exactement comme si vous me demandiez de détruire une montgolfière dont le pilote serait armé d'un fusil de chasse, à l'aide d'un chasseur F-22...

— Très bien. Mais ne pensez-vous pas qu'ils pourraient utiliser leur arsenal de manière moins directe. Comme par exemple...

— Par exemple larguer des engins nucléaires depuis la surface ? trancha Austin qui devinait les craintes de Bayer.

Le milliardaire allemand hocha affirmativement la tête.

— ... C'est impossible, répliqua le pilote américain avec un sourire triomphal.

— Comment cela ? Si une déflagration nucléaire se produit près de nos installations, il y a fort à parier que les structures céderaient...

— Oui, mais cela ne se produira pas : n'importe lequel de mes pilotes est capable d'identifier la bombe en surface, et de la faire exploser au-dessus de – 2 000 mètres. A cette distance de la base, il est impossible qu'elle occasionne le moindre dommage. Vous savez comme moi que le rayon d'action d'un engin explosif est considérablement diminué par l'environnement d'ultrapressions. De plus, les sous-marins adverses n'auront pas le temps d'en larguer énormément avant que nous les fassions disparaître...

— Et les avions ? Eux aussi pourront larguer des bombes à détonateur barométrique. Et des torpilles, également...

Austin afficha une moue amusée, qui ne semblait pas traduire la moindre inquiétude.

— Eh bien, cela nous évitera de nous endormir aux commandes...

Devant la mine figée de son interlocuteur, le top gun de l'Air Force reprit un discours plus sérieux :

— ... en toute franchise, monsieur, nous disposons d'intercepteurs si rapides que la torpille n'est pas un problème. Quant aux sous-marins nucléaires, ils ne peuvent rien faire contre nous, voilà la vérité. Nous sommes prêts à toutes les attaques possibles, et l'issue des batailles à venir ne fait aucun doute...

Ludwig Bayer se leva de son fauteuil pour faire face au pilote :

— Je m'en remets à vous pour la défense de cette base. Etablissez un périmètre de sécurité et ne laissez rien ni personne pénétrer à l'intérieur...

*

— Mais bon sang, Conrad ! Est-ce que tu as perdu la tête ? hurla Seth devant l'écran de visioconférence qui trônait dans un des salons de la base américaine, perdue sur un îlot à 2 000 kilomètres des côtes australiennes.

Malgré le chauffage et les soins qu'il avait reçus, il était toujours transi de froid...

Sanesburry, visiblement embarrassé, baissa les yeux en reprenant son explication :

— J'ai reçu un appel de Steward Welsh cinq heures plus tôt. Je ne savais même pas que tu le connaissais, et très franchement je ne comprends toujours pas comment et pourquoi il m'a contacté...

L'homme du Comité observait Colton d'un regard presque soupçonneux.

— Tu penses que je lui ai parlé de nos activités, c'est ça ?

— Non. Non, bien sûr... Quoi qu'il en soit, il savait que tu t'intéressais au dossier de Joachim Neumann. Il savait également que ce même Neumann disposait d'une base secrète et, comme il avait – je cite – « perdu le contact avec toi », il m'a demandé de te contacter pour te faire revenir...

— Et tu n'as pas flairé le moindre piège.

— Welsh m'a fourni des coordonnées – celles que tu m'avais transmises par Internet –, en m'expliquant que si tu te trouvais à cet endroit, il fallait t'évacuer d'urgence.

— Pourquoi ?

— Il a refusé de me le dire. Il m'a demandé si je connaissais le moyen de te ramener à terre, si je pouvais t'évacuer. Je lui ai simplement mentionné l'existence d'un signal, tout en admettant que je ne disposais d'aucun moyen pour te récupérer en plein Pacifique. Welsh m'a rappelé trois heures plus tard, pour me dire qu'un sous-marin nucléaire classe *Alabama* évoluait maintenant dans le périmètre de la base. Il m'a demandé de t'envoyer le signal d'évacuation. Et te voilà... Mais nom de Dieu, Seth, qu'est-ce que tu voulais que je fasse ? Le patron de la NSA m'appelle pour me dire que tu es en danger. Il semble tout savoir de toi, de nous et de nos activités... Est-ce que j'aurais dû dire : « C'est un piège, je laisse mon ami là où il est » ?

Seth soupira en caressant son visage recousu par les hommes de la Navy, à bord du sous-marin.

— Non, tu as raison... Mais je crains que cette

manœuvre ait servi les intérêts de Welsh avant les nôtres...

— Comment cela ?

— Je ne sais pas. Je n'en ai pas la moindre idée.

— Que comptes-tu faire ?

— Lui parler, répliqua Seth avant de saluer son ami et d'interrompre la communication.

Il se trouvait dans une salle de réunion attenante au PC des opérations navales américaines dans le Pacifique Sud. Depuis la fin de la guerre froide, cette base avait perdu son importance stratégique. Elle servait autrefois au ravitaillement des sous-marins et à la collecte des données du système SOSUS à travers toute la région. Aujourd'hui, elle était toujours occupée par deux cent cinquante militaires, mais ses attributions devenaient plus diverses, puisqu'elle constituait une base-relais pour les missions scientifiques du continent austral...

La pièce était équipée d'une table de conférence longue de plusieurs mètres et cerclée de petits fauteuils noirs. Au bout, sur l'écran à partir duquel il venait de contacter Sanesburry, une icône clignotante l'invitait à patienter, alors que la nouvelle communication s'initialisait. Elle transitait par le flux protégé d'un satellite de l'Air Force, en direction du bureau de Steward Welsh. Après quelques instants, le patron de la NSA apparut sur l'écran.

— Je n'ai fait cela que par sympathie ! déclara-t-il immédiatement, avant même que Seth n'ouvre la bouche.

Il enchaîna de la même voix théâtrale, dans laquelle on devinait une pointe d'amusement :

— ... Nous savons tout ce que vous savez, monsieur Colton, et mes hommes vont bientôt débarquer dans le centre de ce Bayer.

— Mais comment saviez-vous que je me trouvais là ?

— C'est très simple : le type découvert dans la chambre d'hôtel, à Berlin, a été identifié comme étant l'agresseur de la jeune femme que vous vouliez retrouver. Je me suis donc intéressé à ce... Sodderington et, de fil en aiguille, nous sommes parvenus à découvrir l'existence de ce complexe.

Welsh ne s'étendit pas sur les moyens employés. Il passa sous silence l'enlèvement de Neumann, le vide sensoriel, et l'exécution sommaire qui avait suivi ses révélations...

— Je ne savais pas si vous étiez ou non à l'intérieur, mais j'ai préféré, par prudence, contacter l'un de vos amis. J'aurais été peiné si, par ma faute, le monde perdait un homme de votre valeur...

— Mais pourquoi voulez-vous envoyer des hommes dans ce complexe ?

— Parce qu'à la différence des autres affaires que vous avez traitées jusqu'à présent, elle n'a rien à voir avec l'économie ou le monde des hommes. Ces malades tentent de détourner – en fait, ils y sont déjà parvenus ! – les courants océaniques profonds... Ce projet absurde peut mettre toute notre espèce en danger.

— Alors nous voulons la même chose, n'est-ce pas ?

Welsh fronça les sourcils en se caressant le menton.

— Comment cela ?

— Vous voulez détruire ce centre, n'est-ce pas ?

L'homme de la NSA écarquilla les yeux avant de répondre...

— Pour nous retrouver, dans le cas d'une nouvelle menace de ce type, aussi démunis que nous le sommes aujourd'hui ? Certainement pas ! Nous allons prendre le contrôle de ce complexe et de sa technologie...

— Désolé, mais je ne marche pas. J'ai été témoin, en bas, des aberrations engendrées par des projets aussi démesurés : les dommages sont, déjà aujourd'hui, presque inquantifiables... Peut-être sommes-nous déjà tous perdus...

— Vous parlez du courant qu'ils ont détourné ?

Seth hocha affirmativement la tête en guise de réponse, alors que sur l'écran, Welsh esquissait un geste d'indifférence.

— La nature trouvera son chemin, monsieur Colton. Elle le trouve toujours. Par la faute de Bayer, nous connaîtrons certainement des perturbations dont personne ne peut aujourd'hui prévoir l'ampleur. Mais la nature trouvera son chemin à travers cette folie, croyez-moi...

— Alors pourquoi tenez-vous tant à prendre le contrôle de ce centre ?

— Parce que, en effet, il est dangereux de laisser un dément s'accaparer de pouvoirs aussi prodigieux. Mais il y a une autre raison...

Immobile, Steward Welsh fixait son interlocuteur droit dans les yeux...

— ... je ne peux malheureusement pas vous en dire plus, mais quelque chose dort, au fond. Et personne ne doit le réveiller...

— Quelque chose ? Vous avez déversé des armes chimiques ou bactériologiques au fond du Pacifique Sud ?

— Si seulement il s'agissait de quelque chose que nous ayons fabriqué...

— Alors qui ? Les Russes ?

Welsh ne répondit pas.

— Tout ce que j'ai à vous dire, monsieur Colton, c'est que je vous ai sorti de là par sympathie. Pour le reste, faites-moi confiance et restez en dehors de ce qui va suivre...

Alors que Seth s'apprêtait à lui répondre, Welsh interrompit la communication. Immobile dans la salle de conférence, il réfléchissait déjà au plus sûr moyen de détruire cette base. L'homme de la NSA lui avait peut-être sauvé la vie, mais il ne lui faisait pas confiance pour autant...

23

ULTIMATUM

Siège des Nations unies,
Conseil de sécurité

— Messieurs, le document que vous allez voir risque de provoquer une panique totalement improductive. Je vous invite donc à faire preuve de retenue, afin que nous puissions discuter calmement des options qui s'offrent à nous.

Baduin Zegan, secrétaire général de l'Onu, parlait sans réelle conviction : il avait visionné le contenu de la cassette, et il devinait la réaction de son auditoire. Devant lui, dans une des salles de conférence du 43e étage, les représentants des quinze membres du Conseil de sécurité observaient l'écran géant d'un œil intrigué. Lorsque Ludwig Bayer apparut sur l'enregistrement, devant un décor gris totalement anonyme, ils froncèrent les sourcils en détaillant les traits de cet homme qui s'exprimait en anglais, avec un fort accent germanique. Qui était-ce ? Aucun d'entre eux n'en avait jamais entendu parler...

— Messieurs les membres du Conseil de sécurité,

déclara l'Allemand d'une voix grave et tendue. Je suis ici pour vous annoncer une bien désagréable nouvelle. Les espions qui se sont introduits jusqu'à moi travaillent sans nul doute pour l'un d'entre vous. Peu m'importe de savoir lequel, ou de connaître vos plans... Je vais devancer vos projets, messieurs, en vous expliquant un certain nombre de choses...

L'enregistrement continuait, alors que Bayer s'octroyait une pause pour boire quelques gorgées d'eau minérale. Pas un seul représentant des pays membres du Conseil de sécurité n'ouvrit la bouche pendant le court silence qui suivit...

— Ce que j'ai à vous dire pourrait prendre des heures. Je pourrais parler de cette hypocrisie qui vous a tous poussés à construire des régimes abjects, basés sur une idéologie humaniste sans substance. Je pourrais vous parler également de vos prétendus droits de l'homme, fondés sur les digressions oiseuses de philosophes idiots. Je pourrais parler de la manière impardonnable avec laquelle vous souillez vos propres terres, en les truffant de déchets radioactifs et chimiques... La liste est presque infinie. Tout ce que vous avez construit, et tout ce dont vous vous targuez aujourd'hui, n'est que le ciment d'un édifice destiné à détruire ce qui l'entoure, inéluctablement. Le contrôle strict des naissances va à l'encontre de vos « principes », ricana Bayer d'un air à la fois haineux et méprisant.

Dans la salle de réunion, les hommes observaient l'inconnu d'un regard incrédule et anxieux.

— ... vos principes généreux et humanistes sont la seule chose qui ait jamais réussi à mettre cette planète en péril. Nous sommes plus de six milliards, et la courbe de croissance de la population affiche une pente exponentielle. Vous détruisez les forêts par « générosité », sous le prétexte absurde que chacun a le droit de vivre et de se nourrir. Vos pesticides détruisent nos nappes phréatiques. Vos pêches intensives menacent de faire de l'océan un véritable désert aquatique... Un tiers des espèces terrestres présentes sur la planète il y a cent mille ans ont disparu. Et tout cela au nom de quoi ? Du bien-être éphémère de quelques générations humaines, avant que la catastrophe finale ne les engloutisse avec toutes les autres formes de vie existantes ?

Bayer demeura silencieux quelques instants, fixant l'objectif de la caméra d'un regard plein d'animosité. La haine qu'il éprouvait à l'égard de ces hommes, responsables du cauchemar écologique dans lequel se trouvait la Terre, se lisait dans ses yeux noirs...

— Depuis le temps que je prépare ce projet, depuis le temps que je travaille loin du monde des hommes, je prie chaque jour pour entendre l'un d'entre vous clamer l'évidence : « Nous traçons le chemin de notre propre perte. Réagissons tant que cela est encore possible ! » Mais qui a jamais dit cela ? Qui, parmi vous, a été capable d'un tel courage ? Personne. Vous dormez sur vos trônes, vous autres, pays prétendument industrialisés, avec une insouciance et une arrogance criminelles.

— Mais qui est-ce ? hurla le représentant canadien, d'une voix exaspérée et tendue...

Personne ne lui répondit. Les autres ambassadeurs

fixaient l'écran avec une attention soutenue, alors que Bayer ajoutait :

— Alors, chaque jour depuis quinze ans, j'ai travaillé sans relâche pour mener à bien mon projet. Sans gaieté de cœur, je m'empresse de le confier. Peu importe comment votre histoire me jugera : laissez-moi simplement vous dire que je ne me considère pas comme un criminel, mais plutôt comme le sauveur de ce monde. Vous allez penser que je suis un monstre, et pourtant... Rien de tout cela ne serait arrivé si, en son temps, vous aviez pris la décision qui s'imposait. Celle de limiter, de réguler votre propre population. A présent, le remède va être d'autant plus douloureux que le mal a déjà fortement progressé. Lorsqu'un malade déclare une infection du genou, il suffit de le traiter à l'aide de quelques antibiotiques. Mais si l'on attend, si l'on refuse les douleurs minimes de cette option, on s'expose au risque de perdre la jambe... Eh bien aujourd'hui, nous parlons exactement de cela : une amputation...

Le délégué américain s'entretenait déjà avec la Maison Blanche depuis son téléphone portable. Il murmurait d'une voix incompréhensible, alors que les autres représentants écoutaient, bouche bée, la suite de l'enregistrement...

— Il ne vous a pas échappé que les climats subissaient des mutations profondes depuis quelques mois. Nous n'en sommes qu'au début. Ces bouleversements sont le fait de mes travaux. Dans moins d'une trentaine d'années, la Terre sombrera dans une nouvelle période de glaciation, et rien ni personne ne pourra l'empêcher... Il y a treize mille ans, le dégel de ce qui est aujourd'hui le nord des Etats-Unis et le Canada a entraîné la création d'un gigantesque lac d'eau douce qui recouvrait plusieurs millions de kilomètres carrés. Il était encerclé par une banquise qui fondait quotidiennement, au fur et à mesure que la température ambiante remontait... Lorsque celle-ci devint trop fine pour contenir le lac, les eaux se déversèrent dans l'Atlantique Nord et provoquèrent une modification immédiate de la salinité marine. Un courant qui régule les climats et qui débute son trajet dans l'océan Arctique, que l'on nomme courant du Groenland, plonge de la surface vers le fond en utilisant les différences de densité dues à la présence de sel. A l'époque de cette inondation gigantesque, la concentration de sel chuta dramatiquement, et « allégea » l'eau de ces régions froides. En conséquence, le courant du Groenland perdit la pesanteur qui lui permettait d'entamer sa descente vers les abysses. Il s'immobilisa en surface et disparut, créant ainsi les conditions propices à une nouvelle glaciation : celle-ci dura cinq mille ans, et faillit décimer l'ensemble de la population humaine...

Un bruit de vaisselle brisée fit sursauter les bureaucrates onusiens : le délégué britannique venait de renverser sa tasse de café, avant qu'elle ne roule jusqu'au sol. Malgré sa manche trempée et encore fumante, l'homme demeurait rivé à l'écran, bouche bée. Personne n'avait encore proféré le moindre son à l'intérieur de la pièce...

— ... cette fois, les choses seront très différentes : notre technologie nous permettra sans mal de survivre à cette glaciation, d'autant que ses effets devraient être brutaux, mais de courte durée. Après moins d'un siècle de températures extrêmes, le climat redeviendra normal. Entre-temps...

A nouveau, Bayer s'interrompit pour boire un peu d'eau. Il reposa le verre avec lenteur, comme s'il prenait un plaisir pervers à faire languir ses interlocuteurs.

— ... entre-temps, la presque totalité de l'humanité – très exactement tout ce que la Terre ne peut pas naturellement nourrir – aura disparu. Car comment cultiver nos céréales sur une terre perpétuellement gelée ? Comment chauffer nos villes gigantesques lorsque les turbines hydroélectriques seront prises dans les glaces, lorsque tous les forages pétroliers et gaziers seront devenus impossibles, au travers d'un permafrost de plusieurs dizaines de mètres, lorsque l'acheminement de ces mêmes matières premières, lui aussi, sera devenu impossible, au travers d'oléoducs gelés ? Comment acheminer l'eau potable dans un environnement extérieur qui ne dépassera plus les – 60 °C ?... Je pourrais multiplier ces exemples à l'infini. Tout ce qui a dépassé le seuil de tolérance naturel de la Terre disparaîtra. Tout ce que nous avons créé à cause d'une période de permissivité climatique extrême disparaîtra, lorsque la planète reprendra ses droits. Et elle est en passe de le faire aujourd'hui.

Baduin Zegan observait les mines consternées de son auditoire, à l'affût de leurs différentes réactions. Pour conclure, Bayer enchaîna d'une voix neutre et sans regrets :

— Maintenant, deux voies s'offrent à vous. Celle de la lâcheté et de l'hypocrisie, ou celle du courage et de la raison. La première consiste à attendre que ces bouleversements arrivent, puis à observer le malheur et la mort qui s'abattront sur un monde dont l'erreur aura été de croire à vos principes humanistes ridicules... Si vous choisissez la seconde, vous prendrez les devants du cataclysme qui va suivre. Vous commencerez dès aujourd'hui à imposer des contrôles stricts sur les naissances, à travers toute la planète. Vous conditionnerez l'aide économique au tiers-monde à des réductions de population drastiques. Sachez que d'après les projections de mes spécialistes en géographie humaine, vos gouvernements seront à même de nourrir et d'épargner moins de cinq cent millions de vies sur la Terre entière, dans le meilleur des cas... Ce qui implique que, de toute façon, cinq milliards et cinq cent millions d'êtres humains vont disparaître d'ici une trentaine d'années, au début de la phase glaciaire. Si vous vous appliquez dès aujourd'hui à réduire le nombre des naissances, alors l'adaptation aux brusques changements climatiques qui surviendront dans quelques décennies sera moins pénible... Vous avez le pouvoir de transformer cette « catastrophe » en un nouveau départ pour votre civilisation. Une seconde naissance qui vous fera, je l'espère, méditer sur ce que la Terre est prête ou non à accepter de notre misérable espèce. Vous reconstruirez ensuite une civilisation capable de comprendre qu'elle ne domine pas la Terre, malgré les idées et les penseurs qui prétendent le contraire, mais qui bien au contraire doit savoir s'accommoder de ses caprices. Il est probable que ce nouveau monde, même si j'enrage en réalisant que je ne pourrai jamais le contempler, sera infiniment plus beau que celui construit sur le terreau de vos mensonges et de vos idées stupides...

Bayer ébaucha un sourire faux, avant de conclure :

— A l'attention de ceux qui verraient ma mort comme une troisième option, je suggère de réfléchir à deux choses : ce développement climatique est maintenant inéluctable, quoi que vous et vos gouvernements puissiez entreprendre. De plus, j'ai enregistré ce message depuis une base sous-marine située à une profondeur de 9 300 mètres, en plein cœur du Pacifique Sud. Je maîtrise une technologie à laquelle aucun d'entre vous ne peut avoir accès. Si l'idée saugrenue de m'éliminer vous traversait l'esprit, sachez que cette entreprise vous coûterait infiniment plus cher que la guerre facile et commerciale à laquelle vous vous êtes livrés contre l'Irak. Tout ce que vous enverrez contre moi disparaîtra, corps et biens. Si vos sous-marins parviennent près de ma base, ils seront détruits. Si des croiseurs ou des destroyers naviguent au-dessus de ma base, ils seront détruits, si des robots tentent de s'en approcher, ils seront détruits. Une telle folie vous coûterait des milliers de vies et des milliards de dollars. Qui plus est, vous perdriez à coup sûr... C'était Ludwig Bayer qui vous parlait de son QG sous-marin, latitude 54°7, longitude 76°4. Bonne journée...

La communication s'interrompit brutalement pour laisser place à une neige blanche et grésillante sur l'écran géant de la salle de réunion. Pendant plusieurs secondes, les diplomates demeurèrent immobiles et stupéfaits par ce sermon d'apocalypse auquel ils venaient d'assister.

Le secrétaire général, Baduin Zegan, observait l'assemblée sans se résoudre à briser le silence. Finalement, ce fut le délégué français qui prit la parole :

— Messieurs, je ne sais pas ce que vous comptez faire, mais je pense que nous nous trouvons actuellement face à un problème majeur. Je contacte immédiatement le Quai d'Orsay...

— Vous avez raison. J'appelle le Foreign Office, enchaîna le Britannique... Monsieur le secrétaire général, peut-on obtenir des copies de cet enregistrement ?

— Pour moi aussi ! hurla l'Américain, un téléphone portable à l'oreille, en sortant déjà de la salle de conférences.

Zegan acquiesça de la tête en déclarant d'une voix grave :

— J'en ai fait déposer deux exemplaires aux secrétariats de vos délégations respectives. Ils vous y attendent...

Pendant les heures qui suivirent, le siège des Nations unies fut plongé dans une agitation indescriptible. La crise des missiles à Cuba et les autres moments les plus critiques de la guerre froide n'avaient jamais engendré une telle panique dans le bâtiment onusien. Les délégués de chaque pays membre du Conseil de sécurité demeurèrent rivés au téléphone pendant de longues heures, alors qu'à travers le monde, de l'Europe au Japon en passant par le continent Nord-Américain, l'Afrique, l'Amérique latine et l'Asie, l'activité des chancelleries et des services diplomatiques atteignait un degré de frénésie jamais connu par le passé...

Les ambassadeurs des pays concernés traversaient

les rues endormies de Tokyo à toute allure, pour des réunions d'urgence avec le Premier ministre, réveillé en toute hâte par ses délégués de New York. Bonn, Paris et Londres vivaient au rythme du même cortège de limousines, alors que la Maison Blanche et le 10, Downing Street étudiaient déjà la possible implication de la Russie, qui possédait toujours une gigantesque flotte sous-marine d'attaque. Au Pentagone, on faisait l'inventaire des capacités offensives de la Navy, et on commençait à évoquer la création d'une force conjointe...

Le ballet des ambassadeurs se poursuivit tard dans la nuit européenne, alors que les contours de la riposte s'ébauchaient de manière plus concrète. Personne n'avait entendu parler de ce Bayer, mais une seule chose était sûre : il fournissait les coordonnées précises de sa base et semblait ne rien redouter de la flotte sous-marine mondiale. Même si les menaces qu'il proférait ne pouvaient être vérifiées, il était impossible de ne pas répliquer face à un tel dément. Quoi qu'il en coûte.

Et attaquer Bayer dans son domaine allait leur revenir très cher...

24

LA DEUXIÈME OPTION

Siège des Nations unies, New York.
23 h 00 GMT

Baduin Zegan était un homme de petite taille au physique typiquement malais. Nommé secrétaire général des Nations unies quelques années plus tôt, il assurait la bonne marche des opérations de routine sans jamais se hasarder à prendre la moindre initiative. Sa personnalité effacée expliquait en partie sa formidable ascension dans l'organigramme des Nations unies. Mais il y avait une autre cause à sa réussite, et celle-ci tenait en deux mots : Steward Welsh...

Les ramifications de Majestic, qui contrôlait les services secrets britanniques, russes ou allemands avec la même facilité que leurs collègues d'outre-Atlantique, lui avaient permis de placer ses candidats à l'ensemble des postes stratégiques de la planète. Pourtant, aujourd'hui, la machine diplomatique et militaire mondiale s'était emballée. Et Welsh ne pesait plus d'aucun poids sur la folie qui s'était emparée des états-majors, à travers l'Europe, l'Amérique et l'Asie. Il se tenait face à sa marionnette, au dernier étage de l'immeuble des Nations unies, en toisant celle-ci d'un regard dur.

— Je n'ai pas besoin d'entendre vos explications minables : vous êtes ici grâce à moi, et votre fauteuil est un siège éjectable. Ne vous fichez pas de nous !

— Monsieur Welsh, je ne peux rien faire...

— Ça, je le sais ! Vous n'avez jamais été capable de quoi que ce soit : c'est pour cette raison que vous êtes un très bon secrétaire général. Et c'est également pour ça que l'on vous a choisi. Si ce poste requérait la moindre intelligence ou le moindre courage, ça se saurait ! ironisa Welsh avec un sourire méchant.

L'homme de Majestic ne détestait rien tant que les bureaucrates...

— Pourtant, aujourd'hui, j'ai besoin que vous dissuadiez les membres du Conseil de sécurité. Leur idée d'une opération militaire conjointe est... particulièrement stupide et naïve. Malheureusement, je ne peux pas intervenir directement : il s'agit d'une affaire publique...

— Comme vous l'avez si bien expliqué, siffla Baduin avec le peu d'arrogance qu'il pouvait se permettre en face de Steward Welsh, les Nations unies n'ont qu'un rôle mineur dans cette affaire...

— Oui, reprit l'Américain sur le ton de la blague, en pivotant sur son fauteuil. Vous avez un rôle mineur dans toutes les affaires, mon vieux...

Baduin contenait parfaitement les sentiments de rage et d'humiliation qu'il éprouvait en ce moment. Il n'avait d'ailleurs pas le choix.

— Nous avons reçu cette cassette, point final, déclara-t-il d'une voix sèche. Ensuite, chaque délégation s'en est servie pour élaborer son plan de bataille : et même si l'opération revêt la forme d'une offensive conjointe, elle ne se prépare pas sous l'égide des Nations unies.

— Alors, au moins, ils ont une chance de réussir ! ironisa de nouveau Welsh qui méprisait la torpeur et la médiocrité de cette bureaucratie gigantesque et arrogante.

— Ecoutez, monsieur...

— Non : vous, écoutez ! Je me fous de savoir comment vous allez procéder, mais aujourd'hui nous avons besoin que vous empêchiez ce projet. Si dans trois jours, les cinq pays concernés n'ont pas enterré l'idée saugrenue d'une attaque interalliée dans les abysses, vous sautez ! conclut Welsh qui se levait déjà, en pointant un doigt menaçant sur son interlocuteur.

*

A 300 kilomètres du building des Nations unies, dans la campagne du New Jersey, un carnage silencieux était en train de décimer les mercenaires israéliens de Sanesburry. Au milieu d'un voisinage paisible, le pavillon de banlieue qui abritait Steffi Jungmann venait d'être pris d'assaut par une quinzaine d'hommes qui exécutaient les occupants sans un bruit, sans que quiconque alentour ne s'en aperçoive. Formés au tir instinctif, équipés de silencieux ultramodernes, les agents de Majestic s'emparèrent sans mal de la jeune fille puis quittèrent immédiatement les lieux par groupes de deux, toujours en prenant soin de ne pas éveiller l'attention. Le colonel Predgard se tenait dans une voiture banalisée, à une trentaine de mètres. Pour l'instant, la mission se déroulait parfaitement bien, et cette gosse représentait une assurance supplémentaire. On n'est jamais trop prudent...

*

Le transport de troupes C-130 avait décollé juste avant le début d'une terrible tempête qui balayait maintenant la base de puissantes rafales, avoisinant les 300 km/h.

Dans la vaste soute du bimoteur, Colton fumait une de ses très rares cigarettes, en compagnie d'un escadron de Navy Seals qui revenaient d'un exercice de combat en milieu polaire, sur la « concession » américaine de l'Antarctique. Les hommes étaient âgés d'environ vingt-cinq ans, et Seth imaginait difficilement ces garçons en machines de guerre impitoyables. Ces éclaireurs de la marine étaient pourtant parmi les meilleurs commandos du monde en terme d'aptitude opérationnelle et de polyvalence. Chacun d'entre eux avait coûté à la Navy plus d'un quart de million de dollars pour sa formation. Ils étaient largués sur n'importe quelles côtes, depuis un avion, un hélicoptère ou le tube lance-torpille d'un sous-marin, pour des missions de sabotage, d'assassinats ou de renseignements. Ces gamins rigolards, avachis sur les sièges en toile du C-130 en écoutant du rap, constituaient l'élite de l'armée américaine.

Ils prenaient Colton pour un type des services secrets. La DIA, la CIA ou la NSA, ils ne savaient pas trop... L'un d'entre eux, un Afro-Américain de vingt-six ans originaire de Californie, racontait comment il avait « récupéré » un espion de Langley capturé par les Libyens, sur les côtes méditerranéennes. Un autre expliqua comment lui et son unité avaient été largués au large de la Corée du Nord, pour espionner un site de construction nucléaire trois jours durant, avant de plonger à nouveau sous la glace hivernale pour rejoindre le sous-marin qui les attendait à trois kilomètres des côtes, sous la banquise...

Le trajet se poursuivit ainsi jusqu'à Johannesburg : le C-130 s'y arrêta pour faire le plein et déposer le mystérieux passager, avant de repartir en direction de l'Europe. Colton, lui, pénétra dans l'aéroport avec un sauf-conduit délivré par l'US Navy sur ordre de Welsh, en attendant l'avion de Sanesburry qui devait le conduire jusqu'aux membres du Comité. Cinq heures plus tard, à trois heures du matin, le Raytheon se posa sur la piste bosselée de Jan Smuts Airport et récupéra son passager, avant de redécoller presque aussitôt...

Dans la cabine, l'hôtesse attitrée de Sanesburry lui proposa un somptueux repas auquel Colton ne fit pourtant pas honneur : dans le C-130, il venait de s'empiffrer de rations militaires. Seth se fit servir un soda, et reçut presque simultanément la communication de Conrad, par visioconférence, sur l'écran géant de la cabine. La réception était mauvaise : son ami apparaissait sur une image floue et instable, alors que sa voix semblait décalée par rapport aux mouvements de ses lèvres.

— Sois très attentif : nous n'aurons que très peu de temps pour agir, alors je préfère t'informer de la situation dès maintenant, déclara le milliardaire anglais, qui commençait à apparaître plus nettement devant Colton.

— Je t'écoute, déclara ce dernier en posant son verre.

— Tu es en route pour Sovetsgayan : il s'agit d'une base aéronavale russe top secrète, encore aujourd'hui... Je m'y trouve depuis ce matin, et j'ai organisé l'ensemble de l'opération. Tu dois redescendre. Sais-tu que nous sommes confrontés à un second problème ?

Seth fronça les sourcils avec étonnement, en fixant la caméra de retransmission.

— Ludwig Bayer a fait une déclaration publique aux membres permanents du Conseil de sécurité des Nations unies...

— Pour leur dire quoi ?

Sanesburry esquissa un geste où se mêlaient le désespoir et la résignation :

— Il leur a demandé d'interdire les naissances pendant plusieurs années, je crois. Il a fait mention d'un cataclysme sur lequel je n'ai pu obtenir aucune information précise. L'affaire est maintenant entourée d'un secret absolu...

— Il s'agit d'une glaciation à l'échelle planétaire : il ne ment pas, malheureusement, déclara Colton d'une voix grave, comme un médecin qui formulerait son diagnostic sur un malade en phase terminale...

— Mon Dieu...

Les deux hommes demeurèrent silencieux pendant plusieurs secondes, alors que la mâchoire de Sanesburry se crispait. Ce dernier baissa les yeux et reprit d'une voix blanche :

— Mais il y a pire : les puissances industrialisées possédant une flotte sous-marine veulent coordonner une attaque contre Bayer...

— Quoi ? hurla Seth qui connaissait mieux que quiconque en surface la puissance des intercepteurs A-2... Mais ils vont au carnage ! Il faut les en dissuader ! Ce n'est...

— Je ne peux pas. De toute façon, les choses sont maintenant allées trop loin : Bayer a provoqué la Maison Blanche, le 10, Downing Street, l'Elysée et les autres gouvernements capables d'une réplique sous-marine, alors...

— Mais personne n'est capable d'une réplique contre leurs engins ! martela Colton... De quel matériel disposent-ils ? Nos submersibles sont incapables de les inquiéter. Ils sont totalement inadaptés à la mission. C'est ridicule ! Pas un n'en sortira...

— Je le sais, Seth. Mais nous ne les dissuaderons pas.

— Il faut que je leur parle...

— Pour leur dire quoi ? Qui es-tu ? Tu n'existes pas, pour ces gouvernements. Et nous nous appliquons à ce qu'il en soit ainsi depuis plusieurs années. Qui plus est, personne ne te croira : tu vas leur expliquer que les sous-marins de Bayer évoluent à plus de 2 000 km/h sous la surface des océans ? Tu vas leur expliquer également qu'il fabrique de l'or à partir de l'eau de mer, et qu'il le vend ensuite à la surface, pour financer ses activités ? Est-ce que tu penses sincèrement qu'on t'accordera une seconde, dans n'importe quelle chancellerie, dans n'importe quel ministère ?

Seth ne répondit pas. Il savait que Conrad avait

raison, mais il ne pouvait se résoudre au carnage qui allait suivre. Et pourtant... Pourtant, il n'était pas en mesure de faire quoi que ce soit pour l'éviter...

— Mon Dieu, dit-il en ne s'adressant qu'à lui-même, les yeux baissés. Tous ces hommes vont mourir...

— Il n'y a plus rien à faire, tu le sais. Par contre, nous devons nous employer à détruire ce centre.

— Tu as raison. D'autant que j'ai parlé à Welsh depuis la base, après notre discussion...

— Que t'a-t-il dit ?

— Il a confirmé ce que je supposais déjà : lui et ses... « amis » veulent s'emparer de ce complexe sans le détruire.

— Bien sûr ! déclara Sanesburry en éclatant de rire. Comment ces hommes pourraient-ils accepter de faire disparaître une technologie aussi pointue ?

— Ce qui m'étonne, c'est que les différents Etats contactés par Bayer n'aient pas eu la même idée...

— C'est logique : si ce dément s'était mis en relation avec un seul d'entre eux, quel qu'il soit, personne n'aurait songé à éradiquer cette incroyable base, plantée dans une fosse marine où personne ne peut encore accéder. Mais il a fait une déclaration au Conseil de sécurité : plusieurs pays sont au courant, et comme aucun d'entre eux n'est prêt à partager une telle technologie, la paranoïa des gouvernements a joué son rôle : en la détruisant, on est sûr qu'elle ne tombera pas entre de mauvaises mains. Voilà tout...

— Mais ils vont échouer. Conrad, j'ai piloté un intercepteur, et c'est tout bonnement...

— Eux oui, mais pas nous. A Sovetsgayan, une tête

nucléaire de type SSNN-28 t'attend, prête à embarquer avec toi vers le fond...

— Mais enfin : aucun engin de notre fabrication ne peut atteindre ces profondeurs ! Aucun ! Comment veux-tu que je descen...

— Avec l'un des leurs, répliqua Conrad en affichant un regard satisfait et mystérieux.

Intrigué, Seth l'observa pendant plusieurs secondes sans comprendre, avant que le magnat de la presse ne poursuive :

— Après ton départ, j'ai décidé de faire suivre le cargo dans lequel tu t'étais embarqué. Il se dirigeait vers Rotterdam. Lorsque j'ai reçu ton premier message crypté, sur Internet, j'ai compris que tu ne te trouvais plus à bord. Par conséquent, Anthony et les autres ont donné leur aval pour que je fasse intercepter ce navire. Après en avoir pris le contrôle, mes hommes se sont aperçus que la structure interne permettait d'accueillir des modules sous-marins. De plus, à l'intérieur, ils ont trouvé un module de sauvetage. Un engin pouvant contenir six personnes, en plus du pilote. Je ne pouvais pas t'en parler lorsque tu m'as contacté de la base américaine. Welsh avait certainement ordonné que l'on surveille notre conversation.

— Tu as réussi à obtenir un de leurs engins ? répéta Seth, complètement abasourdi par la déclaration de son ami...

Sannesburry hocha la tête avec un sourire entendu.

— Nous l'avons testé, et il se trouve en ce moment à Sovetsgayan. Il file à près de 900 km/h, et l'alliage utilisé est totalement inconnu.

— C'est un mélange d'acier, d'or et d'argent...,

répliqua Colton d'une voix absente, avant d'ajouter : Est-ce que le gouvernement russe est au courant de la présence de ce sous-marin sur leur territoire ?

— Tu verras : en Sibérie, à Sovetsgayan, il n'y a plus de gouvernement. Juste du matériel nucléaire à vendre...

— Mais les intercepteurs sont beaucoup plus rapides que cet engin de sauvetage : à 900 km/h, il demeure très vulnérable face à leurs modules A-2.

— Malheureusement, c'est tout ce que j'ai en stock ! ironisa Conrad... Mais tu connais leurs sous-marins mieux que quiconque, en surface. Si tu estimes que la mission est trop dangereuse, je comprendrais parfaitement que...

— Non, trancha Colton... Avec un de leurs modules, on a une chance. Maigre, mais une chance quand même...

Au cœur des abysses, la base vivait dans un état d'alerte constant. Les sorties d'un laboratoire à l'autre étaient strictement limitées. Le passé de chacun était recontrôlé par les hommes de la sécurité, alors que les pilotes d'intercepteurs maintenaient une veille constante sur l'activité en surface. Dans le jargon des militaires de la base, « surface » incluait tout ce qui pouvait évoluer dans une profondeur de 2 000 mètres. Ils attendaient l'arrivée de ce qu'ils appelaient avec ironie « l'Invincible Armada » au-dessus de leur tête, prête à fondre sur leur proie au premier signal d'alerte...

Bayer était confiant quant au succès militaire de cette opération. Depuis qu'il avait lancé son ultimatum, il se sentait plus fort. A vrai dire, il se sentait indestructible...

— Monsieur ?

Dans l'interphone, la voix de Laura Baker semblait tendue.

— Qu'y a-t-il, madame Baker ?

— Nous n'avons plus aucun contact avec l'équipe de forage d'Henders...

— Quoi ? gémit-il avec surprise, pas encore inquiet.

— Vous avez bien entendu, monsieur. Depuis trois heures, la plate-forme de chantier, posée au-dessus du rift, a cessé d'émettre...

— Vous avez envoyé un intercepteur ?

— Nous sommes en état d'alerte, et les A-2 sont en...

— Oui. Vous avez raison... De quoi peut-il s'agir, à votre avis ? La plate-forme n'a pas pu disparaître, tout de même.

— Non. Mais Henders m'a contactée il y a trois heures : le nuage de bactéries libéré par l'explosion était infiniment plus compact que ceux que nous avons connus auparavant. Il enveloppait la base et...

— Eh bien, ne cherchez plus : les particules, trop nombreuses, brouillent les émissions radio, voilà tout...

— Je pense en effet qu'il s'agit de cela. Mais depuis trois heures, le nuage s'est déplacé...

— Dans quelle direction ?

— C'est le plus étrange : il se dirige très exactement sur nous. Dans l'axe qui relie la plate-forme à la base...

Bayer répondit d'une voix légèrement excédée :

— Raison de plus pour être serein, je dirais... Le

courant fait dériver ce nuage bactérien, comme toujours, et le fait qu'il demeure exactement entre nous et Henders continue de brouiller les transmissions. Il n'y a rien d'anormal !

— A une chose près, monsieur. Ce nuage se déplace contre le sens du courant. Et ça, je vous mets au défi de l'expliquer...

25

CARNAGE

Secteur Lisa 8, Pacifique Sud.
9 h 58 GMT

Baduin Zegan avait annoncé sa démission trois heures plus tôt, officiellement pour raisons de santé. Les journaux les plus sérieux se fourvoyaient en explications tortueuses à propos des véritables motifs de cette décision : désaccord avec les Etats-Unis ? Non-paiement des arriérés dus par Washington à l'Organisation ? Tensions dans les rapports personnels entre le secrétaire général et certains chefs d'Etat ? Chacun y allait de sa petite explication, et tout le monde ignorait qu'un homme du nom de Steward Welsh lui avait simplement ordonné de se « coucher », comme un parrain de la mafia le ferait pour un boxeur véreux...

Mais les véritables raisons de ce départ se trouvaient au fond du Pacifique Sud, loin des regards et des oreilles du public : les trois sous-marins d'attaque soviétiques Akula qui évoluaient à – 1 000 mètres constituaient l'avant-garde d'une armada invisible, qui représentait pourtant le plus cher et le plus impressionnant déploiement marin jamais conçu par les stratèges militaires de la planète. Derrière eux, cinq sous-marins nucléaires balistiques lanceurs d'engins, de classe Typhon et Delta IV, accompagnaient cinq bâtiments américains de tonnage équivalent, appartenant aux classes *Ohio*, *James Madison*, *Lafayette* et *Benjamin Franklin*. Tout au long de cet incroyable convoi, des engins soviétiques de classe *Yankee*, *Sierra* et *Mike* assuraient la protection des géants nucléaires qui évoluaient à quelques centaines de mètres d'eux. Le premier des *Akula* était chargé de détruire sans sommation tous les appareils non identifiés se présentant devant lui : lorsqu'un point lumineux apparut sur le radar d'Oleg Chovensky, le capitaine, il crut à un dysfonctionnement de son système de repérage.

— Faites un test sonar : on a des interférences magnétiques. C'est certainement l'électricité statique de tous les sous-marins qui sont derrière nous...

A cinquante-trois ans, Oleg était un prodigieux marin. En embarquant pour cette mission, à Vladivostok, deux jours auparavant, il avait déclaré : « Ce qui me fait le plus peur, c'est d'avoir à naviguer avec des sous-marins yankees aux fesses ! Je n'arrive pas à m'y faire... »

En fait, l'opération conjointe se déroulait plutôt bien, et les rapports entre les équipages atteignaient une convivialité satisfaisante. Invité à dîner la veille par le commandant de l'opération, le capitaine du *Benjamin Franklin*, Oleg avait passé une soirée plutôt agréable. « Sauf qu'ils ne picolaient pas ! » avait-il secrètement regretté...

— Yakouchkine aux *Akula* : j'ai quelque chose sur mon...

La communication radio s'interrompit quelques instants, puis le capitaine d'un des sous-marins nucléaires russes qui se trouvait derrière lui enchaîna :

— ... Désolé, fausse alerte. L'objet a disparu...

Oleg décrocha la radio et déclara :

— *Akula 1* à Yakouchkine. Nous aussi, on a ce genre de problème : il y a trop de bâtiments derrière. Ça provoque des pertur...

Le Russe, qui ne s'était pas attaché, fut projeté de son siège à travers la salle de commande. Il comprit immédiatement qu'il avait affaire à une onde de choc : un des bâtiments venait d'exploser. Mais ce putain de sonar n'avait rien signalé ! Ni ennemi ni torpille...

Il se releva en grimaçant de douleur et retourna à son siège pour s'emparer de la radio.

— Identifiez ! hurla-t-il en russe. Qui est touché ?

— Parlez anglais, bordel ! lui répondit-on, sans qu'il sache de quel bâtiment la voix provenait.

Il avait été convenu que l'anglais serait la langue utilisée au cours de cette mission. Oleg répéta la question en la traduisant, alors que les sous-marins énuméraient le sempiternel « Tout va bien à bord ». Oleg cochait chacun d'entre eux sur la liste des engins participant à l'opération. Un d'entre eux manquait à l'appel.

— Skipjack ! hurla-t-il dans la radio. Skipjack, ici *Akula 1*. Répondez !

Il raya le Skipjack de sa liste d'un geste rageur, puis enchaîna :

— Ici *Akula 1* : ordre à tous les bâtiments d'attaque

de passer en mode d'interception. Ouvrez les tubes et armez les torpilles ! Dispersion ! Je répète : dispersez-vous et balayez l'angle qui vous est attribué ! Exécution...

— Capitaine, on a quelque chose !

L'homme qui venait de crier à travers la salle de commande se nommait Andreï Seveznikov : il gérait les systèmes d'écho-détection. A la différence du sonar, qui renvoyait les particules émises depuis le sous-marin, l'écho-détecteur n'était qu'un instrument de repérage basé sur le bruit : à l'aide d'un ensemble d'amplificateurs acoustiques, il permettait aux spécialistes de scruter les fonds marins en identifiant les sons qui n'y avaient pas leur place...

— Un sous-marin ?

— Non...

— Quoi, alors ? Un bâtiment de surface ?

— Non. Trop faible et trop rapide, plutôt une torpille, mais...

Instinctivement, Oleg Chovensky se tourna vers son second.

— Larguez des contre-mesures. Seveznikov ! Position de la torpille ! Angle d'approche !

Andreï demeurait silencieux. Tout l'équipage était suspendu à ses lèvres : la survie de l'*Akula* ne dépendait plus que de lui...

— Contre-mesures prêtes, mon commandant ! Paré à larguer sur toutes les directions...

— Seveznikov !

— Je n'ai plus rien ! répliqua-t-il sur le même ton, alors que le commandant fronçait les sourcils de surprise.

Le jeune ingénieur reprit la parole à toute vitesse, en se tournant vers les techniciens qu'il commandait :

— Faites une vérification de nos fréquences : balayez sur les quinze bandes UHF et réinitialisez le système d'amplification. Vite !

Andreï redoutait une panne. Depuis l'effondrement de l'Union soviétique et la banqueroute du système militaire russe, elles étaient fréquentes...

— Seveznikov ! Qu'est-ce qui...

Avant que le commandant ait terminé sa phrase, Andreï lui commanda de se taire, d'un geste sec. En d'autres circonstances, il ne se serait jamais permis une telle familiarité. Mais puisque le radar ne remplissait pas son rôle, le jeune homme était le seul ingénieur capable d'identifier la torpille, si c'en était une...

— Echo-détection : paré ! Les quinze bandes UHF sont opérationnelles. Système d'amplification opérationnel éga...

— J'en ai une autre ! 15° ouest à 3 000 mètres ! Vitesse...

Andreï fronça les sourcils un bref instant...

— Merde ! Elle va trop vite ! Dégagez vers le haut !

— Gouvernail à 0 ! Inclinaison 20° linéaires ! Machines avant toutes ! hurla le commandant.

— Torpille ! A tous les bâtiments, je répète : torpille en approche ! Modèle inconnu ! Vitesse estimée à...

En observant les renseignements que Seveznikov venait d'entrer dans l'ordinateur central depuis son poste, le second du capitaine marqua un bref temps d'arrêt. Alors qu'il interrogeait l'ingénieur d'écho-détection du regard, un sifflement strident traversa le poste de commandement pour disparaître presque aussitôt. Quelque chose – ce n'était pas une torpille – venait de croiser le sous-marin à une vitesse folle. Tout simplement folle...

L'équipage entier demeura silencieux pendant un bref instant, jusqu'à ce qu'une nouvelle explosion retentisse. Quelques instants plus tard, alors que l'onde de choc ébranlait l'*Akula* du capitaine Chovensky, une autre déflagration emportait un troisième sous-marin balistique. Celui qui avait été touché par la torpille, un *Typhoon*, se trouvait à moins de 100 mètres du *Benjamin Franklin*. Les structures métalliques de ce dernier n'avaient pas résisté à la violence de l'impact, trop proche, qui venait de pulvériser le submersible russe. Un seul de ces engins diaboliques venait d'emporter près de trois cents hommes en moins d'une seconde...

— Mais pourquoi les radars ne les détectent pas ? hurla le second à l'attention de son chef.

— Trop rapides ! Elles sont trop rapides ! rétorqua ce dernier. Seveznikov ! quelle était la vitesse de cet engin ?

— Je ne suis pas très sûr... A des niveaux pareils, on doit perdre en précision...

— Combien ? ! rugit Chovensky.

— 800 km/h !

Le capitaine écarquilla les yeux un instant, et la nouvelle sembla lui faire retrouver un calme étrange. Après quelques instants de réflexion, il déclara dans le micro...

— Ici *Akula 1* à tous les bâtiments. Torpilles ennemies de type inconnu ! Je répète : torpilles de type inconnu ! En tant qu'éclaireur je considère la zone comme impraticable et j'ordonne un repli d'urgence vers la base de GFJHYGCJ. Je répète...

— Capitaine ! rugit la voix d'un Américain... Etes-vous devenu fou ? Nous avons une mission à accomplir. Nous ne pouvons...

— Torpille ! hurla Andreï... 15° ouest à 3 900 mètres, en approche rapide. Profondeur : 23 000 pieds.

— Larguez des contre-mesures à trois heures et inversez les machines ! Arrière toutes ! Demi-tour sur tribord et parez à virer cap 9° nord-nord-ouest ! cria Chovensky, tout en sachant ce qu'une telle manœuvre impliquait.

Dans le micro, la voix du même Américain enchaîna :

— Capitaine, vous défaites la formation ! Vous passerez en conseil de...

Même sifflement que tout à l'heure. Même explosion...

— Derrière nous ! Derrière nous ! hurla l'un des techniciens qui assistait Andreï...

— Seveznikov ! De nouvelles torpilles ?

L'ingénieur acquiesça de la tête, toujours concentré sur ses écouteurs...

— Quel angle ?

— 45° sud-sud-est en descente !

L'engin arrivait pile dans le cap par lequel ils se dégageaient du tir précédent.

— Salle des machines ! Annulez mon ordre. Machines avant toutes ! Barre à 15° ouest. Larguez les contre-mesures de proue !

— Contre-mesures larguées, capitaine !

— Donnez-moi une estimation de la vitesse !

Une autre torpille passa le long de la coque, dans un sifflement lugubre.

— On percute ! 16° ouest ! On est dessus ! Dégagez la poupe ! ordonna Andreï.

Oleg Chovensky se prit un instant la tête entre les mains, comme pour tenter de réfléchir à la suite des événements, au cœur de ces abysses infernaux. Finalement il leva les yeux en fixant son second d'un regard calme :

— Les moteurs sont à plein régime, avant toutes : on ne peut pas dégager...

Une poignée de secondes plus tard, la torpille tirée depuis l'intercepteur de Greg Austin déchira l'hélice et le fuselage arrière de l'*Akula*. L'engin vira brutalement de bord, et plusieurs alarmes retentirent simultanément. Les techniciens de la salle de commande hurlèrent à l'attention du capitaine :

— On a perdu la propulsion principale et les deux auxiliaires !

— Je passe le système électrique en mode de secours. L'ampérage est à 18 ! cria un autre depuis son panneau de contrôle...

— Voie d'eau dans la salle des machines ! On prend l'eau dans la salle des...

— Verrouillez les portes étanches sur tous les bâtiments ! commanda Oleg Chovensky, alors que le sous-marin baignait maintenant dans une semi-obscurité inquiétante, rehaussée par les projecteurs rouges du groupe autonome.

Son second l'empoigna par le bras dans un geste de panique désespérée...

— Capitaine ! Si on condamne la salle des machines on perd les moteurs ! grimaça l'Ukrainien d'une quarantaine d'années.

— Et si on ne condamne pas l'accès, nous mourrons noyés ! Obéissez ! rugit l'officier en empoignant la radio... Ici *Akula 1* à tous les bâtiments de la flotte ! Je répète : ici *Akula 1.* Nous avons une voie d'eau en poupe : propulsion HS, électricité HS et système sonar HS...

— Videz vos ballasts ! On prévient les navires de surface ! hurla un autre commandant en russe.

Oleg le reconnaissait : il s'agissait de Sergeï Brezinsky, son ami depuis l'école d'officier de Kiev, en 1956...

— Nos ballasts sont pleins et les pompes expurgeantes sont reliées au principal électrique de la salle des machines.

— Faites une dérivation !

— Les compartiments d'attribution du transformateur sont après la porte étanche ! On ne peut rien faire : c'est déjà inondé...

L'autre demeura silencieux un bref instant, puis conclut d'une voix grave et embuée de larmes :

— Que Dieu te garde, camarade...

— Tire ta sale carcasse d'ici, répondit le capitaine de l'*Akula 1*, alors qu'une nouvelle onde de choc secouait l'épave.

Au-dessus, les autres bâtiments semblaient engagés dans un terrifiant jeu de massacre. Le rythme des explosions laissait présager que pas un d'entre eux ne rejoindrait sa base...

— Capitaine : nous sommes à 1 500 mètres de fond,

déclara un jeune technicien d'une voix angoissée, alors que le second se penchait à l'oreille de Chovensky, visiblement plus calme que tout à l'heure :

— Qu'est-ce que l'on va faire ?

— Rien, déclara-t-il avec un sourire contraint. Prier...

— Ces engins ne descendent pas en dessous de...

— Je sais, lieutenant. Mais eux, peut-être, ne le savent pas. Peut-être ne veulent-ils pas le savoir, fit-il en désignant les jeunes matelots qui s'étaient réfugiés dans la pièce centrale du bâtiment, terrifiés.

L'un d'entre eux demanda d'une voix suppliante :

— Il est où, le fond, capitaine ?

Après une courte hésitation, Oleg déclara d'une voix douce :

— A 7 500 mètres, mon garçon.

— Mais alors, on va...

— Profondeur 3 200 mètres, mon capitaine ! interrompit l'un des techniciens d'une voix étonnamment calme, comme s'il avait compris.

— Non. Ça va tenir, répondit le capitaine avec un sourire confiant. Et ensuite, ils viendront nous chercher...

L'engin n'atteindrait pas 4 000 mètres, Oleg en était convaincu. Il savait qu'avant cette limite, la ferraille serait écrasée par la pression ambiante et les tuerait tous. Sans aucune échappatoire possible... Mais il ne voulait pas que les derniers instants de ces jeunes matelots héroïques soient hantés par le désespoir. Ils méritaient mieux que ça...

Dans la salle de commande, l'ambiance était étrangement calme. Certains, la tête entre les mains, pleuraient en silence. D'autres, comme Andreï Seveznikov, fixaient leurs instruments d'un œil vide. Mais, grâce au capitaine, certains espéraient...

La structure métallique craquait dangereusement. Le bruit était insoutenable : l'acier se tordait sous la force de l'eau qui engloutissait les soixante hommes d'équipage vers un monde de silence et de mort, vers le monde des ultrapressions. Oleg demeurait imperturbable, et chacun de ceux qui espéraient encore venait de temps à autre puiser dans son regard une raison de ne pas devenir fou. Jusqu'au dernier moment, le Russe remplit son devoir à merveille.

Et lorsque les 400 atmosphères eurent finalement raison de la coque, pas un seul marin n'eut le temps d'avoir peur...

Greg Austin suivait la progression de l'*Akula* depuis que le sous-marin avait été touché : le spectacle de ce qui se produisit à 4 000 mètres fut étonnant. Comme si cet engin, avec une surface, une forme et un volume bien déterminés, perdait une partie de la matière qui le composait : quelques secondes après la modification, l'*Akula* n'était plus qu'un morceau de métal écrasé, semblable au résidu d'un véhicule gravement accidenté. Et pourtant, pas le moindre choc : juste les ultrapressions...

A 4 000 mètres, alors qu'il observait le sous-marin disparaître dans les abysses, il reçut une communication de la base qui le rappelait en urgence. Avant de quitter les lieux, il observa le théâtre de la bataille d'un œil calme et confiant. Autour de lui, des débris métalliques plongeaient comme une pluie d'apocalypse depuis la flotte décimée, au-dessus, jusqu'au plancher océanique désert, à presque huit kilomètres de profondeur. Satisfait de constater qu'aucun de ses pilotes n'avait besoin d'aide pour achever les intrus, il enclencha le mode de vitesse intermédiaire et fondit sur la base à plus de 1 000 km/h...

Alors qu'il entamait sa phase d'approche, à quelques centaines de mètres des sas d'embarquement, il observa les écrans de SONAVISION d'un œil stupéfait. Autour de la base, un nuage colossal s'étendait sur plusieurs milliers de mètres de hauteur et des dizaines de kilomètres de largeur. Sa taille gigantesque faisait passer le complexe de Bayer pour une simple maquette expérimentale...

Austin avait entendu parler de cette saloperie : des bactéries qui remontaient le sens du courant, contre toute logique... Il détourna le regard : l'homme qui venait d'abattre plusieurs sous-marins nucléaires dans un engin mesurant cinq mètres de longueur crevait de trouille devant cette nuée blanchâtre qui grossissait d'heure en heure. Il avait travaillé pour l'Air Force mais, malheureusement pour lui, pas pour le projet Majestic. S'il avait entendu ce que les hommes du projet racontaient au sujet des abysses, il serait remonté en surface pour se livrer illico à la force interalliée.

Et il aurait eu raison...

26

RETOUR DE FLAMME

Pacifique Sud, 200 km au nord des côtes antarctiques. 12 h 47 GMT

Seth n'avait eu que quelques heures pour goûter aux charmes de Sovetsgayan, et c'était amplement suffisant ! La base militaire fonctionnait au ralenti, comme un gigantesque supermarché de la mort... Elle se trouvait aux mains d'une clique de généraux corrompus et totalement acquis aux mafias tchétchènes, qui envoyaient régulièrement leurs hommes s'approvisionner en matériaux militaires chimiques, biologiques et nucléaires. Ces armes et ces technologies étaient ensuite revendues à l'Irak, à la Libye, au Pakistan ou à la Corée du Nord, alors que les stocks militaires conventionnels approvisionnaient leurs hommes de main à travers le monde entier...

Sovetsgayan ressemblait à un terrain vague oublié depuis des lustres, et duquel toute vie se serait retirée. En fait, les rigueurs climatiques de la Sibérie et les impératifs stratégiques de l'époque avaient poussé les concepteurs de cette base à enterrer l'ensemble des bâtiments. Seth avait rejoint Sanesburry dans un dédale de couloirs lugubres et humides, à l'intérieur desquels les deux hommes mirent rapidement au point les objectifs de la mission : descendre, s'emparer des recherches médicales et biologiques pouvant présenter un intérêt pour les recherches actuelles, puis remonter après avoir armé les quatre ogives, une dans chaque bâtiment du complexe...

Quelques heures après son arrivée, il avait embarqué à bord d'un transport de troupes russes qui le conduirait jusqu'à une base russe de l'Antarctique, avant qu'un hélicoptère MI-26 ne le ramène près du royaume de Bayer, pour le larguer en pleine mer. A l'aide du submersible, après avoir neutralisé toutes les installations, il devrait évacuer à vitesse maximale vers un point de repêchage situé 800 kilomètres au sud, près de la banquise. Une fois revenu sur la terre ferme – et pas avant – Colton serait considéré comme sain et sauf...

Il se trouvait maintenant dans l'hélicoptère, et repensait à ce qu'il venait d'apprendre, quelques heures plus tôt, dans l'enceinte de la station polaire russe : la quasi-totalité de la flotte interalliée avait disparu corps et biens à l'approche du complexe de Bayer. L'offensive s'était effectuée de manière totalement secrète, et le grand public ne savait rien du drame qui venait de se jouer dans les profondeurs du Pacifique : plus de 1 500 morts, et des milliards de dollars perdus. Tel était le prix de cette opération folle, décidée par des « stratèges » et des fonctionnaires incompétents depuis les différentes capitales du monde industrialisé. Les officiers de la base russe qu'il venait de quitter connaissaient tous les sous-mariniers engagés dans la mission : une partie de la flotte avait même fait escale dans cette base pour ravitailler...

« Comment pouvait-on être aussi stupide ? enrageait Colton en repensant aux innocents sacrifiés dans cette opération démentielle. Une observation – même superficielle – des faits ne laissait pas le moindre doute quant à l'issue d'une telle entreprise : Bayer maîtrisait un monde auquel nous n'avions pas accès. Décider de le combattre sur ce terrain était plus qu'une simple folie : c'était criminel... »

Pourtant, les Etats-Unis, la Russie, la Grande-Bretagne, la France et le Canada n'avaient pas hésité une seconde à envoyer leur flotte d'élite, tellement persuadés de leur supériorité que toute analyse semblait avoir été jugée inutile...

En repensant à ce drame, alors que l'hélicoptère s'approchait maintenant du point de largage, Colton se dit qu'un tel fiasco faisait les affaires de Steward Welsh. S'il en avait eu le temps, l'homme de la NSA aurait certainement pris le contrôle de cet endroit, et Dieu sait ce qu'il eût pu décider ensuite. Mais heureusement, dans quelques heures, le rêve du milliardaire fou n'existerait plus. S'il parvenait à pénétrer dans le complexe...

— Vous voulez que je descende à quelle altitude ? demanda le pilote en russe.

Perdu dans ses pensées, Seth fut brutalement ramené à la réalité lorsqu'un des militaires qui l'accompagnaient ouvrit la porte latérale : à l'extérieur, une tempête balayait l'océan et soulevait des murs d'eau de plusieurs dizaines de mètres. La mer déchaînée prenait la couleur grise des nuages : au-delà d'une certaine profondeur, l'eau n'avait plus de couleur naturelle. Le liquide n'était que le reflet des éléments qui l'entouraient : bleu par temps clair, il devenait d'un gris inquiétant à l'approche d'une masse nuageuse...

Les rafales violentes projetaient des embruns glacés vers l'hélicoptère, et Seth repensa aux heures terribles qu'il avait passées dans cette zone, avant d'être secouru par l'USS *Alabama*.

— A combien est-ce que vous pouvez descendre ? demanda-t-il au pilote, toujours en russe.

— Pas plus bas ! hurla-t-il pour couvrir le bruit de la tempête...

L'hélicoptère oscillait dangereusement, alors que le pilote tentait de maintenir l'engin face au vent...

— Si vous tenez vraiment à descendre, c'est maintenant ! On ne peut plus rester ici ! ajouta le militaire.

Sans un mot, il prit place dans le submersible qui occupait l'ensemble de la cabine, retenu par un filet relié au treuil gigantesque du MI-26. Lorsqu'il ferma le sas, Colton se retrouva plongé dans un silence absolu : l'épaisseur et la densité de l'alliage empêchaient les bruits du moteur de parvenir jusqu'à lui. La console de commande était différente des modules qu'il connaissait : plus simple que celle d'un intercepteur, elle possédait néanmoins un certain nombre de fonctions inutiles pour sa mission : le module de sauvetage était équipé d'un bras articulé capable de découper ou de remorquer un engin endommagé. Colton identifia sans peine les gaz et le gouvernail, positionnés aux mêmes endroits que sur les A-2, alors qu'il se sentait ballotté de droite à gauche, dans un roulis inquiétant...

Il était maintenant à l'extérieur du MI-26, descendu aussi précautionneusement que possible par le treuil. Mais le déséquilibre occasionné par le submersible qui se balançait sur la gauche de l'appareil menaçait de précipiter l'hélicoptère dans les déferlantes, qui roulaient moins de 50 mètres plus bas.

Payé d'avance, et de toute façon persuadé que son client ne reviendrait jamais pour s'en plaindre, le pilote décida de « larguer » Colton d'une hauteur de 40 mètres : le treuil fut décroché et le petit engin s'abîma dans les rouleaux, pour disparaître de son champ de vision...

Depuis sa précédente mésaventure, lorsqu'il avait embarqué en toute hâte dans l'intercepteur, Seth savait qu'il valait mieux s'attacher à bord de ces engins ultra-rapides. Solidement harnaché, il encaissa le choc sans être projeté sur les parois étroites de la cabine. Mais son épaule gauche, bloquée dans les ceintures de sécurité à courroies multiples, se démit sous la violence de l'impact, lorsque le véhicule heurta la surface de l'eau. Un court instant, le circuit électrique arrêta de fonctionner : l'écran de l'ordinateur de bord, les lumières du panneau de commande, tout s'éteignit pour le plonger dans le noir absolu. La panne dura quelques secondes qui lui parurent une éternité... Il se voyait déjà couler à pic, et mourir d'asphyxie dans ce module au fond du Pacifique. Mais la lumière revint, et une alarme émit un bruit strident sur l'ordinateur de bord : elle l'informait que le bras mécanique avait été arraché de son socle, et que les connections électriques de cette partie du submersible étaient désactivées...

Il commanda un check-up rapide, comme on lui avait appris à le faire au centre, lorsqu'il pilotait les petits modules de transport, tout en réemboîtant son épaule luxée d'un mouvement sec et douloureux. Après quelques secondes, sur l'écran de l'ordinateur de bord, une icône d'alerte l'avertit que tous les circuits fonctionnaient normalement.

— Attends que je te retrouve, grommela-t-il entre ses dents à l'attention du pilote.

Il engagea le premier niveau de vitesse sur la manette des gaz, puis le second. A la différence des intercepteurs, cet engin ne possédait pas de programme supersonique, et n'évoluait qu'à 800 ou 900 km/h. « Suffisant », pensa-t-il, tant qu'il ne rencontrerait pas de A-2 sur sa route...

Il poussa le gouvernail devant lui pour plonger avec un angle plus aigu, et observa la boussole de l'ordinateur. Il inséra les coordonnées de la base et obtint immédiatement un « plan de vol » semblable à celui délivré par les jets actuels. Sur l'écran digital, il valida le tracé et enfonça la touche Enter du clavier situé devant lui.

Sans un bruit, l'engin descendait maintenant vers les abysses à 650 km/h. Devant lui, une console lumineuse affichait la profondeur : 3 700, 4 300, 5 000, 5 500 mètres...

Une alarme de proximité retentit dans la cabine : pendant un instant, il crut se trouver en présence d'un A-2, mais l'ordinateur lui demandait simplement de réduire sa vitesse : il approchait de la base. Colton s'exécuta en ramenant la manette des gaz à mi-hauteur, tout en replaçant la propulsion en régime minimal.

Lorsqu'il leva les yeux pour observer le complexe, à travers ses écrans SONAVISION, il crut tout d'abord à un problème technique, à un défaut dans la réception des ondes sonores du logiciel. Ensuite, il pensa que Bayer avait développé un système de brouillage sur les parois externes du centre. Il ne pouvait pas imaginer que ce qu'il voyait correspondait à une réalité quelconque, même dans ce monde inconnu...

Le centre n'existait plus : il était invisible, enveloppé dans une masse laiteuse aux couleurs variables, qui semblait onduler par endroits. Il s'agissait d'un gigantesque nuage blanc, gris ou argenté, Colton était incapable de le dire au travers de SONAVISION. Le système d'imagerie virtuelle dessinait les contours du paysage marin avec une netteté frisant la perfection, mais les reproductions se faisaient en noir et blanc : d'ordinaire, ce handicap était négligeable, dans la mesure où les abysses ne se composent que d'eau et de roches : l'œil humain traduisait inconsciemment les couleurs, qui correspondaient d'ailleurs au milieu naturel ambiant. Mais cette chose... Ce nuage, pouvait tout aussi bien être bleu, rose ou vert, Seth n'avait aucun moyen de le savoir...

Il bloqua les gaz pour éviter de s'approcher plus près, et neutralisa machinalement l'alarme qui se déclenchait automatiquement lors de l'immobilisation d'un engin. Il ne quittait pas ses écrans des yeux et observait ce phénomène étrange d'un œil stupéfait. La nappe ondulait, non seulement comme si elle était vivante, mais aussi et surtout comme si elle possédait une intelligence globale, capable de commander aux myriades de particules qui la composaient. En le regardant attentivement pendant plusieurs minutes, alors que son module s'abîmait lentement vers le fond, il comprit que le nuage faisait autre chose que se déplacer : il grossissait, s'amplifiait, comme les virus qui saturent une cellule organique avant de la faire exploser...

Que devait-il faire ? Rebrousser chemin sans mettre un terme aux activités de Bayer ? Impossible... Après avoir longuement réfléchi, il décida de pénétrer à l'intérieur de cette masse étrange pour s'arrimer aux sas. En balayant les environs du regard, il fut surpris de constater qu'aucun appareil ne faisait mouvement : ni intercepteur, ni module de transport. Les habitants du complexe semblaient s'être repliés sous leur carapace d'alliage...

« DERNIÈRE SÉQUENCE D'APPROCHE. BASCULER SUR MODE AUTOMATIQUE ? »

Il posa son doigt sur le mot Yes et confirma en enfonçant la touche Enter. Le module de sauvetage, amputé de son bras articulé, se logea en quelques secondes sur les parois de la base. Le sas se déverrouilla dans un claquement métallique sec. Sur sa combinaison, Colton disposait d'un pistolet mitrailleur Mag 10 et de plusieurs chargeurs, ainsi que d'un Gluck 17 en holster.

Il décrocha le sac contenant les trois ogives miniatures obtenues à prix d'or par Sanesburry dans la base de Sovetsgayan, puis pénétra à l'intérieur du sas de décontamination. Il s'agissait du moment le plus critique. Le moment durant lequel il était le plus vulnérable. Colton espérait passer inaperçu dans le va-et-vient des engins de transport effectuant une multitude d'allers-retours routiniers, d'un bâtiment à l'autre. Mais aujourd'hui, alors que le complexe était enveloppé dans cet étrange nuage blanc, tout mouvement semblait avoir cessé...

Pourtant, après la décontamination, le sas s'ouvrit sans problème. Personne n'avait remarqué l'intrus. Probablement parce qu'il disposait d'un véhicule semblable à tous les autres. Et pourtant... quelque chose inquiétait Colton. Dans le gigantesque couloir, il ne vit personne. Absolument personne...

Il dégaina son Mag équipé, pour l'occasion, de balles à tête creuse fondues dans un alliage mou : l'attirail standard des quelques armes embarquées à bord des sous-marins américains, de manière à éviter qu'un tir accidentel ne perce la coque. Les parois du centre étaient infiniment plus solides et résisteraient même, de l'avis de Colton, à un tir de RPG. Mais mieux valait ne pas tenter le diable...

Une balle engagée dans le canon, prêt à faire feu, Seth scrutait les ascenseurs où quelque chose semblait en mouvement. En s'approchant, il aperçut les portes qui oscillaient dans un va-et-vient constant, bloquées par quelque chose, au sol...

Un cadavre.

Le cadavre de Mac Gregor, l'hydrobiologiste qui était arrivé à la base en même temps que lui. L'homme était allongé sur le dos, et Colton distinguait à peine le côté gauche de son visage. Lorsqu'il agrippa l'épaule du mort pour le retourner, ses doigts s'enfoncèrent dans un magma de peau et de sang aussi mou qu'un caramel fondu. Il se releva immédiatement, avec une expression de dégoût, tout en se retournant pour vérifier que personne ne l'avait suivi...

Ses doigts dégoulinaient d'un liquide rougeâtre : un mélange de sang et de tissus nécrosés. Il s'essuya du mieux qu'il le put sur la jambe de son pantalon, puis retourna le savant avec la pointe de sa rangers... Le corps retomba sur le dos dans un bruit flasque et répugnant, alors que son crâne s'affaissait de plusieurs centimètres sous le choc, pourtant infime. Ses yeux n'existaient plus : tout au plus un peu de bouillie blanchâtre s'écoulait-elle de ses orbites vides et creusées, même si le cadavre ne présentait pas la moindre trace de décomposition...

Colton fronça les sourcils, incapable d'expliquer ce qui pouvait provoquer une telle dissolution des organes internes, alors que l'enveloppe extérieure conservait une apparente solidité. Il poussa Mac Gregor et grimpa dans l'ascenseur pour atteindre le 3e étage. Seth voulait disposer la bombe au cœur du complexe, en son exact milieu...

Lorsque la porte s'ouvrit sur un couloir vide et silencieux, il abandonna rapidement l'idée de passer inaperçu : ce qu'il pressentait depuis la découverte du corps se confirmait. Quelque chose – pas les hommes de Welsh, en tout cas... – avait ravagé la base de Bayer. Et tous ses occupants étaient probablement morts, ou en bien mauvaise posture...

Il poussa le bouton d'entrée de la salle de commande, toujours prêt à faire feu, mais baissa bien vite son arme sans pouvoir réprimer une moue écœurée. Une odeur de sang emplissait la pièce, couverte de cadavres dans le même état que Mac Gregor. Une quinzaine d'hommes et de femmes étaient allongés sur leurs consoles, par terre ou dans les recoins de la salle, comme foudroyés par ce qui venait de s'abattre sur eux. Au pied des écrans SONAVISION, à quelques mètres de lui, Seth aperçut le corps de Laura Baker. Elle était allongée sur le sol, lovée en position fœtale comme pour un sommeil particulièrement profond. Ses yeux coulaient le long de son arête nasale, et le liquide qui s'en échappait formait une petite flaque sur le plancher de la pièce. En observant l'arrière de son crâne, ses jolis cheveux noirs coupés au carré, on aurait pu croire qu'elle dormait...

Il sillonna la base pour trouver partout le même silence terrifiant, partout les mêmes concentrations de cadavres. Lorsque Colton arriva au 5e étage, dans les appartements de Ludwig Bayer, il scruta les gigantesques écrans SONAVISION qui ne retransmettaient qu'une image blanche et aveuglante : celle des microparticules du nuage sous-marin. Quelque chose était arrivé ici, quelque chose de particulièrement violent et soudain. Quelque chose qui avait tué tous les occupants de cet endroit en quelques instants...

— Au secours, murmura un homme dans la pièce voisine.

Instinctivement, Seth pointa son arme en se baissant derrière le sofa du salon où il se trouvait.

— Où êtes-vous ? hurla-t-il à destination de la voix.

Celle-ci ne lui était d'ailleurs pas inconnue. Grave et

lente, empreinte d'un fort accent germanique... C'était Ludwig Bayer.

— Je suis là, répondit-il faiblement en levant son bras pour permettre à Colton de le localiser.

Immédiatement, Seth bondit, le doigt sur la détente, prêt à faire feu. Mais c'était inutile : l'homme qui avait construit cette base subissait la même transformation que les autres. Une véritable liquéfaction...

— Vous ? murmura-t-il d'une voix enrouée par les hémorragies qui se déclenchaient au fond de sa gorge.

Son visiteur demeurait à bonne distance, en le toisant d'un regard neutre. Après quelques secondes, il demanda :

— Que s'est-il passé ?

— Un nuage de bactéries. Il a été réveillé par les explosions d'Henders. Mais il s'agit forcément d'autre chose : j'en suis sûr, maintenant...

— De quoi s'agit-il, alors ?

— D'une forme de vie que nous ne connaissons pas. Je ne parle pas d'une espèce, mais d'une forme de vie. Ni animale, ni végétale, ni...

Bayer fut pris d'une quinte de toux violente. Il cracha des caillots de sang. Dans quelques secondes, peut-être quelques minutes, il serait mort.

— Pourquoi avez-vous survécu si longtemps, alors que les autres sont déjà morts ?

— Nous avons successivement détruit les trois laboratoires alentour, en pensant que le foyer de l'infection s'y trouvait.

— Et tous les travaux en cours ? Vos recherches sur le cancer et le sida ?

— Perdus. Tout a disparu avec les infrastructures.

Nous ne comprenions pas comment cette chose pouvait pénétrer dans le centre... Lorsque je me suis aperçu que les gens mourraient ici aussi, je me suis isolé dans un compartiment étanche. Ça leur a pris plus de temps pour arriver jusqu'à moi...

— Mais bon sang, de qui parlez-vous ?

Il ébaucha un sourire terrifiant : sa bouche n'était plus qu'un magma de chair à vif qui menaçait de l'étouffer à chaque instant, alors que ses dents se déchaussaient les unes après les autres. D'un mouvement d'une lenteur extrême, il désignait les écrans SONAVISION de la pièce voisine :

— Elle...

Colton fut saisi d'une peur soudaine : allait-il terminer comme Bayer ? Il n'y avait aucune raison pour que les choses se déroulent autrement...

— Mais je n'ai pas peur de mourir : j'ai rempli ma mission, et les bouleversements climatiques que j'ai engendrés modifieront radicalement les projets de développement de l'espèce humaine...

— Est-ce que le courant a réintégré sa route ?

— Non. Mais la nature trouvera son chemin. Comme cette chose qui a trouvé le sien au travers de notre alliage ou de nos systèmes de décontamination...

« La nature trouvera son chemin. » Il repensa à Welsh. Le patron de la NSA lui avait déclaré la même chose. Il lui avait également confié que quelque chose dormait dans les abysses. Quelque chose qu'il valait mieux ne pas réveiller...

Colton devait lutter pour ne pas céder à la panique : s'il était touché par ce fléau, ramener une telle chose en surface pourrait condamner le monde des hommes plus sûrement encore que les méthodes de Bayer...

— Qu'est-ce que c'est ? fit-il en désignant la nuée blanchâtre qui emplissait les écrans du programme SONAVISION...

— C'est la Mort. La Mort qui a décimé tous mes hommes. Celle qui est sur le point de m'emporter. Celle qui vous emportera bientôt, conclut-il alors qu'une quinte de toux l'asphyxiait à nouveau.

Le vieil homme se contorsionna quelques instants, la bouche entrouverte, les yeux exorbités, dans le sifflement lugubre d'une respiration incapable de traverser les bronches liquéfiées de sa poitrine : il agonisait...

Ecœuré par le spectacle de cette mort atroce, Colton reprit la direction des ascenseurs et emprunta l'un d'entre eux pour se rendre au 3e étage : dans le dédale des couloirs qui abritaient les recherches d'hydrophysique théorique, il déposa les quatre ogives : les laboratoires extérieurs avaient déjà été détruits, il ne restait que le complexe central.

Sur le boîtier argenté de chacune, il souleva la cache métallique pour accéder au système de mise à feu : chacune possédait une dérivation qui conditionnait l'explosion au déclenchement d'une minuterie. Initialement conçues pour armer les têtes de missiles intercontinentaux, elles avaient été retravaillées sur mesure par les ingénieurs de Sovetsgayan, afin d'accéder aux exigences de Conrad Sanesburry : les quatre engins lui avaient coûté 8 millions de dollars...

Il régla la minuterie sur un décalage de quarante minutes, puis entreprit de contacter la surface via le système Internet du serveur central. Assis près des cadavres de la salle de commande, il envoya un e-mail à Steward Welsh : l'homme de la NSA semblait connaître infiniment plus de choses sur les abysses que la plupart des océanographes. Il n'écrivit que quelques lignes :

Je me trouve dans la base de Bayer. Aucun survivant. Un nuage bactérien a enveloppé tout le complexe. Les corps souffrent de dissolution interne non traumatique, alors que les tissus de l'épiderme demeurent intacts. Les particules semblent avoir résisté aux produits bactéricides de la décontamination (XD-14, Fongicide 767-AWB, GL-TR67, tous en concentration massive).

J'évolue dans une atmosphère contaminée depuis 37 minutes et je ne présente toujours aucun signe clinique anormal. Répondez-moi pour m'indiquer la marche à suivre...

Il envoya l'e-mail et s'installa dans l'un des fauteuils du centre de commande. Tous les instruments semblaient en parfait état de marche. Ses pieds heurtèrent le cadavre d'une jeune femme...

Malgré tous les morts, malgré toute la souffrance causée par les projets insensés de Bayer, Seth ne parvenait pas à juger trop catégoriquement les hommes et les femmes qui avaient bâti et habité ce complexe. Ils avaient quitté tout ce qui constituait une vie normale, en surface, pour l'aboutissement d'un projet qui ne leur apporterait jamais le moindre profit, la moindre gloire ou le moindre pouvoir... Ils avaient délaissé un avenir brillant, dans les instituts de recherches les plus prestigieux, pour sacrifier à un idéal qu'ils considéraient comme juste. Bien sûr, ils se trompaient. Mais étaient-ils réellement si loin de la vérité ? Ludwig Bayer, dans la folie de son projet irréaliste, ne détenait-il pas une part de vérité, lorsqu'il dénonçait les menaces qui planaient sur notre monde ?

En critiquant notre mode de vie, égoïste et irresponsable face à la nature qui nous avait créés, le vieil homme ne nous renvoyait-il pas à la part la plus courageuse de nous-mêmes, celle qui osait affronter la réalité d'un monde en surpopulation, aspirant sans cesse un peu plus les richesses épuisables de notre environnement ? Bien sûr, Bayer était fou. Bien sûr, la mort de milliards d'êtres humains constituait le crime le plus abject de toute l'Histoire, déjà pavée de terribles souvenirs... Bien sûr, ses solutions expéditives et ses moyens aléatoires pouvaient plonger la planète qu'il défendait dans une tourmente plus grande encore...

Mais alors, pensa Colton au fur et à mesure que les minutes s'égrenaient sur le compteur des ogives, où était la solution ?

La Terre ne pouvait plus soutenir le rythme actuel de notre développement : la Terre était le nouvel esclave du siècle qui débutait. En la forçant à délivrer toujours plus, l'humanité la condamnait sans se rendre compte qu'elle brûlait sa propre maison. Alors que pouvait-on dire ou faire, qui soit moins expéditif que les solutions de Bayer ?

La réalité s'offrait à quiconque osait la regarder avec une simplicité terrifiante : l'humanité avançait toujours plus loin sur la voie de la destruction, sans vouloir comprendre qu'un jour ou l'autre, bientôt, la nature cesserait d'être clémente devant nos folies. Et ce jour-là, les hommes seraient obligés de prendre des décisions aussi cruelles et définitives que celles proposées par le vieil homme. Il n'y avait aucun jugement moral dans tout cela : les règles de la chaîne alimentaire et de l'équilibre entre les espèces étaient foulées au pied par des lobbys industriels et financiers qui contournaient les lois insuffisantes de nos Etats. Des usines toujours plus polluantes, des agricultures qui accaparaient toujours plus de forêts, des circuits de grande distribution agroalimentaire qui dépeuplaient toujours plus les océans du globe... Le monde humain créait depuis un siècle l'environnement propice à sa propre extinction.

Une légère sonnerie retentit sur la console informatique : la réponse de Welsh venait de lui parvenir.

Colton, répondez à ces questions et communiquez-moi la réponse dès que possible :

— Souffrez-vous de nausées ? De pertes de mémoire ? De douleurs articulaires ? Est-ce que votre vue est altérée par moments ?

— La masse blanche qui se trouve devant vous émet-elle des interférences électriques sur la coque de l'alliage ? Est-ce que les instruments de commandes radio marchent à l'intérieur du complexe ?

— Donnez-moi une taille – même très approximative – de la masse qui se trouve autour de la base

S.W.

En quelques minutes, Colton pianota sur son clavier pour envoyer une réponse négative aux différents symptômes cliniques énumérés par Welsh, ainsi que ses différentes observations relatives au nuage bactérien.

Il envoya un second e-mail au patron de la NSA et se figea sur la touche Enter, après l'avoir enfoncée, en sentant le métal froid d'un canon posé sur sa nuque...

— Tu restes exactement comme tu es, cow-boy...

Colton sourit en se tournant légèrement. Il avait reconnu la voix du colonel Predgard. Cette dernière l'observait d'un regard froid, prête à faire feu sans la moindre hésitation.

— Tu me reconnais, n'est-ce pas ? demanda-t-elle...

— Comment pourrait-on t'oublier ? déclara-t-il avec une pointe d'ironie dans la voix. Comment es-tu arrivée ici ?

— OCCEN avait deux porte-containers équipés pour le ravitaillement de cette base. Un de nos commandos a investi le second alors qu'il se trouvait près de Panama, dans les eaux internationales. Ils y ont découvert ce truc bizarre et... me voilà !

— Comment savais-tu pour OCCEN ? Et comment savais-tu qu'il y aurait un module à bord ?

— Disons que... Joachim Neumann m'a un peu aidée.

Colton fronça les sourcils, sans comprendre.

— Comment est-ce que tu as...

— Disons que c'est grâce à mon charme naturel, trancha-t-elle d'une voix sèche, avant de poursuivre :

— ... Désolée de te l'apprendre ainsi, mais j'ai un autre job, en plus de la Navy...

— CIA ?

La jeune femme eut un petit rire méprisant.

— Non. Au-dessus d'un certain QI, ils refusent les candidatures...

— Oui... tu travailles pour les services secrets militaires, la DIA, n'est-ce pas ?

— Bingo !

— Est-ce que c'est Welsh qui t'envoie ? demanda-t-il alors que la jeune femme fronçait les sourcils, visiblement désarçonnée par la question de Seth...

— Welsh ? demanda-t-elle d'une voix qui trahissait son étonnement.

Le colonel Predgard ne savait rien des activités de Steward Welsh. Pour elle, cet homme dirigeait la NSA, point final. Majestic se présentait à la DIA au travers d'un autre de ses membres, et créait ainsi une confusion qui empêchait quiconque de comprendre et d'identifier la hiérarchie de cette organisation ultrasecrète : Seth connaissait Welsh sans savoir qu'il opérait pour le compte de Majestic, et Predgard ignorait tout de son implication, bien qu'elle ait eu affaire à l'un de ses subordonnés. Cet écheveau inextricable préservait le secret autour de ces sections depuis 1953...

— Je suis venue pour prendre le contrôle de cette base, dit-elle en se poussant légèrement, afin que Colton puisse observer les Seals qui l'accompagnaient. La technologie de cette base permettra des avancées prodigieuses dans le secteur militaire. Il nous assurera un contrôle total des océans, mais il fera également progresser les recherches aéronautiques à pas de géant. Avec ces alliages, nos avions pourront voler à Mach 8 sans aucun problème. Et la recherche spatiale en bénéficiera aussi...

— Désolé de te décevoir, mais c'est raté...

— Oui. Je suis au courant de ça. Tu veux détruire cet endroit, n'est-ce pas ?

Il hocha affirmativement la tête, alors que la jeune femme souriait en répondant :

— Et naturellement, tu ne veux pas désamorcer tes bombes ?

— On les a trouvées, colonel ! hurla un des hommes depuis les couloirs voisins. Quatre têtes nucléaires russes !

— Hum..., fit-elle d'un air qui feignait l'admiration. J'espère que ça va te faire changer d'avis.

Elle claqua dans ses doigts alors que deux autres commandos pénétraient dans la pièce, en compagnie d'une jeune fille qu'il reconnut immédiatement...

— Tu te souviens de ta petite protégée. J'ai reçu l'ordre de te ramener entier jusqu'à la surface. Mais pour elle, c'est à moi de décider... Et sa vie dépendra de ta réponse. Vas-tu oui ou non nous donner la clé des codes de mise à feu ?

Colton ébaucha un rire qu'il essaya de rendre sincère, alors qu'il scrutait la pièce en se demandant comment et quand il allait attaquer : Nancy se tenait près, bien assez près pour qu'il s'empare de son arme...

— Vous vous trompez : cette fille est une catastrophe ambulante et elle me rend dingue dès que je passe plus de 10 minutes en sa présence ! Alors si vous pensez que...

En plein milieu de sa phrase, il enroula le poignet de la jeune femme et s'empara de son arme avant de la plaquer devant lui, comme une armure : les Seals hésitèrent à faire feu sur leur chef un court instant, et

Seth tua les deux commandos qui retenaient Steffi avant de rouler au sol, derrière la console de commande. Avant de disparaître totalement derrière la paroi métallique, il tira une balle dans le genou d'un troisième homme qui s'effondra dans un cri de douleur...

Il tenait toujours Nancy. Une rafale crépita à quelques centimètres de lui. Il se releva un minuscule instant pour évaluer le nombre et la position de ses ennemis, et tira deux projectiles sur le soldat le plus proche. Il restait une dizaine d'hommes valides dans la pièce, alors que la jeune Allemande demeurait terrée près du sas qui menait au couloir. En allemand, il déclara :

— Ne bougez pas d'où vous êtes, Steffi !

Il tenait toujours le colonel Predgard d'une main, la bloquant de sa main gauche dans une pression douloureuse. Sur la poitrine de son treillis commando, il dégoupilla une grenade.

— Attention ! il va..., hurla-t-elle avant qu'il ne l'assomme d'une manchette à la nuque.

D'un geste précis, il lança la grenade au dernier moment, dans la direction opposée à Steffi, prêt à bondir.

Dès que l'explosion eut lieu, il se releva et tira au coup par coup, méticuleusement, sur tout ce qui bougeait encore... Les quelques survivants furent rapidement abattus, alors que la jeune écologiste se précipitait vers lui.

— Ça fait deux fois que vous me sauvez ! déclara-t-elle en baissant les yeux.

— Ne me remerciez pas : s'ils vous ont enlevée,

c'est uniquement à cause de moi. Combien étiez-vous dans le sous-marin ?

— Je... je ne sais pas : ils m'avaient mis une cagoule et ils m'avaient bâillonnée...

Pour ce qui était du bâillon, pensa Seth, il ne leur donnait pas tort !

— Maintenant, vous allez...

Avant qu'il ne termine sa phrase, le bip de la console centrale lui signalait une réponse. Beaucoup d'écrans avaient été endommagés par les balles, mais pas celui des connections réseaux...

Welsh lui faisait parvenir un message :

J'ai bien reçu votre e-mail et mes spécialistes pensent que vous êtes OK. A tout hasard, nous préparons une quarantaine en surface, et nous vous réceptionnerons aux coordonnées convenues avec les Russes. Remontez dès que possible, avec mes hommes : désolé de ce comité d'accueil, mais vous ne m'avez pas laissé le choix...

S.W.

Colton fut amusé à l'idée de pouvoir enfin contrarier les plans de cet homme qui semblait toujours avoir une longueur d'avance sur lui. Pour une fois, Steward Welsh perdrait la partie. La base allait sauter dans une dizaine de minutes, emportant avec elle les secrets de Ludwig Bayer...

— Ecoutez-moi, Steffi : je veux que vous l'aidiez à marcher : nous allons évacuer le complexe et nous disposons de très peu de temps..., fit-il en désignant le colonel qui reprenait peu à peu connaissance.

Sans un mot, le petit groupe quitta la salle de

commande et emprunta un ascenseur jusqu'au niveau 0, afin d'embarquer dans un module de transport. Colton quitta la base sans regarder en arrière : les merveilles technologiques réalisées ici étaient largement contrebalancées par le terrifiant pouvoir qu'elles conféraient à ses détenteurs. Et Seth doutait qu'un homme comme Steward Welsh poursuive des objectifs plus louables que Bayer...

La base sauta quelques minutes après que les trois rescapés furent arrivés à la surface. Dans une explosion silencieuse, le cœur du complexe s'affaissa pour offrir une prise aux terrifiantes pressions qui s'accumulaient sur lui : avant même que le choc nucléaire ne détruise les parois, elles furent écrasées par les milliards de tonnes d'eau en suspens.

Dans un craquement lugubre, qui ne pouvait être entendu que de l'intérieur, le rêve du milliardaire allemand se tordit, puis se décomposa, pour devenir une épave de plus, au fond des abysses à nouveau déserts...

Le sous-marin avait été treuillé par des hommes en combinaisons de sécurité biologique niveau 4, jusqu'à un gigantesque container arrimé au pont du navire militaire russe qui s'apprêtait à les ramener sur la banquise. Une fois l'engin déposé à l'intérieur, on le scella pour une durée de huit jours, décidée par Welsh en personne. Ce dernier se tenait derrière une vitre de Plexiglas renforcée, parfaitement hermétique. Il faisait face à Colton dans une combinaison Chemturion, utilisée par les laboratoires militaires travaillant sur les virus les plus dangereux. Au travers de la visière hermétique, il affichait un petit sourire amusé :

— Je vous trouve un peu trop souvent sur ma

route, déclara-t-il d'une voix étrange, au travers d'un micro semblable à ceux des parloirs de prison.

— C'est vous qui avez orchestré l'opération de la DIA ?

— Non. Disons que nous les avons « orientés » sur certaines pistes. Nous évitions ainsi de nous exposer au grand jour...

— « Nous » ? Qui, « nous » ?

Derrière la vitre de sécurité biologique, Welsh esquissa un sourire avant de répondre :

— Peut-être le saurez-vous un jour, monsieur Colton...

— Une dernière question : pourquoi m'avoir épargné, en bas...

— Peut-être serons-nous amenés à travailler ensemble dans l'avenir ? Qui sait ? Je ne voulais pas mettre un terme... définitif à nos collaborations épisodiques.

— Comment étiez-vous si sûr que j'irais bien ? Que je ne serais pas contaminé ? Vous saviez ce qu'il y avait en bas, n'est-ce pas ?

— Oui.

— Mais vous ne me direz pas de quoi il s'agit. Je me trompe ?

— Non. Vous avez raison. Même si vous devez le savoir un jour, il est trop tôt...

— Pourquoi ?

Le directeur de la NSA demeura silencieux. Colton enchaîna :

— Est-ce que cette chose était animale ?

— Non.

Welsh semblait prendre un certain plaisir à répondre de manière incomplète, à éluder la vérité.

— Est-ce que vous avez créé cette chose ? demanda Seth d'une voix sévère.

— Non.

— Est-ce qu'elle peut remonter en surface ?

Le patron de la NSA murmura quelques mots en russe. Au travers de la vitre, Seth ne put les comprendre. Les deux officiers de marine s'éloignèrent alors que Steward Welsh enchaînait d'une voix qui s'efforçait de paraître détachée, mais au fond de laquelle on sentait poindre une terreur infinie :

— A tout moment, monsieur Colton. Et voulez-vous que je vous confie un secret ?

Devant le silence de son interlocuteur, l'homme enchaîna :

— Ce que vous avez vu, au fond, est l'un des secrets les moins redoutables qui se trouvent enfouis dans les abysses. Avec leur folie écologique, Bayer et ses hommes auraient pu libérer des formes de vie capables de décimer la planète en une seule journée. Ces choses existent, monsieur Colton. Croyez-moi quand je vous dis qu'elles existent, conclut-il en s'éloignant.

Alors qu'il s'apprêtait à quitter le pont du navire pour pénétrer dans la cabine du destroyer, Welsh se tourna de nouveau vers Seth :

— A propos : vous croyez avoir gagné ? Vous croyez avoir définitivement enterré la technologie de cette base ? Vous croyez avoir condamné la porte des abysses ? Regardez derrière vous...

Du doigt, il désignait le module grâce auquel Colton avait regagné la surface.

— Nous avons perdu le sous-marin que les Seals avaient emprunté, mais pas le vôtre... Un seul morceau de cet alliage suffira à mes services pour reconstituer le complexe.

— Mais pourquoi ? s'insurgea Colton... Vous savez apparemment mieux que quiconque ce qui se passe au fond ! Alors pourquoi y retourner ?

— Pour battre les Russes ! ironisa-t-il en direction des deux généraux qui se tenaient maintenant à ses côtés.

Les hommes éclatèrent de rire en pénétrant dans le bateau, alors que Welsh s'approchait à nouveau de quelques pas.

— Cette « chose » comme vous l'appelez, a deux caractéristiques : elle vit pour tuer, et elle est très paresseuse. Si on ne la dérange pas, elle demeure dans la roche pour les quatre milliards d'années qu'il reste à vivre à cette planète. Si nous voulons descendre, c'est juste pour s'assurer qu'un autre excité ne va pas la réveiller une seconde fois.

— Mais qu'est-ce que...

Le patron de la NSA se tenait devant Seth en remuant son doigt d'un mouvement négatif :

— Pas maintenant, Colton. Mais un jour, peut-être... En attendant, reposez-vous : vous allez rester huit jours dans cette boîte de conserve, en compagnie de deux superbes jeunes filles : il ne tient qu'à votre charme naturel de transformer cette quarantaine en une semaine de rêve...

*

En fait de rêve, cette aventure revêtait des allures de cauchemar. Un cauchemar dont personne ne pouvait encore prédire l'issue : avec les travaux sous-marins de Bayer, le tracé du courant océanique profond était irrémédiablement perturbé. A la différence des crises du monde humain, l'effet de ce bouleversement ne serait pas immédiat : la planète vivait à un rythme bien plus lent que nous autres...

Mais dans quelques décennies, dans quelques siècles, la folie et l'irresponsabilité d'un tel projet se paieraient certainement au prix fort. Peut-être même au prix qu'avait fixé Bayer avant sa mort.

Et si le courant du Groenland disparaissait totalement, au lieu de s'interrompre quelque temps ? Que se passerait-il ? Comme le vieil Allemand l'avait déclaré, « la nature trouvera son chemin ». Oui, bien sûr... Mais l'humanité aura-t-elle sa place sur cette nouvelle voie ? Personne ne pouvait encore le dire. Tout ce que Colton pouvait affirmer, au terme de cette aventure qui l'avait conduit au cœur d'un monde inexploré, inconnu et hostile, c'était que les premières décennies du siècle qui s'annonçait seraient difficiles. Bayer, mort deux fois, avait imprimé une marque décisive dans l'histoire de l'humanité. Il avait poussé la Terre vers un nouvel ordre climatique, dont lui-même ignorait tout, dans le seul espoir d'affaiblir durablement sa propre race. Etrange espèce que la nôtre...

TABLE

Cet ouvrage a été composé par
Nord Compo (Villeneuve-d'Ascq)
et imprimé sur presse Cameron
par **Bussière Camedan Imprimeries**
à Saint-Amand-Montrond (Cher)
pour le compte de la Librairie Plon

Achevé d'imprimer en août 2003.

N° d'édition : 19674. — N° d'impression : 033878/1.
Dépôt légal : août 2003.
Imprimé en France